原子番号	元素	英名	元素記号	原子量		不確かさ‡	備考
52	テ ル ル	tellurium	Te		127.6	0.03	g
29	銅	copper	Cu		63.55	0.003	r
105	ド ブ ニ ウ ム*	dubnium*	Db		(268)		
90	ト リ ウ ム*	thorium*	Th	232.0377	232.0	0.0004	g
11	ナ ト リ ウ ム	sodium	Na	22.989 769 28	22.99	0.000 000 02	
82	鉛	lead	Pb	[206.14, 207.94]	207.2		
41	ニ オ ブ	niobium	Nb	92.906 37	92.91	0.000 01	
28	ニ ッ ケ ル	nickel	Ni	58.6934	58.69	0.0004	r
113	ニ ホ ニ ウ ム*	nihonium*	Nh		(278)		
60	ネ オ ジ ム	neodymium	Nd	144.242	144.2	0.003	g
10	ネ オ ン	neon	Ne	20.1797	20.18	0.0006	g m
93	ネ プ ツ ニ ウ ム*	neptunium*	Np		(237)		
102	ノ ー ベ リ ウ ム*	nobelium*	No		(259)		
97	バ ー ク リ ウ ム*	berkelium*	Bk		(247)		
78	白 金	platinum	Pt	195.084	195.1	0.009	
108	ハ ッ シ ウ ム*	hassium*	Hs		(277)		
23	バ ナ ジ ウ ム	vanadium	V	50.9415	50.94	0.0001	
72	ハ フ ニ ウ ム	hafnium	Hf	178.486	178.5	0.006	g
46	パ ラ ジ ウ ム	palladium	Pd	106.42	106.4	0.01	g
56	バ リ ウ ム	barium	Ba	137.327	137.3	0.007	
83	ビ ス マ ス*	bismuth*	Bi	208.980 40	209.0	0.000 01	
33	ヒ 素	arsenic	As	74.921 595	74.92	0.000 006	
100	フ ェ ル ミ ウ ム*	fermium*	Fm		(257)		
9	フ ッ 素	fluorine	F	18.998 403 162	19.00	0.000 000 005	
59	プ ラ セ オ ジ ム	praseodymium	Pr	140.907 66	140.9	0.000 01	
87	フ ラ ン シ ウ ム*	francium*	Fr		(223)		
94	プ ル ト ニ ウ ム*	plutonium*	Pu		(239)		
114	フ レ ロ ビ ウ ム*	flerovium*	Fl		(289)		
91	プ ロ ト ア ク チ ニ ウ ム*	protactinium*	Pa	231.035 88	231.0	0.000 01	
61	プ ロ メ チ ウ ム*	promethium*	Pm		(145)		
2	ヘ リ ウ ム	helium	He	4.002 602	4.003	0.000 002	g r
4	ベ リ リ ウ ム	beryllium	Be	9.012 1831	9.012	0.000 0005	
5	ホ ウ 素	boron	B	[10.806, 10.821]	10.81		m
107	ボ ー リ ウ ム*	bohrium*	Bh		(272)		
67	ホ ル ミ ウ ム	holmium	Ho	164.930 329	164.9	0.000 005	
84	ポ ロ ニ ウ ム*	polonium*	Po		(210)		
109	マ イ ト ネ リ ウ ム*	meitnerium*	Mt		(276)		
12	マ グ ネ シ ウ ム	magnesium	Mg	[24.304, 24.307]	24.31		
25	マ ン ガ ン	manganese	Mn	54.938 043	54.94	0.000 002	
101	メ ン デ レ ビ ウ ム*	mendelevium*	Md		(258)		
115	モ ス コ ビ ウ ム*	moscovium*	Mc		(289)		
42	モ リ ブ デ ン	molybdenum	Mo	95.95	95.95	0.01	g
63	ユ ウ ロ ピ ウ ム	europium	Eu	151.964	152.0	0.001	g
53	ヨ ウ 素	iodine	I	126.904 47	126.9	0.000 03	
104	ラ ザ ホ ー ジ ウ ム*	rutherfordium*	Rf		(267)		
88	ラ ジ ウ ム*	radium*	Ra		(226)		
86	ラ ド ン*	radon*	Rn		(222)		
57	ラ ン タ ン	lanthanum	La	138.905 47	138.9	0.000 07	g
3	リ チ ウ ム	lithium	Li	[6.938, 6.997]	6.94		m
116	リ バ モ リ ウ ム*	livermorium*	Lv		(293)		
15	リ ン	phosphorus	P	30.973 761 998	30.97	0.000 000 005	
71	ル テ チ ウ ム	lutetium	Lu	174.9668	175.0	0.0001	g
44	ル テ ニ ウ ム	ruthenium	Ru	101.07	101.1	0.02	g
37	ル ビ ジ ウ ム	rubidium	Rb	85.4678	85.47	0.0003	g
75	レ ニ ウ ム	rhenium	Re	186.207	186.2	0.001	
111	レ ン ト ゲ ニ ウ ム*	roentgenium*	Rg		(280)		
45	ロ ジ ウ ム	rhodium	Rh	102.905 49	102.9	0.000 02	
103	ロ ー レ ン シ ウ ム*	lawrencium*	Lr		(262)		

日本化学会原子量専門委員会の資料をもとに作成.
（脚注）（備考）は次頁.

基礎教育シリーズ

分析化学
〈機器分析編〉
—第 2 版—

本水昌二・朝本紘充・石坂昌司・井原敏博
内山一美・齊藤和憲・佐藤健二・塚原　聡
中釜達朗・西澤精一・沼田　靖・南澤宏明　著
森田孝節・吉川賢治

東京教学社

著者紹介

本水　昌二　［岡山大学・名誉教授・理学博士］

朝本　紘充　［日本大学生産工学部・准教授・博士（薬学）］

石坂　昌司　［広島大学大学院先進理工系科学研究科・教授・博士（理学）］

井原　敏博　［熊本大学大学院先端科学研究部・教授・博士（工学）］

内山　一美　［元 東京都立大学・教授・薬学博士］

齊藤　和憲　［日本大学生産工学部・准教授・博士（理学）］

佐藤　健二　［日本大学工学部・教授・理学博士］

塚原　　聡　［大阪大学大学院理学研究科・教授・博士（理学）］

中釜　達朗　［日本大学生産工学部・教授・博士（工学）］

西澤　精一　［東北大学大学院理学研究科・教授・博士（理学）］

沼田　　靖　［日本大学工学部・教授・博士（工学）］

南澤　宏明　［日本大学生産工学部・教授・博士（工学）］

森田　孝節　［日本大学理工学部・准教授・博士（工学）］

吉川　賢治　［日本大学理工学部・准教授・博士（工学）］

は じ め に

　利益と利便性を一途に追求する営みの中で人類は発展を続けてきました．結果として，近年になって，資源，環境，気候，水，食料などさまざまなイシューにおいてほころびが顕在化し，SDGs に代表される持続可能な社会の実現が人類普遍の達成目標となっています．今後，私たちは，ますます複雑さを増しているこれらの問題と上手く共存することが求められますが，そのためには現状を素早く，正しく理解することが何よりも重要となります．安定した精密な成分分析，超微量成分の検出・同定・定量分析などにより，未来予測（将来展望），品質保証，安全性担保などがはじめて可能になります．

　分析の精度，確度，感度の要求レベルが高くなるにつれ，分析者は否が応でも機器分析に頼ることになります．分析機器は設定された条件において得られた結果（電子データ）をありのままに分析者に報告します．すなわち，結果には，求めている情報以外に，測定ノイズ，サンプル固有の夾雑物，前処理により新たに加わったマトリックスなどからくる，本来，解析時に除外されるべきさまざまな情報が重畳しています．必要な情報とそれ以外のノイズやアーティファクトを正しく切り分けるためには専門知識が必要で，使用する分析法の測定原理に加えて基礎編に記述した平衡論に基づく溶液化学の知識は不可欠なものです．さらに，分光学などの関連する物理学，およびある程度の装置に関する機械的知識がなければ専門家として不測の事態に対応することはできません．

　以上のような時代の要請に応えるべく，自然科学系の大学学部学生，および工業高等専門学校における教育を念頭に本書を執筆しました．本書は「基礎教育シリーズ　分析化学（基礎編）」の姉妹編として位置づけられる機器分析化学の入門書です．これらの姉妹書で「分析化学」の全容を俯瞰して学ぶことができます．本書はその初版を 2011 年に出版しています．今回，10 年の時を経て時代の変化に即した，また分析機器の目覚しい発展を反映させた内容に改訂しました．

　本書の編集方針は，基礎編を踏襲したもので，特徴は以下のとおりです．
（1）　分析化学の両輪の 1 つとなる機器分析編として，基本的な事項を図，表を用いてわかりやすく説明することに留意した．
（2）　最近注目されている機器分析法の質量分析法，および GC，LC との複合化質量分析法（ハイフネーテッド技術に基づく分析）もとり入れた．
（3）　世界的な標準分析法である ISO（International Organization for Standardization）や我が国の公定法にも取り入れられつつある，流れを用いる分析法（フローインジェクション分析法，Lab-on-a-Chip など）をとり入れた．
（4）　冒頭に "第 1 章　機器分析とは" を，また最後には "第 8 章　社会生活との関わり"

を配して，機器分析化学を学ぶ意義とその重要性の喚起をはかった．

（5） 各章の冒頭にはその章で取り扱う重要事項（キーワード）を抽出し，学習者が当該章において習得すべき項目を一覧できるようにした

（6） 本文中の関連箇所に適宜例題を配し，重要事項の理解と習得の助けとした．

（7） 章末には，多くの練習問題を付し，学習者や教師が選ぶための助けとして，「必須」，「推奨」，「チャレンジ」の難易度を示した．

（8） 章末問題の後に課題を配し，学習者が自分自身で思考し，あるいは調査などしてレポートにまとめたり，さらにはアクティブラーニング，反転授業などで利用されることを期待した．

（9） 随所に関連するコラムや参考事項を付した．

（10） 将来の国際的な活躍が求められる若い学習者には，専門用語を英語で知っておくことが極めて重要であることを念頭に，巻末に重要語の日本語と英語の索引を付した．

　以上のような特徴を最大限活かし，本書を利用する学習者がより充実した機器分析化学を習得されることを期待いたします．

　将来，分析化学・分析技術に関わる社会人として活躍される方々に，本書を座右において末長く参考として頂ければ，著者一同望外の喜びであります．また，本書の中で，改善すべき点や間違いなど，読者から忌憚のないご意見，ご叱正を賜れば幸甚に存じます．

　本書の執筆にあたっては，多くの成書，論文を参考にさせていただきました．それらの著者の方々に深甚なる謝辞を表したいと思います．

　また，本シリーズの初版発刊以来，本改訂までの長きにわたり，終始お世話になりご指導，ご尽力いただいた櫻川昭雄先生（日本大学理工学部名誉教授），善木道雄先生（岡山理科大学名誉教授），寺前紀夫先生（東北大学名誉教授），平山和雄先生（日本大学工学部名誉教授），三浦恭之先生（東海大学名誉教授）に厚く御礼申し上げます．

　終わりに，本書の出版に際し，終始お世話いただいた東京教学社社長の鳥飼正樹氏と編集部の神谷純平氏に心から御礼申し上げます．

2021 年 8 月（東京五輪の夏）

著者一同

目　次

第 3 章　光の吸収および放射を利用する分析法

第 4 章　電気化学分析法

第5章 クロマトグラフィーと電気泳動

第6章 質量分析法

第7章　化学分析システムと自動化測定

第8章　社会生活との関わり

『基礎教育シリーズ　分析化学〈基礎編〉』目次

第 1 章　機器分析とは

　本章では機器分析の定義ならびに分析化学における位置づけ，その役割について述べる．次に機器分析をその原理に基づいて分類し，主な分析法について概略を述べ，それら機器分析の現状における長所と短所についても言及する．本章において機器分析の概要を知り，以降の各章における各々の機器分析法の詳細を理解するための導入部とする．

本章で学ぶ重要事項
（1）　機器分析：定義，分析化学における位置づけ，役割
（2）　機器分析の概略：原理に基づく分類，長所と短所
（3）　機器分析と化学分析：化学分析の目的，意義，物理的および化学的分析法と機器分析との
　　　関連

1.1　機器分析と化学分析

　試料中に存在する化学成分の種類を決定し，その量や化学組成を求め，さらに得られた情報を通して試料の構造，状態などを知ることを目的とした学問が分析化学（Analytical Chemistry）である．その対象は化学物質にとどまらず，生体，環境，材料，エネルギーなど多岐にわたる．

　化学分析（Chemical Analysis）は，化学種の定性および（または）定量に用いる操作および技術であり，化学的，物理的な各種原理に基づいた種々の方法がある．かつては，主に化学的な原理に基づく重量分析，容量分析，および物理的な原理に基づく機器分析の3種類に分類されていたが，化学的な原理に基づく分析も機器を用いて行われることが多くなっているため，現在ではこれらの区分は JIS において用いられていない．化学分析のうち，定量分析に用いる方法には重量分析，容量分析，光分析，電磁気分析，電気分析，クロマトグラフィー，熱分析，複合技術による分析（GC-MS や TLC-FTIR などハイフネーション分析ともいわれる），放射化分析，流れ分析などがあり（JISK-0050 通則），本書ではその中で重量分析，容量分析，放射化分析を除く機器を用いた分析について扱う．

　上記のように，機器分析（instrumental analysis）は主として物理的・物理化学的方法を用いることが多い．微量成分（1% 以下）から超微量成分（ppm 以下）の分析も可能である．さらに，含有量を決定する一般的な測定の他，試料中の成分の存在状態における確認や他成分との化学結合の状態など，多くの物理化学的情報を得ることを目的としたものもある．

機器分析，化学分析法などの分類は便宜的なもので，それぞれの領域が重なっており厳密に区別することは難しい．一例として，ビュレットを用いる滴定操作は化学的分析法であるが，多くの場合コンピュータ制御の自動滴定装置を用いて行われ，データはコンピュータに入力・処理・解析され，分析データとして得られる．このようなものは機器分析である．

1.2　機器分析の役割

機器分析の役割は極めて重要であり，広範な分野で利用されている．例えば，環境汚染の状況を把握し，微量でも環境や生体に大きな影響を与える化学成分の種類やそれらの濃度を正確に測定することは安全・安心社会構築に役立ち，また，生体内の神経伝達物質やホルモンなど，その濃度や分布状態を把握することで疾病の診断，予防に役立つ．これらの例は，人類社会の究極の目的に貢献することを意味している．

現在，機器分析の科学技術に果たす役割・意義は極めて大きくさまざまな分野で利用されている．例えば，上水・環境水や大気分析，化学産業や薬品工業では原材料分析，工程管理，製品の品質管理や新製品の開発研究などに必要不可欠である．また医療分野では臨床分析や診断技術に，生命科学分野ではバイオイメージング，遺伝子解析などにおいても必須である．有機・無機化学や物理化学などの化学研究において機器分析は大きな役割を演じており，研究に費やす時間の多くは"分析"することに充てられている．近年では微小領域の特性を生かしたマイクロトータルアナリシスが機器分析の役割を飛躍的に拡大しつつあり，さらに多方面への応用が期待されている．

このようなさまざまな分野において微量化学成分の定量分析や存在状態などの解析はますます重要となっている．しかし，試料の形態によっては現状では解析が困難な場合もある．今後の機器分析の進歩によってはじめて解明することが可能となる．科学の進歩は新たな測定方法の開発により飛躍的に進むといわれる．

例えば，顕微鏡の発明により水中微生物やバクテリア，赤血球，細胞など生命科学の基礎となる数々の発見がもたらされた．電子顕微鏡によりカーボンナノチューブの発見がなされている．高分子量測定が可能な質量分析法は生命科学に多くの発展をもたらしている．

大学の研究室や企業の研究所，化学工場などでは数種以上の機器分析装置が稼働している．分析に関係する人はもとより，関連分野の人も本書に記載されている機器分析の原理，内容は理解しておくことが望ましく，これにより信頼性の高い測定が可能となる．

1.3　機器分析の分類

　機器分析はその主たる目的により物質の化学組成を決定する組成分析，成分の化学構造を明確にする構造分析，および材料の特性を明らかにする物性分析の3つに分類する方法と，測定原理に基づいて分類する方法などがある．本書では機器分析の原理に基づいた分類を採用し，光の吸収および放射を利用する分析法，電気化学分析法，分離分析法，質量分析法およびその他の分析法について記述した．機器分析装置は物理化学的な測定原理を実現し，実際の試料を測定するために必要な装置を適切に配置・構成したものともいえる．

1.3.1　光の吸収および放射を利用する分析法
　この分析法は，物質の電磁波「光」の吸収及び放射現象など物質と電磁波との相互作用から，物質の化学的情報を得る方法であり，機器分析の中でも古くから最も広く利用されている分析法である．
1)　比色分析（Colorimetry）
2)　紫外可視吸光光度分析（Ultraviolet-visible absorptiometry）
3)　比濁分析（Turbidimetry）
4)　蛍光分析（Fluorometry）
5)　紫外可視吸収スペクトル分析（Ultraviolet-visible absorption spectrophotometry：UV-Vis）
6)　赤外吸収スペクトル分析（Infrared absorption spectrophotometry：IR）
7)　ラマンスペクトル分析（Raman spectrometry）
8)　原子吸光分析（Atomic absorption spectrophotometry：AAS）
9)　原子発光分析（Atomic emission spectrophotometry：AES）
10)　旋光分散法（Optical rotatory dispersion method）
11)　円偏光二色性法（Circular dichroism method）
12)　X線分析（吸収，回折，蛍光および発光を含む）（X-ray methods）
13)　電子線分析（Electron ray methods）
14)　核磁気共鳴吸収分析（Nuclear magnetic resonance method：NMR）
15)　常磁性共鳴吸収分析（Electron spin resonance method：ESR）

　本書では物質の定性および定量を目的とした基礎的な分析法を取り扱うため2)，4)，5)，6)，8)，9) を取り上げ，さらに最近の利用の拡大を考慮して7) および11)～15) を取り上げた．

1.3.2 電気化学分析法

物質の電気化学的性質を利用して化学的情報を得る方法であり，主な分析法を以下に示す．

1) 電位差分析（電位差滴定を含む）（Potentiometry）
2) 化学センサー法（イオン選択性電極や酵素電極など）（Chemical sensor method）
3) 電解分析（Electrolytic analysis）
4) 電量分析（Coulometry）
5) ボルタンメトリー（Voltammetry）
6) 伝導度分析（Conductometry）

本書では 6) は割愛した．

1.3.3 分離分析法

物質を何らかの方法で分離したのち，種々の検出法により化学的情報を得る方法である．利用範囲が広く，光分析法と同様に広く活用されている．主に次の方法がある．

1) ガスクロマトグラフ分析（Gas chromatography：GC）
2) 高速液体クロマトグラフ分析（High performance liquid chromatography：LC）
3) その他のクロマトグラフ分析（Chromatography）
4) 電気泳動法（Electrophoresis）

1.3.4 質量分析法

種々の方法でイオン化した物質を（質量／電化数：m/z）に応じて分離してから検出し，物質の量および構造についての化学的情報を得る分析法である．最近では，ガスクロマトグラフィー，高速液体クロマトグラフィー，ICP（誘導結合プラズマ）法などと結合されGC-MS, LC-MS および ICP-MS として広く利用されている．

1) 質量分析法（Mass spectrometry：MS）
2) ガスクロマトグラフィー／質量分析法（GC-MS）
3) 液体クロマトグラフィー／質量分析法（LC-MS）

本書では ICP-MS については第 2 章で解説する．

1.3.5 その他の分析法

その他の分析法として，重要性はあるものの上記に属さないものがある．

1) 放射化分析（Radio chemical methods）
2) 熱分析（熱測定を含む）（Thermal analysis）
3) 反応速度を利用する分析（Kinetics in analytical chemistry）
4) フローインジェクション分析（Flow injection analysis：FIA）

5)　その他

本書では反応速度を利用する分析法は割愛した．また，コンピュータなどの発達により高性能・高感度な化学分析システムの構成が可能になっており，新しい機器分析法としてフローインジェクション分析法とマイクロ空間を利用した分析システムを解説する．

1.4　機器分析の長所と短所

機器分析は滴定操作を用いる湿式分析法や重量分析法と比較して下記のような長所がある．

1)　高感度に分析が可能で，試料量も小さい

目的成分が低濃度になる程高感度な検出法が必要となる．分析機器によっては ppb（10^{-9} g/g）から ppt（10^{-12} g/g）レベルの低濃度試料の分析に加え主成分の定性・定量が可能な機器もある．

また一般に高感度な機器を用いることで，試料量が小さくてすむ場合も多く，生体試料（血液など）や貴重な試料の分析にも好都合である．試料量は mg（10^{-3} g）から μg（10^{-6} g）や ng（10^{-9} g）あるいはそれ以下の試料量でも分析できる機器もある．しかし試料量が極微小な場合，取り扱いには十分注意が必要である．

2)　選択性，同時定量性に優れる

機器分析では，対象とする各成分の化学的，物理的特性に着目し，選択性を向上させたり，あるいは何らかの方法で分離したりすることで各成分の同時定量も可能である．

3)　分析結果が迅速に得られ，個人差が小さい

重量分析法や滴定操作などの分析法と比較して，機器への試料導入から目的成分の特性値（例えば電気信号）の測定が迅速であり，分析結果の整理もコンピュータ処理が可能である．過失などの誤差を除けば個人誤差は少ないといえる．しかし，使用する機器の原理および特性などをよく理解し，操作に熟練することが必要である．

4)　分析の自動化やシステム化が容易である

多機能で高品質な機器を使用するため，試料導入から分析データの解析まで，人手を最小限にとどめて自動化できる．また多くの試料を迅速に分析するために分析操作を連続化することも可能である．

さらに，分析装置のそれぞれの特色を生かして複数個の装置を組み合わせることにより，高性能な化学分析システムを構築可能である．例えば成分の分離を目的としたガスクロマ

トグラフィー（GC）や液体クロマトグラフィー（LC）と質量分析法（MS）を連結した GC-MS や LC-MS などがある.

5) 直接分析，非破壊分析が可能である

微量の有害金属を含む難溶性固体試料を溶液化してから分析することもできるが，種々の困難を伴うことも多い．このような場合，試料を溶解せず微粉体化して分散液の状態で機器に導入・測定する直接分析も可能である.

更に固体表面の状態を観察・プロファイルできる表面分析法なども利用できる.

一方，以下のような短所もある.

1) 分析値の信頼性確保のため標準物質を必要とする

一般に目的成分の標準物質が必要で，その測定値との比較で分析が実施される．種々濃度の標準溶液と計測量（電気信号など）との関係（検量線）をあらかじめ求めておき，次に試料溶液の計測量を検量線から間接的に求め濃度を知る．試料溶液と標準溶液の物性（粘度や表面張力など）が大きく異なる場合分析機器の計測量が異なる場合があり，標準添加法や内標準法を採用するなど計測量の同等性に注意が必要である．一方容量分析，重量分析では検量線を必要とせず，目的成分の絶対量を測定できる.

2) 分析結果の有効数字が小さい

一般に，分析機器における目的成分の特性値（検出信号など）は，性能が高いほど測定環境の影響を受けやすい．また，特性値は測定時間や測定日ごとに変化する場合もある．正確な分析値を得るには，測定時に標準物質によるチェックが必要である．機器分析において相対標準偏差（（標準偏差／平均値）×100%）1% 以内で，精度よくデータを取得することは比較的困難である．真値との隔たりを表す相対誤差（（測定値－理論値／理論値）×100%）は機器分析では 0.5〜数 % であるのに対して，滴定分析などでは 0.1〜0.5% の相対誤差で測定できる.

3) 分析機器が高価である

一般に，高性能な分析機器ほどその価格は高くなる一方で多くの化学的情報を得ることができる．分析装置自体の価格は数万〜数千万あるいはそれ以上の額に達するものもある.

4) 機器の保守が必要

分析機器の性能を十分に発揮させるため，機器を専用に設置する測定室が必要なことが多い．測定環境（恒温・恒湿など）を整えるのと同時に，測定頻度にもよるがメンテナンス（保守点検）を必要とするものも多い.

参考文献

（1）　小熊幸一，ぶんせき，2011，No. 1，pp. 2-6
（2）　「基礎教育分析化学機器分析編」東京教学社

課　題

1.1　「化学分析」における機器分析の位置づけを述べなさい．

1.2　炎色反応の原理を示し，この原理を利用した機器分析にはどのようなものがあるか述べなさい．

1.3　科学技術の進歩に果たす機器分析の役割について調査し具体的に記述しなさい．

1.4　これまでに経験したことのある化学実験に関連して用いた機器分析法の名称を示し，測定原理に基づいた分類をしなさい．またこれら分析法の原理について説明しなさい．

1.5　機器分析は分析化学以外の分野でも広く用いられている．自身の研究または業務に関連する分野において用いられている機器分析でどのような情報を得るために用いているのかについて調査しまとめなさい．

1.6　興味のある機器分析法を1つ選び，その原理，原理を実現する装置構成について説明しなさい．

1.7　機器分析では標準物質を用いて検量線を描き定量分析を行う．定量分析を行う際の検量線の種類を3つあげそれぞれについて方法，特徴を述べなさい．

第2章　光の吸収および放射を利用する分析法
―紫外線，可視光線および赤外線の利用

　物質を構成する原子や分子，イオン，さらに原子を構成する原子核や電子はそれぞれの状態に応じた固有のエネルギーを持っている．光（電磁波）も波長に応じた固有のエネルギーを持っており，光が物質に入射するとき，物質の固有のエネルギーとの相互作用により，光の吸収や放射（発光）などが生じる．光の吸収や発光の強さは原子や分子の種類，または光の波長によって変化するので，これらの情報を用いて物質を構成する要素を分析できる．実際の測定では光源からの光を波長ごとに分けて物質の分析に用いるので，光を用いた分析法は分光分析法と呼ばれる．現在，多くの機器分析法が種々の分野で分析に利用されているが，光を利用した分析法は機器分析法の基本ともいえる重要な分析法である．

《本章で学ぶ重要事項》
（1）　物質と光の相互作用：光の特性，原子・分子と光の相互作用
（2）　紫外線，可視光線赤外線を用いる分光分析法：各電磁波の相互作用の対象、光吸収および発光を利用する分析法
（3）　吸光光度法：吸収スペクトルとランベルト―ベールの法則，紫外・可視分光光度計，吸光光度法による定量分析やその応用
（4）　蛍光分析法：蛍光性分子と蛍光の特徴，蛍光分析法による定量分析，蛍光分析法の応用
（5）　赤外吸収スペクトル法：分子の振動と赤外吸収，赤外吸収スペクトルの測定装置
（6）　ラマン散乱分光法：ラマン散乱光，ラマン散乱法の測定原理・装置
（7）　円偏光二色性吸収分光法：CD スペクトルの測定原理・装置，キラル分子の旋光性
（8）　原子スペクトル分析法：原子吸光法，誘導結合プラズマ発光分光法（ICP-OES）および誘導結合プラズマ質量分析法（ICP-MS）の原理と応用
注　容量モル濃度の単位は "mol dm^{-3}" が好ましいが，"mol L^{-1}" もしばしば用いられる．以下では簡便のため，mol dm^{-3} あるいは mol L^{-1} を "M" で表記することとする．

2.1　物質と光の相互作用

　光を利用する分析法では，物質と光の相互作用により生じる光の吸収や放射（発光）などを利用し，定性・定量を行う分析法である．以下に測定の基礎となる光の特性や原子・分子と光の相互作用について述べる．

2.1.1　光の特性と物質
光は波であるとともに粒子としての性質を持つ．光の反射や屈折，光による分子の分極

といった現象は光を波として扱うと理解しやすい．また，原子や分子による光吸収など，物質とのエネルギーの授受を考えるときには，光がエネルギーを持った粒子であると考えると便利である．波である光は電磁波とも呼ばれ，図 2.1 に示すように直交した電場と磁場が同じ位相で振動している．種々の電磁波を特定するのに波長や振動数（周波数），波数が用いられ，これらは次のようなものである．

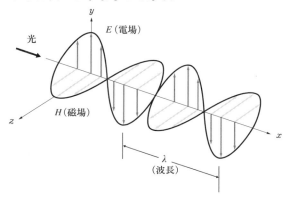

図 2.1　光（電磁波）と波長

波　　長（wavelength）：波の 1 つの山から次の山への 1 周期分の距離．
記号は λ，単位は nm や μm．

振動数，周波数（frequency）：単位時間当たりに振動する波の数．
記号は ν，単位は s^{-1} や Hz（ヘルツ）．

波　　数（wavenumber）：単位長さに含まれる波の数で，波長の逆数．
記号は $\bar{\nu}$，単位は cm^{-1}．

また，光は光子という質量も電荷もない粒子として扱われ，光子 1 個がもつエネルギー E は電磁波を特定する振動数や波長，波数と次式で関係づけられる．

$$E = h\nu = \frac{hc}{\lambda} = hc\bar{\nu} \tag{2.1}$$

ここで，h はプランク定数（$h = 6.626 \times 10^{-34}$ Js），c は真空中での光の速度（$c = 2.998 \times 10^{8}$ m s^{-1}）である．式からわかるように，光のエネルギーは振動数や波数に比例し，波長とは反比例の関係にある．種々の電磁波の単位として，紫外・可視光は波長（nm），赤外光は波数（cm^{-1}），電波領域は振動数（Hz）で使用されることが多い．また，エネルギーの大きな γ 線や X 線は，これらの光子がもつエネルギーで表され，単位は電子ボルト（eV）が用いられる．表 2.1 に電磁波の分類と物質の相互作用を示す．$10^{5} \sim 10^{9}$ eV（0.1 MeV〜GeV）というエネルギーが大きな γ 線は，原子核内の核反応などのエネルギーに相当する．10^{3} eV（keV）程度の X 線は，K 殻や L 殻などの内殻電子と相互作用する．X 線よりもエネルギーが小さい数 eV までの光は紫外光と呼ばれ，σ 軌道の電子や π 軌道の電子などの外殻電子と相互作用する．ヒトの目に見える光の波長は 380〜780 nm

程度で，可視光と呼ばれ，π軌道の電子や d 電子と相互作用する．780〜2500 nm（2.5 μm）の光を近赤外光といい，f 電子などの最外殻電子や分子振動の倍音と相互作用する．

　2.5 μm（4000 cm^{-1}）から 25 μm（400 cm^{-1}）の光は赤外光で，分子内の結合の伸縮や結合角の変化などの分子振動と相互作用する．赤外光よりも波長が長い 1 m 程度までの光は分子の回転運動と相互作用でき，これよりも波長の長い電波領域（マイクロ波あるいはラジオ波）では，電子スピンや原子の核スピン運動と相互作用する．このように，光の波長領域によって物質の構成要素との相互作用のしかたが異なるので，波長領域の異なる種々の分光法によって物質の持つさまざまな情報を分析できる．

表 2.1　電磁波の分類と物質との相互作用

電磁波名称	波　長 /m	エネルギー /eV	相互作用 の対象	光吸収を利用する 分析法	発光を利用する 分析法
γ 線	10^{-11}〜10^{-15}	10^5〜10^9	原子核	γ 線吸収分析 メスバウアー分光法	放射化分析
X 線	10^{-8}〜10^{-11}	10^2〜10^5	内殻電子	X 線吸収分析	蛍光 X 線分析 発光 X 線分光分析
紫　外	4×10^{-7}〜10^{-8}	3〜10^2	外殻電子 p 電子	原子吸光分析 紫外吸収分析	原子蛍光分析 フレーム分析 発光分光分析
可　視	4×10^{-7}〜 8×10^{-7}	1〜3	d 電子	紫外・可視 吸光光度分析 円偏光二色性法	蛍光分析 ラマン分析
赤　外	10^{-3}〜10^{-6}	10^{-3}〜1	分子振動	赤外吸収分析	
マイクロ波	10^0〜10^{-3}	10^{-6}〜10^{-3}	不対電子	常磁性共鳴吸収分析	
ラジオ波	10^3〜10^0	10^{-6}〜10^{-9}	原子核	核磁気共鳴吸収分析	

　光の反射・屈折も重要な特性である．図 2.2 に示すようにある物質（媒質 1）を進んだ光は境界面で一部反射し，残りは屈折して他の物質（媒質 2）へ進む．入射角，反射角，屈折角をそれぞれ i, i', r とすると，$i=i'$ となる．一方，媒質 1 から媒質 2 に入射した光は屈折するが，これは光の速度が変わるからである．媒質 1 および媒質 2 における光の速度を ν_1, ν_2 とすると，

$$\frac{\nu_1}{\nu_2} = \frac{\sin i}{\sin \gamma} = n_{\lambda(1,2)} \tag{2.2}$$

が成り立ち，これをスネルの法則（または屈折の法則）という．ここで，定数 $n_{\lambda(1,2)}$ を波長 λ における媒質 1 に対する媒質 2 の屈折率（相対屈折率）という．とくに媒質 1 が真空の場合，絶対屈折率といい，その物質の固有の値をもつ．また，光が屈折率の大きい物質（屈折率 n_1）から小さい物質（屈折率 n_2）に入射する場合，屈折角は入射角より大きい．ある入射角 i_0 のときに屈折角が 90° になり，i_0 を臨界角という．入射角 i_0 またはそれより大きければ，図 2.3 に示すように光はすべて境界面で反射する．この現象を全反射といい，臨界角は $i=i'$, $r=90°$ とおくことによって得られる．

$$\sin i_0 = \frac{n_2}{n_1} \tag{2.3}$$

　全反射は，吸光度法，蛍光法，赤外分光法などの分析法と組み合わせて広く利用されている.

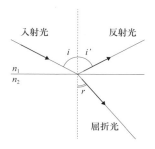

図 2.2　光の反射と屈折

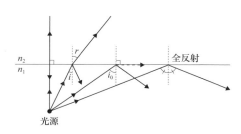

図 2.3　全反射

例題 2.1　次の問に答えよ.

（1）　殺菌や光化学反応に用いられる水銀ランプは波長 253.7 nm の紫外光を放出する. この光のエネルギーを kJ mol^{-1}, eV の単位を用いて有効数字 4 桁で表し，C—C の平均結合エネルギー 366 kJ mol^{-1} との大小関係を答えよ.

（2）　波長 500 nm, 1000 nm, 10000 nm の光を μm, cm^{-1} の単位で表し，それぞれの光は何と呼ばれるか，名称を答えよ.

解　答

（1）　この光のエネルギー（kJ mol^{-1}, eV）は，

$E = h\nu = h(c/\lambda)$, 253.7 nm = 253.7 × 10^{-9} m,

1 eV = 1.602 × 10^{-9} J より,

$$E = \frac{6.626 \times 10^{-34}\ \text{Js} \times 2.998 \times 10^8\ \text{m s}^{-1}}{253.7 \times 10^{-9}\ \text{m}}$$

$$= 7.830 \times 10^{-19}\text{J} = \frac{7.830 \times 10^{-19}\text{J}}{1.602 \times 10^{-19}\ \text{J eV}^{-1}}$$

$$= 4.887 \times 10^{-10}\ \text{eV}$$

E は光子 1 個のエネルギーであり，1 mol 当たりの光のエネルギーは，

アボガドロ定数 $N_A = 6.022 \times 10^{23}$ mol^{-1} より,

7.830 × 10^{-19} J × 6.022 × 10^{23} mol^{-1}

　　= 471.5 kJ mol^{-1}.

　C—C 結合エネルギー（366 kJ mol^{-1}）よりも大きい.

（2）

500 nm：

$\lambda = 500$ nm = 500 × 10^{-9} m = 500 × 10$^{-3}\ \mu$m

　　= 0.5 μm（可視光），

$\lambda = 500$ nm = 500 × 10^{-9} m = 500 × 10^{-7} cm,

$\tilde{\nu} = 1$ cm/500 × 10^{-7} cm = 20000 cm^{-1},

1000nm：

$\lambda = 1000$ nm = 1.0 μm（近赤外光），

$\tilde{\nu} = 10000$ cm^{-1}

10000 nm：

$\lambda = 10000$ nm = 10 μm（赤外光），

$\tilde{\nu} = 1000$ cm^{-1}

コラム	光の単位の換算

電磁波を特定する記述として，電波領域の核磁気共鳴（NMR）法では 600 MHz のように振動数が，赤外光領域では 1000 cm^{-1} のように波数が，紫外・可視光領域では 500 nm のように波長が，エネルギーの大きな X 線や 線領域ではそれぞれ keV, MeV のように電子ボルトが利用される．振動数や波数，電子ボルトはエネルギーと直接比例するので以下のような単位換算式を知っておくと便利である．

1 eV の光（電磁波）

$E = 1\ \text{eV} = 1.602 \times 10^{-19}\ \text{J}$

$\lambda = hc/E = 6.626 \times 10^{-34}\ \text{J s} \times 2.998 \times 10^8\ \text{m s}^{-1}/1.602 \times 10^{-19}\ \text{J} = 1.240 \times 10^{-6}\ \text{m} = 124.0\ \text{nm}$

$\tilde{\nu} = 1/\lambda = 1\ \text{m}/1.240 \times 10^{-6}\ \text{m} = 8.065 \times 10^5\ \text{m}^{-1} = 8065\ \text{cm}^{-1}$

$E \times N_A = 1.602 \times 10^{-19}\ \text{J} \times 6.022 \times 10^{23}\ \text{mol}^{-1} = 96.47\ \text{kJ mol}^{-1}$

1 cm^{-1} の光（電磁波）

$\nu = c\tilde{\nu} = 2.998 \times 10^8\ \text{m s}^{-1} \times 1\ \text{cm}^{-1} = 2.998 \times 10^8\ \text{m s}^{-1} \times 100\ \text{m}^{-1} = 2.998 \times 10^{10}\ \text{Hz}\ (=30\ \text{GHz})$

$E = h\nu = 6.626 \times 10^{-34}\ \text{J s} \times 2.998 \times 10^{10}\ \text{Hz} = 1.986 \times 10^{-23}\ \text{J}$

2.1.2 原子・分子と光の相互作用

原子や分子はさまざまなエネルギー状態を持つが，そのうち最もエネルギーが低く安定な状態を基底状態（ground state）といい，これよりもエネルギーが高く不安定なエネルギー状態を励起状態（excited state）という．結合を断ち切った単独の自由な原子のエネルギー状態は，電子配置（electronic configuration）によって基底状態や励起状態を表すことができる．図 2.4（a）に示すように，基底状態のエネルギー（E_G）と励起状態のエネルギー（E_E）との差に対応したエネルギーを持つ光や熱が物質に与えられると，そのエネルギーを吸収し電子が基底状態から励起状態へ移行する．この移行のことを遷移（transition）という．励起状態は不安定なので，図 2.4（b）に示すように，電子は熱や光としてエネルギーを放出して安定な基底状態へもどる．これらをそれぞれ熱緩和，光緩和という．

高温状態で化学種を原子化すると，原子のエネルギー状態は原子中の電子のエネルギーのみによって決まる．波長や振動数，波数などに対する吸収や発光などの強度を分布にし

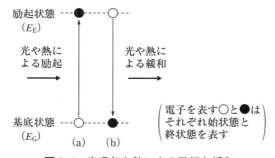

図 2.4　光吸収や熱による励起と緩和

たものをスペクトルといい，原子状態における光の吸収や発光では，吸収・発光スペクトルの幅が狭い吸収線や発光線が観測される．これらを利用する分析法を原子スペクトル分析法（原子分光分析法）という．原子スペクトル分析法については 2.7 節で解説し，ここでは分子分光分析法について解説する．

　一方，分子の持つ内部エネルギー（E）には電子状態によって決まる電子エネルギー（E_{el}）の他に，分子中の原子団の振動による振動エネルギー（E_{vib}）と分子の回転による回転エネルギー（E_{rot}）が加わる．内部エネルギーはそれらの総和として次式で示される．

$$E = E_{el} + E_{vib} + E_{rot} \tag{2.4}$$

　電子，振動，回転エネルギーの値はそれぞれ大きく異なり，これを模式的に表した電磁波の吸収に伴う分子の内部エネルギー変化を図 2.5 に示す．電子の基底状態（S_0）におけるエネルギーは，数多くある励起状態の中で最もエネルギーの低い第一励起状態（S_1）におけるエネルギーよりも小さい．分子の内部エネルギーはこの電子のエネルギーに振動のエネルギー（$v_0, v_1, v_2, \cdots$）や回転のエネルギー（$J_0, J_1, J_2, \cdots$）が足し合わされた形で示されている．横線で示された各エネルギーのことを準位という．

　図 2.5 からわかるように，J で示される回転準位間の遷移に要するエネルギーは最も小さく，回転エネルギーはエネルギーの小さなマイクロ波を吸収して励起状態へ遷移し，こ

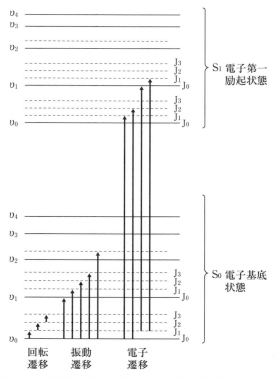

図 2.5　電子（S_i）・振動（v_i）・回転（J_i）エネルギー準位図（$i = 0, 1, 2, \cdots$）

の吸収から回転スペクトルが得られる．これに対し，v で表される振動準位間のエネルギー差はやや大きく，振動エネルギーはマイクロ波よりもエネルギーの大きな赤外光を吸収する．また，これにより分子中の原子団の振動に由来する赤外吸収スペクトルが得られる．電子が遷移するときのエネルギーはさらに大きく，紫外・可視光の吸収によって生じ，吸収スペクトルが得られる．遷移の生じやすさは膨大な数の分子が図 2.5 に示した準位のどれに数多く存在するかに依存するため，遷移について各準位に存在する確率から説明する．各準位に存在する確率はボルツマン（Boltzmann）分布によって決まり，2 つの準位のエネルギーを E_0, E_1 とすると，各準位に存在する分子数 N_0, N_1 は対称性の低い有機化合物に対して次式で与えられる．

$$\frac{N_1}{N_0} = \exp\left(\frac{E_1 - E_0}{kT}\right) \tag{2.5}$$

ここで，T は絶対温度，k（$= 1.38065 \times 10^{23}\,\mathrm{J\,K^{-1}}$）はボルツマン定数である．この式からエネルギー差（$E_1 - E_0$）が大きいほど N_1/N_0 の値は小さくなり，分子は低い準位（ここでは E_0）に存在する確率が高いことがわかる．実際，室温では電子励起状態 S_1 への分子の存在確率はほぼゼロであり，遷移は生じない．電子基底状態 S_0 では，高い振動準位に存在する確率はかなり小さくなるが，回転準位間のエネルギー差は小さいので高い回転準位に存在する確率は大きく，高い回転準位への遷移が生じることになる．光吸収により，電子が基底状態から励起状態へ遷移するとき，分子は励起状態の種々の振動準位や回転準位に遷移し得るので，紫外・可視光領域の吸収スペクトルは原子スペクトルに比較すると幅広くなる．また，分子の電子配置は基底状態と励起状態とで異なることから，電子遷移により分子の双極子モーメントは変化する．通常，基底状態よりも励起状態の分子の方が双極子モーメントは大きい．したがって，基底状態と励起状態に対する溶媒和の影響も異なってくるため，溶媒の極性によって吸収スペクトルの幅や吸収が現れる波長も変化する．

例題 2.2　次の問に答えよ．

（1）　ベンゼンは 254 nm にモル吸光係数 204 $\mathrm{M^{-1}cm^{-1}}$ の弱い紫外吸収を示し，これが S_0 から S_1 への遷移に対応する．300 K における S_0, S_1 状態にある分子の存在比 N_1/N_0 を求めよ．

（2）　H_2 と I_2 の振動準位 $v=0$ から $v=1$ への遷移である伸縮振動の現れる波数が 4262 $\mathrm{cm^{-1}}$ と 214 $\mathrm{cm^{-1}}$ であるとき，100℃ における $v=0, v=1$ の準位にある H_2 と I の存在比 N_1/N_0 をそれぞれ求めよ．

（3）　^{1}H-NMR で磁場の強さが 9.4 T（テスラ）であるとき，プロトンの共鳴周波数は 400 MHz で，これに相当する電磁波のエネルギーが基底状態と励起状態のエネルギー差に相当する．20℃ における基底状態と励起状態にある分子の存在比 N_1/N_0 を求めよ．

解　答

（1）　S_0 と S_1 間のエネルギー差（J）

$E = h\nu = h\,(c/\lambda)$, 254 nm = 254×10^{-9} m, および式（2.5）より,

$$\frac{N_1}{N_0} = \exp\left(-\frac{6.626 \times 10^{-34}\,\text{J s} *}{254 \times 10^{-9}\,\text{m} \times 1.3806} \right.$$

$$\left. * \frac{\times 2.998 \times 10^8\,\text{m s}^{-1}}{\times 10^{-23}\,\text{J K}^{-1} \times 300\,\text{K}}\right) = 9.9 \times 10^{-83}$$

紫外・可視光から赤外光の領域にかけては, 室温付近で分子はほぼ基底状態に存在し, N_1/N_0 はほぼゼロである.

（2）　H_2：$\upsilon = 0$ と $\upsilon = 1$ のエネルギー差

$E = h\nu = hc\bar{\nu}$, 4262 cm^{-1} = 4.262×10^5 m^{-1}, および式（2.5）より,

$$\frac{N_1}{N_0} = \exp\left(-\frac{6.626 \times 10^{-34}\,\text{J s} \times 2.998 *}{1.3806 \times 10^{-23}\,\text{J K}^{-1} *}\right.$$

$$\left. * \frac{\times 10^8\,\text{m s}^{-1} \times 4.262 \times 10^5\,\text{m}^{-1}}{\times 373\,\text{K}}\right)$$

$$= 7.2 \times 10^{-8}$$

I_2：$N_1/N_0 = 0.44$

　遠赤外光よりもエネルギーが小さな電磁波領域の振動, 回転遷移に対してはエネルギー的に上の準位に存在する分子の割合が増える.

（3）　基底状態と励起状態のエネルギー差

$E = h\nu$, 400 MHz = 400×10^6 Hz, および式（2.5）より,

$$\frac{N_1}{N_0}$$

$$= \exp\left(-\frac{6.626 \times 10^{-34}\,\text{J s} \times 400 \times 10^6\,\text{Hz}}{1.3806 \times 10^{-23}\,\text{J K}^{-1} \times 293\,\text{K}}\right)$$

$$= 0.99993$$

400 MHz の ^{1}H-NMR では基底状態と励起状態とでは基底状態に存在する分子の割合がわずかに多いが, 両状態にほぼ等しく分子は存在する.

コラム　電子状態と電子配置, 分子軌道

　電子状態（electronic state）には基底状態と数多くある励起状態があり, 光の吸収や放出は電子が分子の電子状態間を遷移するときに生じる. それぞれの電子状態は分子軌道（molecular orbital）を用いて近似的に表されることが多い. 電子によって占有されている分子軌道の中で最もエネルギーの高い軌道を最高被占軌道（highest occupied molecular orbital：HOMO）といい, 電子によって占有されていない分子軌道の中で最もエネルギーの低い軌道を最低空軌道（lowest unoccupied molecular orbital：LUMO）という.

　図1には, HOMO と HOMO よりもエネルギーが低い軌道（HOMO−1）や LUMO と LUMO よりもエネルギーが高い軌道（LUMO+1）が示されている. これらの分子軌道への電子の並べ方のことを電子配置（electronic configuration）という. 被占軌道の電子を1個空軌道に置いた（1）と（2）のような電子配置を一電子励起配置といい, 電子を2個空軌道に置いた（3）のような場合を二電子励起配置という. また, 各電子には上向きと下向きのスピンがあり, 2つのスピンが逆平行になっている電子配置を一重項（singlet）, 平行になっている配置を三重項（triplet）という. 図2には一重項状態にある電子配置が励起して一重項状態と三重項状態となった例をそれぞれ示した.

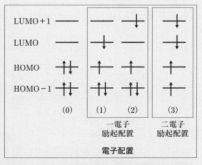

図1　分子軌道と電子配置, 電子状態

図2　一重項と三重項

2.2 吸光光度法

光源からの単色光を試料溶液に入射し，光の吸収量を測定することにより定量分析ができ，高速液体クロマトグラフィーやキャピラリーゾーン電気泳動法などの分離分析法の検出法としても利用される．溶液内に存在する複数の化学種が互いに異なる波長で吸収を示せば個々の成分の分析も行える．反応に伴う吸収の変化を測定することで，酸解離定数や錯生成定数，錯体の組成比などを決定できる．吸光光度法は応用範囲の広い分析法である．

2.2.1　吸収スペクトルとランベルト―ベールの法則

光吸収の度合を表すのに，透過率（transmittance）T や吸光度（absorbance）A が用いられる．図 2.6 のように，試料に入射する単色光の強度を I_0，試料を透過してきた単色光の強度を I とするとき，I_0 と I の比を透過率 T（$=I/I_0$），それを 100 倍にしたものをパーセント透過率 $\%T$（$=100\,T$）という．吸光度と透過率は以下のように関係づけられる．

$$A = -\log T = -\log\left(\frac{I_0}{I}\right) \tag{2.6}$$

光が 100% 透過するときは $T=1.0$（$A=0$）で，光は試料にまったく吸収されず，入射光強度がそのまま透過光強度となる．光が全く透過しないときには $T=0.0$（$A=\infty$），つまり光は試料に無限に吸収されて透過光強度がゼロとなる．

試料が溶液や気体のように均一な場合，吸光度は試料の厚さと濃度にそれぞれ比例し，吸光度と試料の厚さとの比例関係をランベルト（Lambert）の法則といい，吸光度と試料濃度との比例関係をベール（Beer）の法則という．両法則を組み合せたランベルト―ベールの法則（Lambert-Beer's Law）が吸光光度定量法の基礎となる．

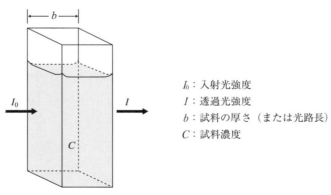

I_0：入射光強度
I：透過光強度
b：試料の厚さ（または光路長）
C：試料濃度

図 2.6　吸光光度法の原理

分子分光分析法では，ランベルト―ベールの法則は次式で与えられる．

$$A = \varepsilon C b \tag{2.7}$$

ここで，C[M] は試料濃度，b[cm] は試料の厚さ（セルの光路長），ε[M^{-1} cm^{-1}] はモル吸光係数である．ε は物質に固有の物理定数で，その値は波長や溶媒によって変化する．図2.7に濃度の異なる過マンガン酸カリウム水溶液の吸収スペクトルを示す．試料濃度が高くなると透過率は小さく，吸光度は大きくなる．吸光度が最も大きい吸収ピークが現れる 525 nm の波長を吸収極大波長といい，その波長を λ_{max} で表し，また λ_{max} でのモル吸光係数を ε_{max} で示す．過マンガン酸カリウム水溶液は赤紫色として見えるが，これは白色光（多色光）が照射されると 525 nm の緑色の光が過マンガン酸カリウム水溶液によって吸収され，補色である赤紫色がヒトの目に溶液の色として感じられるためである．ヒトが感じる光の色と補色の関係を表2.2に示す．

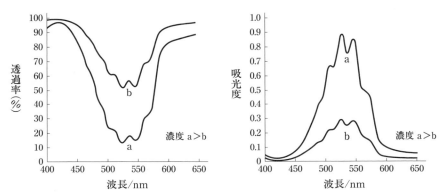

図2.7 過マンガン酸カリウム水溶液の吸収スペクトル
（左）透過率表示，（右）吸光度表示

表2.2 可視光線の色と補色

波長（nm）	色	補色
380〜420	紫	黄緑
420〜440	青紫	黄
440〜470	青	橙
470〜500	青緑	赤
500〜530	緑	赤紫
530〜550	黄緑	菫
550〜590	黄	青
590〜610	橙	緑青
610〜750	赤	青緑
750〜780	赤紫	緑

　試料によってはランベルト―ベールの法則が成立しないときもある．安息香酸のように濃度上昇に伴って溶液内で二量体が形成されたり，溶液の pH 変化により酸・塩基の解離

18

状態が変化する場合，あるいは光化学反応により試料が変化したりする場合にはランベルト―ベールの法則は成立しなくなる．また，測定装置内に室内光など（迷光）が入り込む場合にもこの法則は成立しない．

　試料中に光吸収を示す複数の化学種（1, 2, …）が存在する場合，吸光度はそれぞれの化学種の吸光度（A_1, A_2, …）の総和として与えられるため，ランベルト―ベールの法則に加成性が成立する．次の式（2.8）を用いて溶液内の各成分の濃度（C_1, C_2, …）を決定できる．

$$A = A_1 + A_2 + \cdots = \varepsilon_1 C_1 b + \varepsilon_2 C_2 b + \cdots \tag{2.8}$$

　例えば，2種類の分子 A と B が含まれる混合溶液のそれぞれの濃度 C_A と C_B を決定したい場合は次のようにして行う．個々の吸収スペクトルをあらかじめ測定して2つの異なる波長 X と Y で2種類の分子 A と B のモル吸光係数 $\varepsilon_{A(X)}$, $\varepsilon_{A(Y)}$, $\varepsilon_{B(X)}$, $\varepsilon_{B(Y)}$, について求めておく．測定に同じセルを用いれば光路長 b は定数となり，式（2.8）で未知数は C_A と C_B のみとなる．二波長で吸光度 A_X と A_Y を測定すれば二元連立方程式 $A_X = \varepsilon_{A(X)} C_A b + \varepsilon_{B(X)} C_B b$ と $A_Y = \varepsilon_{A(Y)} C_A b + \varepsilon_{B(Y)} C_B b$ が得られ，これを解くことにより個々の成分の濃度を決定できる．

例題 2.3　以下のパーセント透過率（%T）を吸光度に換算せよ．
(a) 1.0%　　(b) 10%　　(c) 40%　　(d) 100%　　(e) 0%
解　答
(a) $T=0.010$, $A=-\log 0.010=2.0$　(b) $A=1.0$　(c) $A=0.40$　(d) $A=0$　(e) $A=\infty$

例題 2.4　測定可能な最小の吸光度 A_{min} が 0.001 である分光光度計を使って，560 nm のモル吸光係数が 1.0×10^6 M^{-1} cm^{-1} である化合物を吸光光度法により定量分析する．この化合物に対して検出可能な最低濃度 C_{min} を答えよ．ただし，光路長 1 cm のセルを用いる．
解　答
$$C_{min} = \frac{A_{min}}{\varepsilon b} = \frac{0.001}{1.0\times10^6\ M^{-1}\ cm^{-1}\times 1\ cm} = 1.0\times10^{-9}\ M$$

例題 2.5　濃度 1.0×10^{-4} M の色素 A の溶液で，波長 450 nm と 600 nm の吸光度はそれぞれ 0.60 と 0.10 であった．また，色素 B の 2.0×10^{-4} M の溶液は波長 450 nm と 600 nm の吸光度がそれぞれ 0.32 と 0.88 であった．色素 A, B の両者が溶解している溶液 X の吸光度を測定したところ，450 nm および 600 nm の吸光度がそれぞれ 0.54 および 0.71 であった．色素 A と B について 450 nm と 600 nm でのモル吸光係数をそれぞれ求めよ．また，溶液 X 中の色素 A と B の濃度，C_A, C_B を求めよ．ただし，色素 A と B との間に分子間相互作用はない．セルの光路長は 1 cm である．

解　答

$\varepsilon = A/(Cb)$ より，

色素 A：$\varepsilon_{A(450)} = 0.60/(1.0 \times 10^{-4} \, M \times 1 \, cm)$
$= 6000 \, M^{-1} cm^{-1}.$

$\varepsilon_{A(600)} = 0.10/(1.0 \times 10^{-4} \, M \times 1 \, cm)$
$= 1000 \, M^{-1} cm^{-1}.$

色素 B：$\varepsilon_{B(450)} = 0.32/(2.0 \times 10^{-4} \, M \times 1 \, cm)$
$= 1600 \, M^{-1} cm^{-1}.$

$\varepsilon_{B(600)} = 0.88/(2.0 \times 10^{-4} \, M \times 1 \, cm)$
$= 4400 \, M^{-1} cm^{-1}.$

したがって，

450 nm：0.54
$= 6000 \, M^{-1} cm^{-1} C_A(M) \times 1 \, cm$
$+ 1600 \, M^{-1} cm^{-1} C_B(M) \times 1 \, cm$ 　①

600 nm：0.71
$= 1000 \, M^{-1} cm^{-1} C_A(M) \times 1 \, cm$
$+ 4400 \, M^{-1} cm^{-1} C_B(M) \times 1 \, cm$ 　②

①式と②式より，

$C_A = 5.0 \times 10^{-5} \, M$, $C_B = 1.5 \times 10^{-4} \, M$.

コラム　ランベルト—ベールの法則の導出

　試料濃度 C の均一溶液中で，強度 I の光が微小試料の厚さが db を透過して強度が dI だけ減少するとき，光子と分子の反応定数を k として，光強度の減少度合い $-dI/I$ は Cdb に比例する．

$$-\frac{dI}{I} = kCdb \qquad (2.9)$$

この両辺を，入射光強度を $[I_0, I]$，試料厚さを $[0, b]$ で積分すると

$$-\int_{I_0}^{I} \frac{I}{I_0} dI = kC \int_0^b db$$

$$-(\ln I - \ln I_0) = kCb$$

$$-\ln \frac{I}{I_0} = kCb \qquad (2.10)$$

$$-2.303 \log \frac{I}{I_0} = kCb$$

したがって，$k/2.303 = \varepsilon$ とおくとランベルト—ベールの法則が得られる．

$$A = -\log \frac{I}{I_0} = \frac{k}{2.303} Cb = \varepsilon Cb \qquad (2.11)$$

2.2.2　紫外・可視分光光度計と測定法

　分光分析用の測定装置の主な構成要素は，光源，分光器（モノクロメーター，monochromator），検出器である．これらの構成要素としては測定波長域によって異なるものを使い分ける．光源としては，紫外部（200～400 nm）では重水素（D_2）ランプ，可視部（350～850 nm）ではタングステン（W）ランプまたはハロゲンランプが用いられ，紫外から可視光の領域を連続して測定するときには370 nm付近で光源を切り替える．紫外から可視光を1つの光源で測定するときにはキセノン（Xe）ランプが利用される．光源からの光を単色光とするには回折格子（grating）を用いた分光器が一般的に用いられる．図2.8に示す溝を斜めに切ったエシュレット型回折格子では格子面のそれぞれが点光源

20

として作用して次式で表される回折現象を起こす.

$$n\lambda = d(\sin i + \sin \theta) \tag{2.12}$$

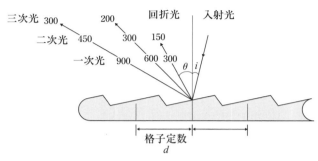

図 2.8　回折格子の概略図

　ここで，n は回折の次数（0, ±1, ±2, ……），λ は光の波長，d は格子定数（回折格子の溝間隔）で，i と θ は入射角と回折角を表している．回折格子の法線に対して入射光と回折光が同じ側にあるときは入射角と回折角は正，反対側にあるときには回折角は正，入射角は負の符号を持つ．式からわかるように赤外光よりも波長の短い紫外光を分光するには格子定数が小さい回折格子が必要で，1 mm 当たり 1200 本程度の刻線数の回折格子が利用される．また，ある回折角に対して，一次光の 600 nm の光を取り出すと，二次光 300 nm，三次光 200 nm のようにその整数分の 1 の波長の光が同時に入ってくる．これらの高次光は光学フィルタによって除去する必要がある．プリズムは回折格子と違って次数の重なりはないが，屈折率の変化が大きい紫外域以外では分解能は高くない．

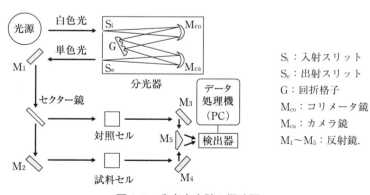

図 2.9　分光光度計の概略図

　図 2.9 に複光束（ダブルビーム）型分光光度計の光学系の概略を示す．光源からの光は分光器の入射スリット（S_i）に入り，コリメータ鏡（M_{co}）で平行光となって回折格子

（G）に入射する．回折格子からの回折光はカメラ鏡（M_{ca}）によって出射スリット（S_e）に結像し，ある特定の波長の光だけが取り出されて単色光となる．この単色光をセクター鏡で二分割する．セクター鏡は半円板状の鏡でモーターにより一定速度で回転している．セクター鏡に入射する単色光は鏡の回転に伴って，反射して溶媒を入れた対照セル（reference cell）に入射する光と透過して試料セル（sample cell）に入射する光とに交互に振り分けられる．対照セルと試料セルを透過した光は交互に検出器に入り，それぞれの光の強度が測定される．対照セルと試料セルとを通過した光の強度は，式（2.6）の I_0 と I に対応する．検出器からの信号の強度比をとってデータ処理することで透過率または吸光度が得られる．分光器の回折格子を回転して出射スリットを通過する光の波長を変化させながら（波長掃引という）吸光度を測定すると吸収スペクトルが得られる．吸収スペクトルの幅が狭い吸収線の場合には掃引速度（scan speed）を遅くしないと信号処理系の速度が光強度変化に十分に応答せず，吸光度が小さめに表示されることがある．また，そのようなスペクトル幅の狭い吸収帯の測定では分光器のスリット幅（スペクトル分解能）を小さく設定する必要も生じる．

　紫外・可視吸収スペクトルは主として p 電子や d 電子などの外殻電子の遷移によって生じる．図 2.10 に s 電子が関与する σ 軌道も含めて，二重結合に関わる π 軌道，さらに酸素や窒素，硫黄などの特定の原子に存在して結合に関与しない非結合性 n 軌道のエネルギー準位図を示す．

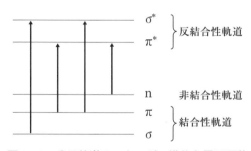

図 2.10　分子軌道のエネルギー準位と電子遷移

　結合性軌道や非結合性軌道に電子が配置されていて，反結合性軌道とのエネルギー差に対応した光が入射すると，電子がエネルギーの高い反結合性軌道へ遷移して光吸収が生じる．σ→σ* 遷移や n→σ* 遷移を生じさせるには大きなエネルギーが必要で，通常 185 nm より短波長側の真空紫外領域に吸収が現れる．紫外光領域で透明な水やメチルアルコールも真空紫外領域に n→σ* 遷移を示し，その吸収帯の裾が紫外光領域にまでおよんでくる．

　水は 190 nm 以上，メタノールは 210 nm 以上の波長領域で紫外・可視光を透過し，溶媒として使用可能となる．π→π* 遷移と n→π* 遷移は紫外・可視光領域に吸収を示す．

モル吸光係数は $\pi \to \pi^*$ 遷移で $10^3 \sim 10^5 \, M^{-1} \, cm^{-1}$ 程度の大きな値となり，許容遷移と呼ばれる．n 軌道と π 軌道は直交しているので，$n \to \pi^*$ 遷移のモル吸光係数は $10 \sim 100 \, M^{-1} \, cm^{-1}$ 程度と小さく，禁制遷移と呼ばれる．金属錯体では配位子による吸収や金属原子内の $d \to d^*$ 遷移による可視光領域の弱い吸収のほか，金属—配位子間の電荷移動遷移による比較的強い吸収が現れるので，この吸収を利用して金属イオンの定量分析などができる．

表2.3　H-(CH=CH)$_n$-H の紫外線吸収スペクトルの吸収極大波長とモル吸光係数

n	λ_{max} (nm)	ε_{max}
1	180	10,000
2	217	21,000
3	268	34,000
4	304	64,000
5	334	121,000
6	364	138,000

　紫外・可視光を吸収する芳香環や C=C 基などの官能基を発色団（chromophore）といい，発色団に結合してその吸収位置や吸収強度を変化させる—OH や—NH$_2$ などの官能基を助色団という．表2.3 にポリオレフィン（H-(CH=CH)$_n$-H）の吸収スペクトルデータを示す．エチレンからブタジエン，ヘキサトリエン，と π 電子の共役系が長くなると $\pi \to \pi^*$ 遷移の吸収極大波長は長波長側へシフト（レッドシフト）し，モル吸光係数も大きくなる．また，表2.4 にはベンゼン置換体の吸収スペクトルデータを示すが，置換基の電子供与性や電子求引性が強くなるほど最低励起吸収帯（$S_0 \to S_1$）の吸収最大波長はレッドシフトし，モル吸光係数が大きくなる傾向にある．ベンゼン，ナフタレン，アントラセンと芳香族の π 共役系が長くなる場合にも同様の傾向が現れる．p-ニトロアニリンのようにパラ位に電子供与性と電子求引性の置換基があると強い分子内電荷移動吸収帯が長波長側に現れる．

表2.4　ベンゼン置換体の紫外吸収

ベンゼン置換体	λ_{max} (nm)	ε_{max}	λ_{max} (nm)	ε_{max}
C$_6$H$_5$-H	204	7,400	254	204
C$_6$H$_5$-CH$_3$	207	7,000	261	225
C$_6$H$_5$-OH	211	6,200	270	1,450
C$_6$H$_5$-O$^-$	235	9,400	287	2,600
C$_6$H$_5$-NH$_2$	230	8,600	280	1,430
C$_6$H$_5$-N(CH$_3$)$_2$	251	14,000	298	2,100
C$_6$H$_5$-CN	224	13,000	271	1,000
C$_6$H$_5$-COOH	230	10,000	270	800
C$_6$H$_5$-COCH$_3$	240	13,000	278	1,100
C$_6$H$_5$-CHO	244	15,000	280	1,500
C$_6$H$_5$-NO$_2$	269	7,800		
p-NO$_2$-C$_6$H$_4$-OH			314	13,000
p-NO$_2$-C$_6$H$_4$-NH$_2$			373	16,800

コラム	溶液や光学材料の光透過特性

溶液と溶媒　測定する溶液に懸濁物があってはならない．懸濁物があると光散乱の影響を受け，短波長側ほどベースラインが持ち上がることになる．溶媒自体も紫外または遠紫外領域に吸収を持つので溶媒によって測定できる短波長側の限界が異なり，光路長 1 cm セルの場合にその波長はおよそ以下の通りである．

　水（190 nm），メタノール（210 nm），ヘキサン（210 nm），ジオキサン（210 nm），エタノール（220 nm），クロロホルム（250 nm），四塩化炭素（265 nm），ベンゼン（280 nm），アセトン（330 nm）

セルの材質　試料溶液を入れるセルの材質として，溶融石英は紫外光から近赤外光までの広い範囲で利用できる．ガラスセルは石英よりも安価であるが，350 nm より短波長側の紫外域にはセルの吸収があり，近赤外域でも Si-O の吸収がある波長域は利用できず，主に可視光域で用いられる．フッ化水素酸やリン酸，強塩基の試料溶液の測定では，石英やガラスが溶液によって侵されるので実験はできるだけ短時間で終了し，セルをよく洗浄する．強酸や強塩基の溶液の場合，ポリスチレン製のプラスチックセルが使われ，使い捨てセルとしての使用もされる．ただし，有機溶媒には使用できず，測定は可視光から近赤外領域に限定される．

コラム	測定装置の構成要素

光源　重水素ランプやハロゲンランプ，Xe ランプは幅広い波長範囲の発光帯を示す（broad band source）．一方，He—Ne レーザー（633 nm）や Ar^+ レーザー（514.5 nm, 488 nm）の発光の波長幅はきわめて狭い（line source）．近年開発が進んだ発光ダイオード（LED：light-emitting diode）は数十 nm 程度とやや幅の狭い発光帯を示す（narrow band source）．LED は，他の光源に比較すると低価格であり，軽量で発熱が少なく，長寿命であり，光ファイバーと一体化できるなど，操作性に優れることから光計測装置の光源としてよく利用される．LED と蛍光体を組み合わせて白色光を発生させるとスペクトルの測定もできるので，携帯可能な小型分光装置の光源として利用されている．

光学フィルタ　屈折率の異なる薄膜を交互に積層した干渉フィルタを用いると，ある特定の波長の光だけを透過させることができ（バンドパスフィルタ），これとは逆に特定の波長だけを除去する（ノッチフィルタ）こともできる．特定波長での光吸収測定などの場合には，LED の先端にバンドパスフィルタを取りつけると，分光器は不要となり，サイズの小さな測定装置をつくることができる．このような光学フィルタとしては，ある波長よりも短波長側の光を透過するショートパスフィルタや長波長側の光を透過するロングパスフィルタなどもよく利用される．

検出器 分光光度計の光検出器には光電子増倍管（PMT：photomultiplier tube）がよく用いられる．高真空のガラス管に光電面と呼ばれる陰極や，複数のダイノード電極，および電子を集める陽極を封入し，陽極と陰極の間に1kV程度の高電圧をかける．光の入射によって光電面から放出される光電子は電圧によって加速され，ダイノードに衝突して二次電子が放出される．この二次電子を加速して次のダイノードに衝突させる．これを繰り返して電子数を1000万倍程度に増幅してその電流を測定する．電極材料を変えることで真空紫外領域から近赤外領域の光をPMTで検出でき，微弱光測定に適した光センサーである．シリコンやゲルマニウムの半導体を用いたフォトダイオード（photodiode）も紫外領域から近赤外領域の光を検出でき，PMTに比較して廉価で小型軽量であり，低電圧で利用できる特徴がある．フォトダイオードを一次元または二次元に配列したアレイセンサーは同時に多波長の光強度を測定できる特徴があり，マルチチャンネル検出器と呼ばれる．PMTは入射光量が大きいと雑音が大きくなり，フォトダイオードは高温になると雑音が増大する．このため，高感度測定のときには検出器を冷却して測定することもある．

コラム　電荷移動吸収帯（charge transfer absorption band）

遷移金属錯体の多くは水溶液中でd—d*遷移による色を示す．図2.7でMnO$_4^-$の525，545 nm付近の吸収帯は，モル吸光係数が2000 M^{-1}cm^{-1}程度であり，モル吸光係数が1～10^2 M^{-1}cm^{-1}と弱い禁制遷移のd—d*遷移とは異なる．また，7価のMnはd^{0}である．MnO$_4^-$が赤紫の色を示すのは，配位子（酸素）のπ型の非共有電子対からMnのe$_g$軌道への電子遷移が生じるためである．分子の異なる部分に局在した軌道間の電子遷移を電荷移動（CT：charge transfer）遷移という．配位子に局在した軌道から金属に局在した軌道への遷移をLMCT（ligand-to-metal charge transfer）遷移という．[Fe(phen)$_3$]$^{2+}$錯体の示す濃赤色は，金属のt_{2g}軌道から配位子のπ*軌道へのMLCT（metal-to-ligand charge transfer）によって生じる．

2.2.3　吸光光度法による定量分析：検量線の作成

吸光光度法で定量分析する場合には，目的成分の吸収スペクトルで吸光度が最大となる波長や吸光度変化が小さい波長領域をキーバンドとして選択する．まず，一連の濃度既知の標準溶液の吸光度を測定し，横軸に目的物質の量（または濃度）を，縦軸に吸光度をそれぞれとって測定値をプロットして検量線（working curveまたはcalibration curve）を作成する．ベールの法則（式（2.7）や式（2.8））が成立し，対照溶液と試料溶液の組成が目的物質を除いて同じであれば，図2.11（a）に示されるように原点を通る直線が得られる．次に，濃度未知の試料溶液の吸光度（A_{obs}）を測定し，検量線でその吸光度を与える濃度（C_{obs}）が目的物質の濃度である．吸光光度定量法では，分光光度計の検出器が光電子増倍管の場合には吸光度0.2～2.0の範囲で，フォトダイオードの場合には吸光度0.2～0.8となるように試料濃度やセルの光路長を調整して測定すると光検出時の測定誤差を小さくできる．セルの材質としては，可視光領域ではガラス，紫外光領域の測定では溶融石英を用いる．

よく利用される光路長が 10 mm の角型セル以外にも 1〜50 mm の光路長を持つ各種セルやセル容積を小さくしたもの，溶媒の揮発を防ぐための密栓つきのセルなど用途に応じて使い分けられる．

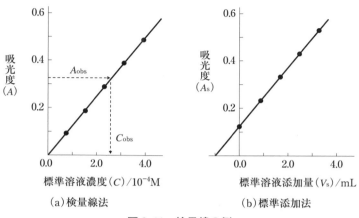

図 2.11　検量線の例

　検量線を用いて定量分析する場合，検量線作成用の標準溶液は目的成分の濃度が違うだけで，未知試料溶液と溶液組成が同一でなければならない．しかし，現実には未知試料溶液の組成と標準溶波の組成を同一にできない場合がある．例えば河川水中のある化学種を分析する場合，他の共存成分も未知である．このような場合に標準添加法（standard addition method）が用いられる．この方法では，測定したい化学種の濃度（C_x）を決定するのに，全量 V_t のメスフラスコを用意し，各メスフラスコに同量（V_x）の試料溶液を入れる．目的化学種について濃度既知の標準溶液（C_s）を調製し，各メスフラスコに量（V_s）を変えて添加し，定容とした後，各メスフラスコ溶液の吸光度（A_s）をある波長で測定する．この波長における目的化学種のモル吸光係数を ε，セルの光路長を b とすると，次式が成立し，図 2.12（b）に示されるように添加量 V_s と吸光度 A_s の間に直線関係が成立する．

$$A_s = \varepsilon b\left(\frac{V_s}{V_t}\right)C_s + \varepsilon b\left(\frac{V_x}{V_t}\right)C_x = \varepsilon b\left(\frac{C_s}{V_t}\right)V_s + \varepsilon b\left(\frac{V_x}{V_t}\right)C_x = mV_s + n \quad (2.13)$$

　式（2.13）より直線の傾き m と吸光度軸の切片 n の値は次式で示される．

$$m = \varepsilon b\left(\frac{C_s}{V_t}\right) \quad (2.14)$$

$$n = \varepsilon b\left(\frac{V_x}{V_t}\right)C_x \quad (2.15)$$

　ここで，m の単位は濃度の逆数，n は無次元である．m と n の値の比をとると，次式より試料溶波中の未知濃度の目的成分を共存成分の妨害なく定量できる．

$$\frac{m}{n} = \frac{\varepsilon b (C_s / V_t)}{\varepsilon b (V_x / V_t) C_x}$$

$$C_x = \frac{n C_s}{m V_x}$$

この標準添加法は分子分光分析や原子分光分析をはじめ，多くの機器分析法で利用されている．

例題 2.6

　Fe^{3+} は SCN^- との錯生成反応により 480 nm 付近に橙赤色の吸収を示す．この錯生成反応を利用して河川水中の Fe^{3+} を比色定量する．50 mL メスフラスコ 5 本に河川水試料をそれぞれ 10 mL ずつ加える．10.0 ppm の Fe^{3+} 標準溶液を各フラスコに 0, 5, 10, 15, 20 mL 加え，過剰量の SCN^- を含む溶液を添加して 50 mL に定容する．発色した試料溶液の吸光度を光路長 1 cm のセルを用いて順次測定した結果，0.180, 0.358, 0.524, 0.693, 0.873 の結果を得た．直線回帰式を算出し，河川水試料中の Fe^{3+} の濃度を求めよ．

解　答

　標準添加法による定量であり，式 (2.16) を用いて求める．直線回帰式を算出すると，$A = 0.0344 \times V_s + 0.184$ となることから，　$m = 0.0334$ mL^{-1}, $n = 0.0334$, $C_s = 10.0$ ppm, $V_x = 10$ mL より

$$C_x = \frac{n C_s}{m V_x} = \frac{0.184 \times 10.0 \text{ ppm}}{0.0344 \text{ mL}^{-1} \times 10 \text{ mL}} = 5.35 \text{ ppm}$$

2.2.4　吸光光度法による定量分析：吸光光度（比色）定量法

　紫外・可視光領域に吸収を示さないか吸収が弱い化学種を定量分析するにはモル吸光係数の大きい着色化合物に誘導体化する必要がある．この誘導体化反応を呈色反応といい，そのために用いる試薬を呈色（発色）試薬と呼び，多くの呈色反応が開発されている．呈色試薬，呈色反応および呈色化合物については次の条件を備えていることが望ましい．

（1）　呈色化合物のモル吸光係数が大きいこと
（2）　呈色試薬が目的成分とのみ反応し，呈色反応に選択性または特異性のあること
（3）　呈色反応は速やかに進行し，温度や pH による影響が小さいこと
（4）　呈色が長時間安定なこと
（5）　呈色化合物が水または有機溶媒に溶けやすいこと

1)　金属イオンの定量

　図 2.12 に吸光光度分析による金属イオンの分析に用いられる呈色試薬の例を示す．例えば，鉄の呈色反応による分析では，Fe (III) をヒドロキシルアミン（NH_2OH）で Fe (II) に還元すると，1,10-フェナントロリン（o-phen）と定量的に錯生成して（$\log \beta_3 = 21.1$，β_3 は配位子が 3 個配位するときの錯生成定数）508 nm に $\varepsilon = 11.100\ M^{-1}cm^{-1}$ の吸収が新たに現れる．したがって，配位子や錯生成していない金属イオンが共存しても妨害を受けずに鉄イオンの吸光光度定量が可能となる．この錯体は有機溶媒には抽出されにくいが，陰イオンが共存するとイオン対を形成して抽出される．これを利用して陰イオンの定量分析ができる．バソフェナントロリン（B-phen）と Fe (II) の錯生成では錯生成能（$\log \beta_3 = 21.8$）と感度（$\lambda_{max} = 533\ nm$，$\varepsilon = 2.24 \times 10^4\ M^{-1}cm^{-1}$）が o-phen の場合よりも向上するが水への溶解性が低い．これに対し，バソフェナントロリンスルホン酸は o-phen と同様に Fe (II) と 3：1 の化学量論比で錯生成（$\log \beta_3 = 22.3$）して赤橙色（$\lambda_{max} = 535\ nm$，$\varepsilon = 2.24 \times 10^4\ M^{-1}cm^{-1}$）を示し，水溶性であることから血液など水溶性試料中の Fe (II) の吸光光度定量に用いられる．B-phen の配位原子に隣接してメチル基のあるバソクプロインはメチル基による立体障害のために Cu (II) や Ni (II)，Fe (III) とは錯生成せず，選択的に Cu (I) と 2：1 の組成の橙黄色キレート（$\lambda_{max} = 479\ nm$，$\varepsilon = 1.4 \times 10^4\ M^{-1}cm^{-1}$）を形成する．バソクプロインスルホン酸は，バソクプロインと同様に，他の重金属イオン類が共存しても Cu (I) と選択的に橙黄色の錯体（$\lambda_{max} = 485\ nm$，$\varepsilon = 1.2 \times 10^4\ M^{-1}cm^{-1}$）を形成し，水溶性なので溶媒抽出の必要がなく，血清中の銅の比色試薬として使用される．図 2.12 で [VI] から [X] に示す呈色試薬の多くは種々の金属イオンと錯生成するが，pH や金属イオンサイズによる錯生成能の違い，マスキング剤を利用することで選択性を持たせることが可能である．これらの呈色試薬を用いた発色反応では有機溶媒への抽出操作を必要とするものも多いが，環境保全を考慮すると水を溶媒とする反応は有用である．表 2.5 には，呈色試薬を利用した金属イオンの吸光光度定量法を示した．

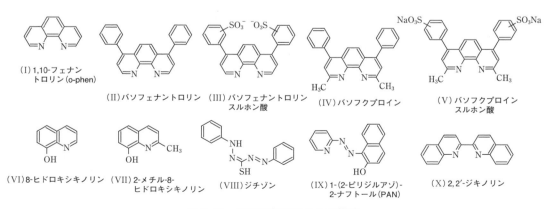

図 2.12　呈色試薬の例とその構造

表 2.5　錯形成を利用した金属イオンの吸光光度定量法

金属イオン	配位子	［構造］*	波長(nm)	定量範囲(ppm)
Ag（I）	ジチゾン	［VIII］	500	5.4〜32
Al（III）	XO		536	0.2〜1 ppb
Cd（II）	ジチゾン	［VIII］	520	0.05〜0.5
	PAN	［IX］	560	0.085〜2
Cu（I）	バソクプロイン	［IV］	479	0.1〜10
Fe（II）	バソフェナントロリンスルホン酸	［III］	535	0.25〜4
	TPPS		395	0.02〜0.18
Pb（II）	ジチゾン	［VIII］	520	0.05〜8.5
Zn（II）	PAN	［IX］	555	0.2〜2

＊　図2.10の構造式
XO：キシレノールオレンジ，TPPS：テトラフェニルポルフィントリスルホン酸

2)　非金属イオンの定量

　非金属イオンではそのままでは無色のものが多い．このような場合には置換反応や酸化還元反応，ヘテロポリ酸の生成やイオン会合体の生成などを利用して呈色させて分析する．例えば，ドデシル硫酸ナトリウムのような無色の陰イオン界面活性剤に対しては，カチオン性色素のメチレンブルー（MB）とイオン会合体を形成させて有機溶媒へ抽出し，MBが示す吸収を利用して吸光光度定量できる．強酸性条件下で抽出すれば，カルボン酸系の界面活性剤の妨害を受けずに定量分析できる．MBの代わりにコバルト（III)-2（2-ピリジルアゾ)-5-ジエチルアミノフェノール錯体（Co-5-Cl-PADAP）やエチルバイオレットも環境水中の陰イオン界面活性剤の分析によく利用される．このような分析によく用いられるカチオン性色素の例を図2.13に示す．環境水中のリン酸イオンの定量にはモリブデンブルー法がよく利用される．この方法は，リン酸イオンとモリブデン酸イオン（MoO_4^{2-}）とを強酸性条件下で反応させて形成する黄色のモリブデン酸（ヘテロポリ酸 [H_3PO_4・$12MoO_3$]：モリブデンイエローともいう）を還元剤で処理すると青色の化合物，モリブデンブルー（$\lambda_{max}=710$ nm, 880 nm）が生成することを利用している．

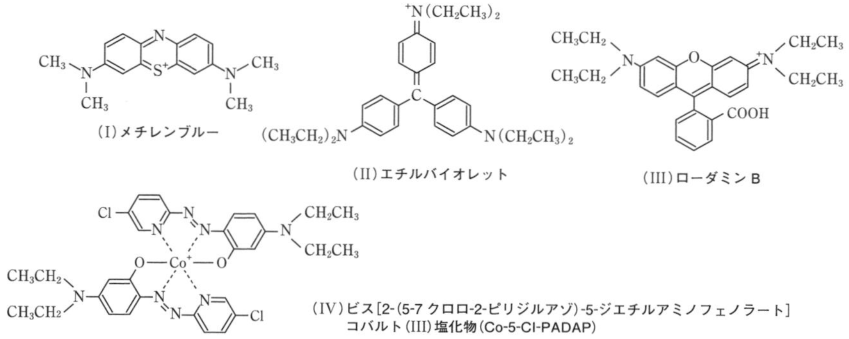

図2.13　カチオン性色素の例とその構造

2.2.5　吸光光度法の応用

　呈色反応を利用して誘導化された化学種の吸光光度定量分析以外にも，酸塩基指示薬やキレート試薬などの配位子の酸解離定数の決定，金属と配位子の結合モル比（錯体の組成比）の決定，あるいは金属キレートの錯生成定数の決定など，吸光光度法の利用範囲は非常に広い．以下，酸解離定数の決定と錯体の組成決定について解説する．

1)　吸光光度法による酸解離定数の決定

　メチルオレンジのような酸塩基指示薬（色素）は pH によって色が変化する．この色の変化，つまり図 2.14 に示すような吸収スペクトルの pH による変化を測定することで酸解離定数を決定できる．pH が高くなると 503 nm のピークの吸光度が減少し 420 nm 付近のショルダーの吸光度が増大する．色素を HA とすると，水溶液の中にはプロトンが付加した酸型（HA）と解離型（A^-）が存在し，その存在割合は pH に依存する．セル厚（セルの光路長）を b[cm]，酸型と塩基型の濃度をモル吸光係数 $[M^{-1}cm^{-1}]$ を $\varepsilon_{HA}, \varepsilon_{A^-}$，同じく濃度 [M] を C_{HA}, C_{A^-} とすると，ランベルト―ベールの法則の加成性から，溶液の吸光度 A は酸型と塩基型の吸光度の和で与えられ，$b, \varepsilon_{HA}, \varepsilon_{A^-}, C_{HA}, C_{A^-}$ を用いて表すと次式が得られる．

$$A = \varepsilon_{HA}C_{HA}b + \varepsilon_{A^-}C_{A^-}b \tag{2.17}$$

　pH の低い領域で吸光度が一定（A_{HA}）であれば溶液内の化学種は全て HA と見なすことができ，pH の高い領域で同様に吸光度が一定（A_{A^-}）であれば溶液内の化学種は全て A^- であると考えてよい．pH＝pK_a のとき，$C_{HA}=C_{A^-}=C/2$（C は色素の全濃度）であるので，

$$A = \frac{C}{2}(\varepsilon_{HA}b+\varepsilon_{A^-}b) = \frac{1}{2}(A_{HA}+A_{A^-}) \tag{2.18}$$

となり，この吸光度 A を与える pH が求める pK_a である．

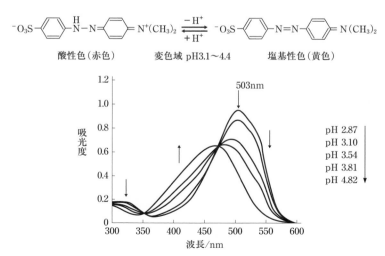

図 2.14　メチルオレンジの吸収スペクトルの pH 依存性

一方，図 2.14 で 350 nm 付近と 470 nm 付近に pH の値に関わらず全てのスペクトルが同じ吸光度を示す交点が現れる．この交点を等吸収点（isosbestic point）といい，この交点が存在することはそれぞれの pH における溶液内で酸塩基平衡が成立していることを表している．等吸収点の現れる波長では $\varepsilon_{HA}=\varepsilon_{A^-}(=\varepsilon)$ であるので

$$A = \varepsilon_{HA}C_{HA}b + \varepsilon_{A^-}C_{A^-}b = \varepsilon(C_{HA}+C_{A^-})b = \varepsilon Cb \tag{2.19}$$

となる．したがって，等吸収点の現れる波長では吸光度は pH に依存せず一定であり，溶液内の化学種の存在割合が変化しても吸光度は分析濃度と比例関係にある．

例題 2.7 メスフラスコ 9 本を用意し，緩衝液を用いて pH1.0 から pH12.0 まで段階的に pH を調整して，一塩基酸である色素 HA を溶解した．各溶液の吸収スペクトルを測定したところ，波長 500 nm における吸光度として下表の結果が得られた．

pH	1.0	2.0	3.0	4.5	6.0	7.5	9.0	11.5	12.0
吸光度	0.220	0.220	0.221	0.240	0.550	0.860	0.879	0.880	0.880

セルの光路長は 1.0 cm で，各メスフラスコ内の色素濃度は 1.00×10^4 M である．以下に答えよ．なお，数値は有効数字 2 桁で求め，数値を求めた過程も簡潔に記せ．

（1） 色素の酸型（HA）と解離型（A^-）のモル吸光係数を求めよ．単位も付記せよ．

（2） 色素の pK_a を求めよ．

（3） 溶液の pH を pK_a+1 に調整したときの波長 500 nm における吸光度を求めよ．

解 答

（1） pH1.0〜2.0 の吸光度が 0.220，pH11.5〜2.0 の吸光度が 0.880 でそれぞれ一定であることから，酸型（HA）および解離型（A^-）の吸光度は $A_{HA}=0.220$，$A_{A^-}=0.880$ である．酸型および解離型のモル吸光係数 ε_{HA}, ε_{A^-} は

$$\varepsilon_{HA} = \frac{A_{HA}}{bC} = \frac{0.220}{1.0\,cm\times1.00\times10^{-4}\,M}$$
$$= 2.2\times10^3\,M^{-1}cm^{-1}$$

$$\varepsilon_{A^-} = \frac{A_{A^-}}{bC} = \frac{0.880}{1.0\,cm\times1.00\times10^{-4}\,M}$$
$$= 8.8\times10^3\,M^{-1}cm^{-1}$$

（2） 解法1：式（2.18）より $(A_{HA}+A_{A^-})/2$ の吸光度における pH が色素の pK_a である．$(0.220+0.880)/2=0.550$ より，この吸光度の pH から表より $pK_a = 6.0$．

解法2：各 pH における C_{HA}, C_{A^-} が求まれば，$pK_a=pH-\log C_{A^-}/C_{HA}$ に代入することにより pK_a が得られ，C_{HA}, C_{A^-} は b, A_{HA}, A_{A^-}, ε_{HA},

ε_{A^-} を用いて求めることができる．C_{HA} の算出式は次のようにして導出される．C_{HA} と C_{A^-} の合量を C とすると $C_{A^-}=C-C_{HA}$ であり，これを式（2.17）に代入するとなる．この式に $A_{HA}=\varepsilon_{HA}Cb$ を代入すると

$$A = \varepsilon_{HA}C_{HA}b + \varepsilon_{A^-}b(C-C_{HA})$$

となる．この式に $A_{HA}=\varepsilon_{HA}Cb$ を代入すると

$$A = \varepsilon_{HA}C_{HA}b + \varepsilon_{A^-}b\left(\frac{A_{A^-}}{\varepsilon_{A^-}b}-C_{HA}\right)$$
$$= \varepsilon_{HA}C_{HA}b + A_{A^-}-\varepsilon_{A^-}C_{HA}b$$
$$\varepsilon_{A^-}C_{HA}b - \varepsilon_{HA}C_{HA}b = A_{A^-}-A$$
$$C_{HA}b(\varepsilon_{A^-}-\varepsilon_{HA}) = A_{A^-}-A$$
$$C_{HA} = \frac{A_{A^-}-A}{b(\varepsilon_{A^-}-\varepsilon_{HA})}$$

同じようにして C_{A^-} について導出すると次の式が得られる．

$$C_{A^-} = \frac{A_{HA} - A}{b(\varepsilon_{HA} - \varepsilon_{A^-})}$$

$pK_a = pH - \log C_{A^-}/C_{HA}$ にそれぞれを代入すると

$$
\begin{aligned}
pK_a &= pH - \log \frac{C_{A^-}}{C_{HA}} \\
&= pH - \log \frac{(A_{HA} - A)(\varepsilon_{A^-} - \varepsilon_{HA})}{(A_{A^-} - A)(\varepsilon_{HA} - \varepsilon_{A^-})} \\
&= pH - \log \frac{A - A_{HA}}{A_{A^-} - A}
\end{aligned}
$$

となる.

この式に各 pH における A および A_{HA} ($=0.220$), A_{A^-} ($=0.880$) を代入し, pK_a を求める. それらを平均した値を pK_a とする. $pK_a = 6.0$ (平均).

（3）　$pH = pK_a + 1$ のとき, $pK_a = pH - \log C_{A^-}/C_{HA}$ より溶液中では $C_{HA} : C_{A^-} = 1 : 10$ となる. ベールの法則の加成性から ($b = 1.0$ cm), 式 (2.17) より, $A = 2.200 \times (1/11)1.00 \times 10^{-4} + 8800 \times (10/11)1.00 \times 10^{-4} = 0.82$

2)　吸光光度法による錯体の組成比決定

　金属錯体の生成反応や DNA と試薬の結合反応などで生成した錯体の化学量論（結合モル比）を決定する方法として, モル比法や連続変化法, 傾斜比法などが用いられる.

　濃度 C_M の金属イオン M と濃度 C_L の配位子 L が錯体 $a : b$ の組成比で M_aL_b を生成する場合について考える.

$$aM + bL \rightleftarrows M_aL_b \tag{2.20}$$

　生成した錯体が金属イオンや配位子の吸収帯とは異なる波長域に吸収を示し, 錯体の解離が無視できる場合, その吸光度は錯体の生成量に比例する.

　（a）モル比法：一定量の金属イオン溶液に対してモル濃度の異なる配位子溶液を添加して錯生成させ, 錯体の吸光度を測定する. 金属イオンと配位子のモル比を横軸にとり, 縦軸に吸光度をとってデータをプロットすると図 2.15 (a) が得られる. 金属イオンに対して配位子の物質量が小さければ, 添加した配位子は全て錯体に組み込まれるので配位子濃度に比例して吸光度（錯生成量）が増加する. 一方, 溶液内の金属イオンが全て錯体に組み込まれた後はそれ以上配位子を添加しても新たな錯体は生成できず, 吸光度は一定の値をとる. したがって, 得られる 2 本の直線の交点のモル比が $b : a$ の組成比を与える.

　（b）連続変化法：金属イオン M の濃度 C_M と配位子 L の濃度 C_L の濃度和を一定にして錯生成反応を行い, 錯体の吸光度を測定して図 2.15 (b) のようにデータをプロットする. C_M が小さく C_L が大きい濃度領域では, 金属イオン量に比例して錯体が生成する. 逆に, C_M が大きく C_L が小さい濃度領域では, 配位子量に比例して錯体が生成する. したがって, 2 つの直線の交点を与える C_M と C_L の比が錯体の組成比 $a : b$ を与える. この方法はジョブの方法（Job's Plot）ともいわれ, 組成比決定のときに最もよく使われる方法である.

　モル比法や連続変化法では錯生成定数が大きければ明瞭な交点が得られるが, 実際上は解離反応のため交点付近で吸光度は直線で示される値よりも小さくなり, 交点が不明瞭となる. このような場合には直線部分を延長して交点を求める.

32

（c）傾斜比法：錯生成定数が大きな場合に利用される方法である．図2.15（c）に示すように，大過剰の濃度の配位子Lに金属イオンMを少量ずつ添加すると定量的に錯体が生成し，その添加量は吸光度に比例する．このときの直線の傾きをS_Mとする．また，大過剰の濃度の金属イオンMに配位子Lを少量ずつ添加すると，同様に比例関係となり，得られる直線の傾きをS_Lとする．この2本の直線の傾きS_MとS_Lの比から錯体の組成比$a:b$を決定できる．この方法は，連続変化法で金属イオンの濃度が配位子濃度に比べて小さな領域とその逆の領域での直線の傾きを求めていることと同様の考え方である．

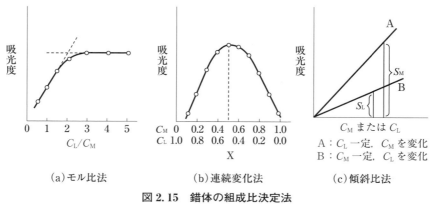

(a)モル比法　　(b)連続変化法　　(c)傾斜比法

A：C_L一定，C_Mを変化
B：C_M一定，C_Lを変化

図2.15　錯体の組成比決定法
日本分析化学会九州支部編，「機器分析入門改訂版第2版」．南江堂

2.3　蛍光分析法

　分子は紫外光や可視光を吸収するとエネルギーの高い電子状態に励起され，その後いくつかの過程を経て基底状態にもどる．励起状態の分子がエネルギーを放出する過程で発せられる光が蛍光（fluorescence）とリン光（phosphorescence）である．蛍光は光励起を停止した後10^{-9}秒程度で減衰するが，リン光は10^{-6}〜10^{-3}秒程度継続する．蛍光のスペクトルや強度を測定して蛍光物質の種類や濃度を分析する方法が蛍光分析法である．吸光光度法に比較すると蛍光法は測定感度が高いという特徴がある．蛍光を示さない物質に対しては，蛍光性分子へ誘導体化して分析する．最近では蛍光性分子や蛍光性タンパク質を用いて細胞中の特定のイオンや分子，タンパク質の分析が行われている．

2.3.1　蛍光性分子と蛍光の特徴

　光吸収と緩和の過程を図2.16に示す．分子が光を吸収すると基底状態（S_0）から，電子第一励起状態（S_1）や電子第二励起状態（S_2）の種々の振動準位へ励起される．振動準位$\nu=1$や$\nu=2$に励起された分子は，溶媒分子にエネルギーをわたしてそれぞれの最低振

動準位 $\nu=0$ に落ちる．このように振動準位から同じ電子励起状態のより低い振動準位に落ちることを振動緩和（vibrational relaxation）という．S_2 の最低振動準位にある電子は発光を伴わずに S_1 の高振動準位に等エネルギー的に乗り移る．このような同じ多重度間での発光を伴わない遷移を内部転換（internal conversion）という．さらに，S_1 の最低振動準位へ振動緩和する．S_1 の最低振動準位から基底状態へ遷移する過程において光を放出する分子があり，この光を蛍光という．蛍光は $S_1{\rightarrow}S_0$ 遷移により生じるため，励起波長に関わらず，分子に固有の蛍光スペクトルが観測される．これをカシャ（Kasha）の法則という．また，基底状態と励起状態では分子の極性が異なり，励起状態の方が一般に極性が大きい．このため，吸収極大波長と蛍光極大波長は異なり，蛍光は吸収よりも長波長側に現れる．これをストークスの法則といい，吸収極大波長と蛍光極大波長のエネルギー差をストークスシフト（Stokes shift）という．電子状態には，分子軌道に入る電子のスピンの向きが逆平行である一重項状態（singlet, S）と平行である三重項状態（triplet, T）があり，最低励起三重項状態（T_1）のエネルギーは S_1 よりもやや低く，S_1 に存在する分子が発光を伴わずに T_1 へ移行する．このように発光を伴わずに多重項が変わることを項間交差（intersystem crossing）という．さらに，T_1 にある電子は S_0 に遷移するが，この過程で光を放出する場合がある．これをリン光（phosphorescence）という．$T_1{\rightarrow}S_0$ 遷移は禁制であるため強度は弱い．図 2.16 に示すように，遷移に必要なエネルギーは，吸収，蛍光，リン光の順に小さくなるので，スペクトルの現れる位置は短波長側から吸収，蛍光，リン光の順となる．また，S_1 および T_1 が，光を放出せず熱を放出して失活する過程を無放射遷移という．

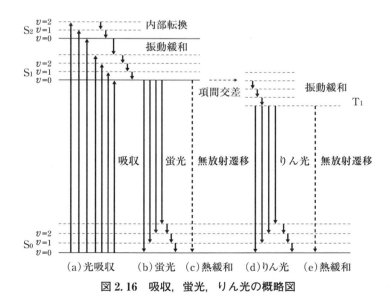

図 2.16　吸収，蛍光，りん光の概略図

　全ての分子が蛍光を示すわけではなく，多環芳香族のように紫外可視吸収帯のモル吸光係数が大きくて剛直な平面構造を持つ分子は一般的に強い蛍光を示す．図2.17に示すビフェニルの蛍光はきわめて弱く，またフェノールフタレインは無蛍光性である．しかし，2個のフェニル基を連結したフルオレンやフルオレセインは，構造が剛直となって強い蛍光を示す．蛍光性を示す尺度として，量子収率（quantum yield）が使われ，吸収光量子数に対する蛍光量子数の比で与えられる．ある溶媒中の蛍光量子収率は，ナフタレン（エタノール，0.12），アントラセン（エタノール，0.30），ピレン（エタノール，0.65），フルオレセイン（0.1 M NaOH, 0.92）といった値をもつ．

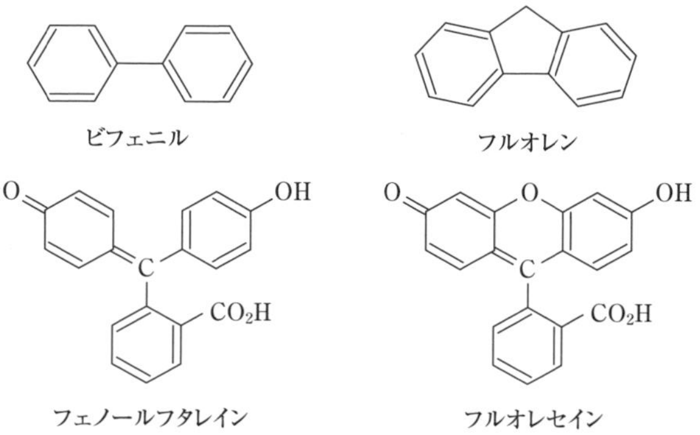

図2.17　蛍光性分子と無蛍光性分子

　蛍光は$S_1 \rightarrow S_0$遷移に基づくので最低励起吸収（$S_0 \rightarrow S_1$）がn—π^*遷移（図2.10）のような禁制遷移の場合には蛍光がきわめて弱くなる．ニトロ基のような電子求引基やハロゲン原子を持つ分子では蛍光は一般に弱くなる．また，試料溶波内の溶存酸素によっても蛍光は弱くなる．蛍光が弱くなる現象を消光（quenching）という．高温では励起された分子が溶媒分子などとの衝突により励起エネルギーを失いやすくなるため蛍光が弱くなる．また，ヨウ化物イオンのようなハロゲン化物イオンや常磁性イオンが共存すると項間交差が生じやすくなって蛍光が弱くなり，これを重原子効果（heavy-atomeffect）という．このように蛍光強度はさまざまな因子の影響を受けるので測定には注意が必要である．

　蛍光分光光度計の概略を図2.18に示す．蛍光スペクトルの測定では，光源からの光を励起側分光器で単色光として試料溶液に照射し，試料から発生する蛍光を発光側分光器で分光して光電子増倍管により検出する．スペクトル測定法は分光器の波長掃引法から3種類に分けられる．まず，試料に入射する励起光を励起側分光器である波長に固定し，発光側分光器の波長を変えながら測定すると蛍光スペクトル（fluorescence spectrum）または発光スペクトル（emission spectrum）が得られ，定量分析に利用される．このとき，励起光の散乱光が検出器に入るのを防ぐため，ある励起波長（λ_{ex}）に対し，励起波長よりも数nm長い波長から長波長側へ蛍光スペクトルを測定する．一方，試料からの発光波長（λ_{em}）を蛍光極大波長など，ある波長に固定して吸収スペクトルが現れる波長領域を

掃引すると励起スペクトル（excitation spectrum）が得られる．蛍光強度は試料の光吸収量にほぼ比例するので励起スペクトルは吸収スペクトルに類似することになる．複数の発光帯が現れるときに，蛍光を生じる化学種を同定するのに励起スペクトルが利用される．また，励起波長と発光波長の差を一定に保って励起側と発光側の2つの分光器を同時に波長掃引すると同期蛍光スペクトル（synchronous fluorescence spectrum）が得られ，多環芳香族化合物の混合物を一斉分析するときなどに利用される．

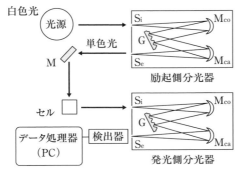

S_i：入射スリット，
S_e：出射スリット，
G：回折格子，
M_{co}：コリメータ鏡，
M_{ca}：カメラ鏡，
M：反射鏡．

図 2.18　蛍光分光光度計の概略図

　図 2.19 に多環芳香族化合物の一般的な吸収スペクトルと蛍光スペクトルを示す．吸収スペクトルは S_0 から S_1 の各振動準位への励起を測定したものであり，蛍光スペクトルは S_1 から S_0 の各振動準位への遷移を測定したものである（図 2.16）．図に見られるように，多環芳香族化合物などでは吸収と蛍光の両スペクトルが鏡像関係を示すことがある．これは，S_1 と S_0 の振動の間隔が類似しているためである．また，試料の蛍光強度があまり強くない場合，蛍光スペクトル中に溶媒のラマン光や回折格子から生じる散乱光の高次光，溶液中の不純物の蛍光などがピークとして現れる．試料溶液はそのままに蛍光波長を固定して励起波長を変えて励起スペクトル測定すると，蛍光であればカシャの法則から極大波長は変化しないが，ラマン光由来のピークの場合はそのピークの波長（極大波長）が変化する．さらに，このラマンピークの波長と励起波長の光のエネルギー差は一定である．例えば，溶媒のラマンピークの波長と励起波長の光のエネルギー差は，水溶液では約 $0.43\,\mathrm{eV}$（約 $3400\,\mathrm{cm^{-1}}$），アルコールやアルカン溶媒では約 $0.36\,\mathrm{eV}$（約 $2900\,\mathrm{cm^{-1}}$）であり，これらの溶媒のラマンピークは励起波長より長波長側に現れ，それぞれ OH 伸縮振動と CH 伸縮振動に由来する．また，高次光の場合には励起波長に比例してピーク波長が変化するので試料の蛍光と区別できる．試料を入れるセルとしては4面が透明なものを用い，光の入射方向と直角の方向（90 度散乱）で蛍光を検出する．懸濁溶液や固体試料の場合には光は試料を透過できないので，光の入射側へ放出（前方散乱）される蛍光を測定する．

36

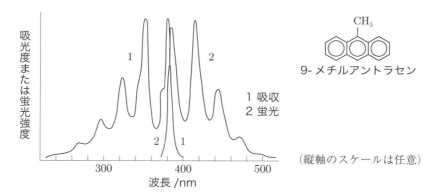

図 2.19　多環芳香族化合物の吸収スペクトルと蛍光スペクトル

ラマン光

　試料にある波長の単色光（λ_{ex}）を照射すると，同じ波長の光が強く散乱され，これをレーリー散乱（Rayleigh scattering）光という．同時に λ_{ex} よりもわずかに波長のずれた強度がきわめて弱い散乱光が観測され，発見者であるインドの科学者 C. V. Raman の名前をとってラマン散乱と呼ばれる．散乱強度は光の波数の 4 乗に比例する．下図に示すように，赤外吸収は基底状態の振動準位間の遷移によって生じ，ラマン散乱は $\upsilon=0$ から入射光のエネルギーによってある仮想準位を経て $\upsilon=1$ へ遷移するストークスラマン散乱と，$\upsilon=1$ の順位から $\upsilon=0$ へと遷移するアンチストークスラマン散乱とがある．散乱光と λ_{ex} のエネルギー差は振動準位のエネルギー差と対応するので，ラマンスペクトルは赤外吸収スペクトルと同様に分子振動に関する情報を与える．また，入射光のエネルギーが電子遷移エネルギーと一致する場合に，散乱強度が著しく増強される．この現象を共鳴ラマン散乱といい，紫外可視帯に λ_{ex} の光が含まれると 10^3 倍程度の増強効果が得られる．通常可視光領域でラマン散乱の測定が行われる．蛍光法では励起光の光吸収が必要であるが，ラマン散乱の測定では励起光の試料による光吸収があってもなくてもよい．

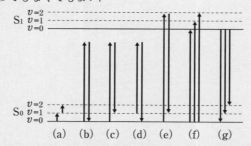

赤外吸収，ラマン散乱，紫外可視吸収，蛍光に対するエネルギー準位図
(a) 赤外吸収，(b) レーリー散乱，(c) ストークスラマン散乱，
(d) アンチストークスラマン散乱，(e) 共鳴ラマン散乱，(f) 紫外可視吸収，(g) 蛍光

コラム	ケミルミネッセンス

　化学反応や生体内の反応によりエネルギーを得て分子が励起状態に遷移すると光を入射しなくても試料からの発光が観測される. 血痕の鑑識に利用されるルミノール反応では, ルミノールが過酸化水素と反応するとき, 血液中のヘモグロビンが反応の触媒として作用し, 460 nm に強い紫青色の発光が現れる. このような発光をケミルミネッセンス (chemiluminescence) という. ホタルの発光は, 発光物質 (ルシフェリン) と酵素 (ルシフェラーゼ) の反応によって生じ, 生体内の反応を利用することから, バイオルミネッセンス (bioluminescence) と呼ばれる. 電界中の物質からの発光であるエレクトロルミネッセンス (electroluminescence) は超薄型テレビの実現に役立っている.

コラム	ナノメートルサイズの金属や半導体の光吸収と蛍光

　黄金色に輝く金を数〜数十ナノメートルにすると赤色を示すことは古くから知られている. 金属や半導体のナノ粒子が粒子サイズに特有の吸収や蛍光を示すことを利用した分析法の開発が進められている. ナノクリスタルや量子ドット (quantum dot) と呼ばれる CdSe などの半導体のナノ粒子では 400 nm〜2 μm と可視光から近赤外光領域で半値幅の狭い発光を示し, 発光効率が高く光退色しにくいことから有機蛍光色素に代わって蛍光ラベル化剤として利用され始めている.

2.3.2　蛍光分析法による定量分析

蛍光性分子が溶解している溶液で, 光化学反応がなく励起波長や発光波長での吸光度が小さい場合に, 蛍光強度 F は入射光強度 I_0, モル吸光係数 ε, 試料濃度 C に近似的に比例する ($F \propto I_0 \varepsilon C$). また, セル光路長を b とすると, 出射光の強度 I は次式で与えられる.

$$I = I_0 \exp(-2.303\varepsilon bC) \tag{2.21}$$

蛍光強度はセルの中で吸収される光の量 ($I_0 - I$) に比例するので, 蛍光強度 F は Φ を分子の量子収率, K' を装置関数として次式で与えられる.

$$F = K'\Phi(I_0 - I) \tag{2.22}$$

式 (2.22) に式 (2.21) を代入すると

$$F = K'\Phi I_0\{1 - \exp(-2.303\varepsilon bC)\} \tag{2.23}$$

ここで, x がきわめて小さいときに成り立つ $\exp(-x) \simeq 1-x$ の近似を用いると

$$F = K'\Phi I_0 2.303\varepsilon bC \tag{2.24}$$

となり, 蛍光強度は入射光強度や試料濃度に比例する. 一般的には, 励起波長での吸光度が 0.02 以下となるように試料の濃度を調整して測定する. 図 2.20 にピレンの濃度と蛍光強度の関係を示す. 1 μM よりも低濃度の場合には式 (2.24) にしたがって試料濃度に蛍光強度は比例する. しかし, 試料濃度が高くなると比例関係は成立せず, 高濃度では濃度増大とともに蛍光強度が低下することもある. 高濃度試料では式 (2.24) で用いた近似が成立せず, 試料からの蛍光が試料自身によって再吸収される自己吸収が生じたり (内部

ろ光効果），分子どうしが衝突しやすくなって励起エネルギーを失いやすくなる（濃度消光）．また，二量体形成により単量体の蛍光が弱くなるため式（2.24）の関係が成立しなくなる．したがって，蛍光特性が未知の試料を測定するときには，あらかじめ吸収スペクトルを測定してベールの法則が成立することを確認するとともに，濃度を変えた試料溶液の蛍光強度を測定して濃度との比例関係を確認しておくことが重要である．また，蛍光性の有機分子の多くは光を照射し続けると分解が生じたりして測定中に蛍光強度が徐々に減少することがある．これを光退色またはフォトブリーチング（photobleaching）という．蛍光測定の前後で蛍光強度に変化がないことを確認することも重要である．

式（2.24）から，蛍光強度は入射光強度に比例する．したがって，光強度の大きなレーザーを入射光源に用いると蛍光分析法を高感度化できる．

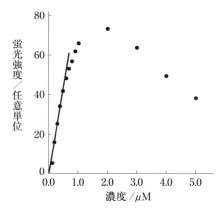

図 2.20　ピレンと蛍光強度（$\lambda_{em}=373\,\mathrm{nm}$）の関係

2.3.3　蛍光分析法の応用

吸光光度法と同じように，蛍光分析法は種々の化学種の定量分析や酸解離定数の決定，錯生成比の決定，錯生成定数の決定に用いられる．発蛍光応答ばかりでなく錯生成に伴う消光応答も利用される．ただし，吸光光度法は分子の電子基底状態を反映し，蛍光法は電子励起状態を反映するので，酸解離定数や錯生成定数が吸光光度法と蛍光法とで異なることが起こり得る．

金属イオンは希土類元素やウラニル塩を除くと無蛍光性であり，比色分析における呈色反応と同様にキレート試薬との反応により蛍光性の錯体として分析する．生体内のカルシウムイオンの定量によく利用される Fura 2 は，図 2.21 に示すようにエチレンジアミン四酢酸と類似した構造を持っている．Fura 2 の誘導体である Fura 2-AM もカルシウムイオン選択性があり，カルシウムイオン濃度が増加すると，図 2.22 に示すように，励起スペクトルで 380 nm のピーク強度が減少し，340 nm のピーク強度が増大するので両者の強度比を使ってカルシウムイオン濃度を定量できる．このような二波長での蛍光強度比をとる方法（ratiometric method）は，蛍光強度が pH などの溶液条件に左右されるのを補

償できるので実用分析上できわめて有用である．一方，蛍光性タンパク質を用いて細胞中のカルシウムイオンの分布や動的挙動を映像化（イメージング）することもよく行われている．図 2.23 に示すように，カルシウム結合タンパク質のカルモジュリン（CaM）の両末端に青色の蛍光を示すタンパク質（CFP）と黄色の蛍光を示すタンパク質（YFP）を離して結合させる．カルモジュリンはカルシウムイオンと結合すると立体構造が変化してCFP と YFP が近接することになる．このため，CFP を励起すると，カルシウムイオンがないときには青色蛍光（480 nm）が観測されるが CFP と YFP が近接すると YFP からの黄色蛍光（535 nm）が強く観測されるのでカルシウムイオンの存在を確認できる．このような蛍光変化は蛍光共鳴エネルギー移動（FRET：fluorescence resonant energy transfer）によって生じ，CFP の蛍光スペクトルと YFP の吸収スペクトルに重なりのあることと CFP と YFP が距離的に近接していることが FRET の生じる必要条件になる．

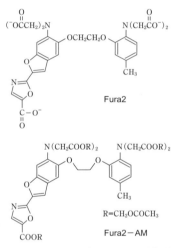

図 2.21　カルシウムイオン選択的蛍光プローブ例

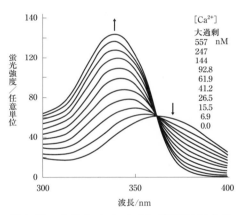

図 2.22　カルシウムイオン濃度に対するFura 2-AM の励起スペクトル変化
和光純薬工業株式会社「蛍光アプリケーションノート」一部改変

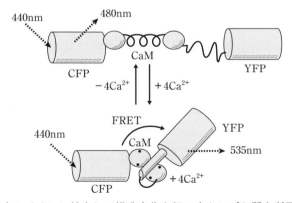

図 2.23　カルシウムイオンに結合して構造変化を起こすタンパク質を利用した蛍光検出法

多環芳香族などの蛍光性有機分子は直接定量分析できるが非蛍光性有機分子に対しては，誘導体化試薬と反応させて蛍光物質に変換して測定する．誘導体化試薬が無蛍光性の場合には発蛍光反応法と呼ばれ，誘導体化試薬自体が蛍光性の場合には誘導体化のことを蛍光標識あるいは蛍光ラベル化という．図 2.24 に発蛍光反応や蛍光ラベル化の例を示す．o-フタルアルデヒド（OPT）は水溶性であり 2-メルカプトエタノールのような還元剤とともに一級アミノ酸に反応させると強い蛍光を発し，励起波長 340 nm，蛍光波長 455 nm で測定する．反応は短時間で完結し，金属キレート試薬や界面活性剤等による妨害を受けにくい特徴を持っており，高速液体クロマトグラフィーと組み合わせて，タンパク質を分解して得られる各種アミノ酸の一斉分析に利用されている．ベンゾフラザン骨格を持つ NBD-F は第一，第二アミンやアミノ酸と DBD-ED はカルボン酸と反応して強い蛍光を示し，いずれも高速液体クロマトグラフィーによる蛍光検出のラベル化剤として利用されている．これら以外にも蛍光分析法は，無機イオンや分子の化学センシング法として広く応用されており，図 2.23 に示したように蛍光性タンパク質を用いた細胞内の特定物質の存在分布の分析（蛍光イメージング）などさまざまな分野で用いられている．

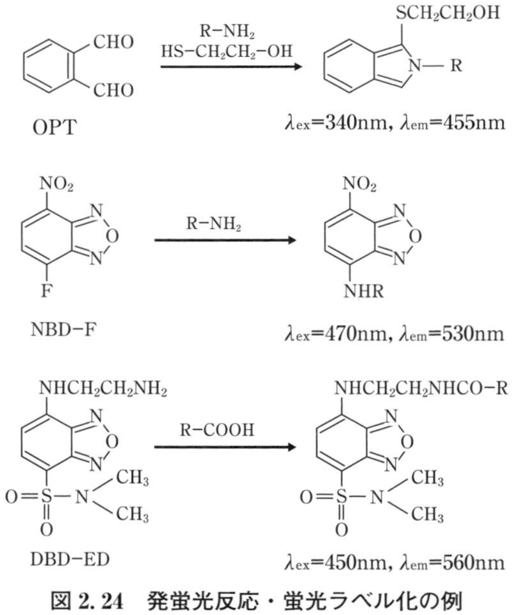

図 2.24　発蛍光反応・蛍光ラベル化の例

2.4　赤外吸収スペクトル法

　赤外線はその性質から熱線ともいわれ，1800 年，英国の天文学者であるハーシェル（Herschel）によって，太陽光スペクトルの熱効果が赤色部の外側で最大になることから発見された．赤外線は波長 2.5〜25 μm の領域（一般には 1 cm あたりの波長の逆数の波数，cm^{-1} で示される）をいい，主に分子のエネルギー遷移のうち，分子構造に起因する振動エネルギーに影響を与える．その振動スペクトルを利用する測定法が赤外吸収スペクトル法とラマンスペクトル法である．

2.4.1　分子の振動

1)　基準振動

　分子の振動の説明には，ある質量を持った球を原子，それをつなぐばねを原子間の化学結合としたモデルがよく用いられる．この模型をゆすると複雑な振動をするが，これらはいくつかの基本的な振動の重ねあわせであることがわかる．この基本的な振動を基準振動という．分子は空間に存在するので，その位置は 3 つ (x, y, z) の方向により決められる．一般に n 個の原子を持つ n 原子分子は $3n$ の自由度を持つが，各座標軸に沿って同じ方向に動く場合，分子は平行移動するだけとなり，この運動が 3 つある．また座標軸に対しての回転運動が 3 つあるので，非直線分子ならば $3n-3-3(=3n-6)$ 個の自由度を持つことになる．一方，直線分子では回転運動は 2 つとなるので，$3n-3-2(=3n-5)$ 個の基準振動を持つことになる．2 原子分子の振動について考えてみると，2 原子分子は直線分子であるので基準振動は 1 個である．今，質量 m_1 の原子と質量 m_2 の原子が一定の長さのばねによって結合されているとすると，その振動数 ν はフック（Hooke）の法則ならびにニュートン（Newton）の法則から，

$$\nu = \frac{1}{2\pi}\sqrt{\frac{k}{\mu}}$$

と示される．ここで比例定数 k は力の定数であり，ばねの強さに関係する量である．また，ばねの強さは原子間の結合の強さに比例する．μ は換算質量であり，次式で表される．

$$\mu = \frac{m_1 m_2}{m_1 + m_2}$$

　以上のことから，原子間の結合の強さが変わらなければ，軽い原子に関連した振動ほど高周波数側に吸収が現れ，また結合原子が同じであれば，結合の強さが強くなるほど高周波数側に吸収が現れることになる．すなわち，分子の振動は原子の質量と結合力に依存する．

例題 2.8

一酸化炭素分子の赤外吸収スペクトルは $2143\ cm^{-1}$ 付近に吸収を持つ．一酸化炭素分子の結合の力の定数を求めよ．

解 答

一酸化炭素分子の振動数 ν は $\nu = \dfrac{c}{\lambda}$ より求められる．

$$(214300\ m^{-1})(3.0 \times 10^8\ m\ s^{-1})$$
$$= 6.4 \times 10^{13}\ s^{-1}(HS)$$

また $C = 12$, $O = 16$ とすると換算質量 μ は

$$\mu = \frac{(0.012)(0.016)}{(0.028)(6.02 \times 10^{23})} = 1.14 \times 10^{-26}$$

である．したがって結合の力の定数 k は

$$k = \mu \cdot \nu^2 \cdot 4\pi^2$$
$$= (1.14 \times 10^{-26})(6.4 \times 10^{13})^2 4\pi^2$$
$$= 1842\ N\ m^{-1}$$

水および二酸化炭素は 3 原子分子であるが，水は非直線状分子であり二酸化炭素は直線状分子であるので，基準振動はそれぞれ 3 個および 4 個となる．それらの基準振動を図 2.25 に示す．水分子では全ての振動に対して赤外吸収およびラマンスペクトルが測定されるが，二酸化炭素においては逆対象伸縮振動および変角運動に赤外吸収スペクトルが，対象伸縮振動にラマンスペクトルが観測される．赤外吸収スペクトルは一般に分子振動に伴って双極子モーメントが変化するとき，すなわち，結合する原子の電気陰性度の差が大きくなる部位ほど吸収は大きく観測される．これを赤外活性といい，それ以外を赤外不活性という．一方，ラマンスペクトルは分子振動に伴い分極率が変化するときに観測され，これをラマン活性という．すなわち，対称中心に対称な振動は赤外不活性であり，逆対称なものはラマン不活性となる．

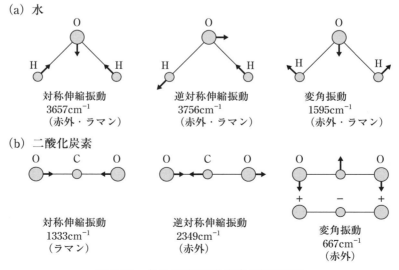

(a) 水

対称伸縮振動
$3657cm^{-1}$
（赤外・ラマン）

逆対称伸縮振動
$3756cm^{-1}$
（赤外・ラマン）

変角振動
$1595cm^{-1}$
（赤外・ラマン）

(b) 二酸化炭素

対称伸縮振動
$1333cm^{-1}$
（ラマン）

逆対称伸縮振動
$2349cm^{-1}$
（赤外）

変角振動
$667cm^{-1}$
（赤外）

図 2.25　水および二酸化炭素の基準振動

2)　特性吸収帯

　赤外吸収スペクトルは分子の異なる位置，あるいは異なる分子に存在しても，特定の官能基あるいは原子団に局在化して起こるため，未知化合物の構造解析に利用される．官能基あるいは原子団に特有な吸収を特性吸収帯といい，このような例を図 2.26 に示す．特に 1300〜900 cm^{-1} の領域はどの分子においても官能基に特徴的な吸収を示すため，指紋領域と呼ばれる．しかし，これらは代表的なものであり，例外もあるため他の測定法を含め，構造解析にあたっては注意を要する．

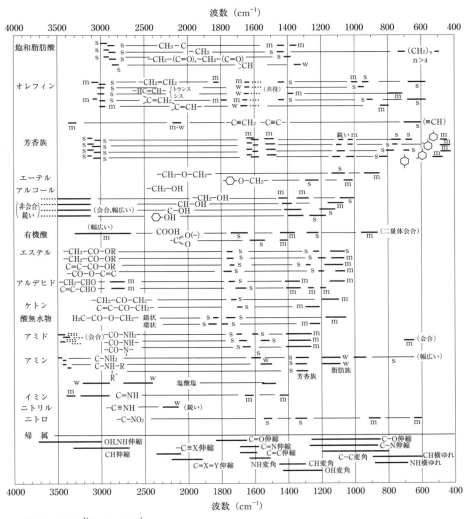

s : strong, m : medium, w : weak

図 2.26　各原子団の特性波数表

2.4.2　装置ならびに赤外吸収スペクトル

　赤外吸収スペクトルを測定する装置は，分光方式によって分散型と干渉型に大別される．分散型の光学系には，紫外・可視分光光度計と同様，シングルビーム（単光束）方式およびダブルビーム（複光束）方式がある．シングルビーム方式では，光路上にある水蒸気や二酸化炭素などの吸収によってバックグラウンドが変動するなどの問題があるが，ダブルビーム方式では対照光を利用するため，これらの問題を補正できる．一方，干渉型の分光系は分散型の分光系と異なり，全波長を同時に測定し光の干渉を利用する測定法である．この原理はマイケルソン干渉計を用いてインターフェログラムを測定し，これをフーリエ変換してスペクトルを得るものである．フーリエ変換赤外分光光度計およびマイケルソン干渉計とインターフェログラムの構成を図2.27に示す．干渉型の装置は分散型に比べ，波数精度，定量精度，高感度，短時間での測定など多くの利点を有するが，原理的に単光束方式であるため，試料調製ならびに光学系に注意を要する．実際の測定例としてキシレンの赤外吸収スペクトルを図2.28に示した．

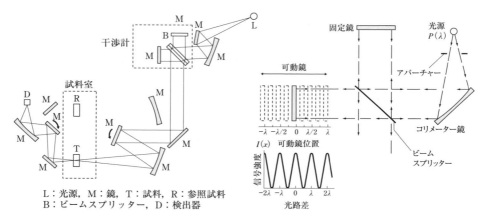

L：光源，M：鏡，T：試料，R：参照試料
B：ビームスプリッター，D：検出器

図2.27　フーリエ変換赤外分光光度計およびマイケルソン干渉計の構成とインターフェログラム

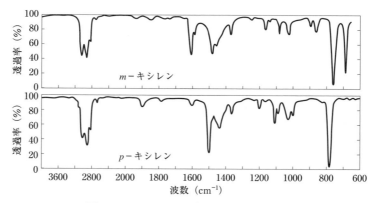

図2.28　キシレンの赤外吸収スペクトル

2.5　ラマン散乱分光法

　ラマン（C. V. Raman）によって発見されたラマン散乱法は，可視領域の光を用いながら，分子の振動スペクトルを測定することができるユニークな方法である．可視領域の分光・検出装置を用いて振動スペクトルを得ることができるのは，装置的な観点からも極めて有用である．今日では，さまざまな原理に基づくラマン散乱法が見いだされ，分光学の大きな領域を形成するに至っている．特別なラマン散乱法は専門書に譲ることにして，ここでは基本的なラマン散乱法について記すことにする．

2.5.1　原　理

　ラマン散乱法は，本来，量子論を用いて厳密に記載されるべきであるが，ここでは初心者にもわかりやすいような記載を行うことにする．

　試料に光を照射すると，その光の波長と同じ光が全方向に散乱される．これはレーリー散乱光として知られている．例えば，高等学校で学んだチンダル現象も，コロイドによるレーリー散乱に他ならない．

　照射する光（基本波）を単色光に代え，散乱光を分光して詳しく調べると，同じ波長のレーリー散乱光以外に，短波長側にも長波長側にも異なる波長の散乱光を認めることができる．これらがラマン散乱光である[*1]．基本波の波長よりも長波長側に現れるラマン散乱光はストークス線，短波長側に現れるラマン散乱光はアンチストークス線と呼ばれる[*2]．

　ラマン散乱は，図 2.29 のようなエネルギー準位図を用いて理解できる．ここで表しているのは，電子基底状態における振動（または回転）準位の違いである．2.1.2 項に記したように，このような異なるエネルギー準位の分布は，ボルツマン分布に従う．振動準位のエネルギー差は小さいため，室温でも振動の励起状態になる分子が存在する．この状態に基本波を照射すると，仮想準位を経由してほとんどが同じ準位に戻ってくる．これは波長の変化を伴わないので，レーリー散乱光に対応する．他の準位に遷移（①では，1つ上の振動準位）した場合，仮想準位からのエネルギーは，基本波のエネルギーよりも小さいため，より長波長の光になる．これは，ラマン散乱のストークス線に相当する．一方，振動励起準位から仮想準位を経由して，②のように振動基底準位に遷移する場合，エネルギーが増加することになり，短波長の光が観測されることになる．これは，ラマン散乱のアンチストークス線に相当することになる[*3]．

---

　*1　蛍光も類似の現象であるが，別記するように，全く異なる機構によって起こる現象である．

　*2　もともと基本波の波長よりも長波長側に光が現れる現象をストークスシフトと称している．アンチというのは，"反対の"，という意味である．

　*3　仮想準位は実際に存在する準位ではないので，その準位に励起されることはない．したがって，ラマン散乱には寿命に相当するものは存在しないと考えてよい．

この図から，基本波とラマン散乱光のエネルギー差が，振動エネルギーの差に相当することがわかる．また，ボルツマン分布を考慮すると，ストークス線のほうがアンチストークス線よりも強いことがわかる．

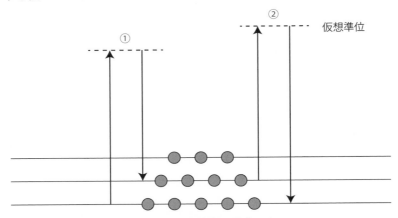

図2.29　ラマン散乱光の発生スキーム

基本波とラマン散乱光のエネルギー差が意味を持つ値であるため，ラマンスペクトルの横軸にはラマン散乱光の波数（波長の逆数，$\tilde{\nu}$）と基本波の波数$\tilde{\nu}_0$の差（$\tilde{\nu}_0-\tilde{\nu}$）が用いられる．単位は$cm^{-1}$が慣習的に用いられている[*4]．図2.30に四塩化炭素のラマンスペクトルの例を示す．ラマンシフトの値が正のものがストークス線，負のものがアンチストークス線である．0 cm^{-1}の強いシグナルはレーリー散乱光である．レーリー散乱光に対して，左右のラマンシフトの絶対値がほぼ同じであることがわかる．また，前記のように，ストークス線の強度のほうが，アンチストークス線の強度よりも高い．

なお，赤外吸収スペクトルの単位もcm^{-1}であるため，両者を比較する上で都合がよい．

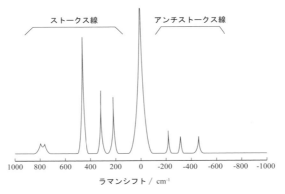

図2.30　四塩化炭素のラマンスペクトル

[*4] この単位は，以前はカイザーと呼ばれていたが，最近はセンチメートルインバースと呼ぶ研究者が多い．

類似の振動（および回転）スペクトルが得られる赤外吸収スペクトルとの違いについて，簡単に触れたい．用いる光の波長やエネルギーが異なることは前記のとおりである．また，振動モードの違いもしばしば議論されている．

2.4.1 1）で記したように，赤外吸収スペクトルでは，振動に伴って双極子モーメントが変化する場合に活性であり，ラマン散乱では，振動に伴って分極率が変化する場合に活性になることが量子化学論から明らかになっている．しかし，これらは単純な分子の場合であって，実際の多原子分子の場合は，ほとんどの振動に伴って双極子モーメントも分極率も変化するため，選択性に劇的な差は生まれない．ただし，分極率の変化が大きな振動は，ラマン散乱で大きなシグナルを与え，逆に分極率変化が小さな振動では，ラマン散乱では小さなシグナルを与える傾向がある．

また，最近は密度汎関数法を用いる量子化学計算の精度が上がってきており，実験で測定されるラマン散乱光の各シグナルが，測定対象分子のどのような振動に由来しているかを明らかにする，量子化学計算を併用した研究が進んできている．

2.5.2 装　置

ラマン散乱光を測定するためには，光源（単色光，通常は単色性の高いレーザー），モノクロメーター（分光器），および光の検出器が必要である．図2.31に概略図を示している．通常の物質の紫外可視領域の光吸収に比べると，ラマン散乱光のシグナルは極めて鋭く線幅の狭いピークになる．したがって，高分解能の分光器が必要である[*5]．また，図2.30からわかるように，レーリー散乱光の強度に対してラマン散乱光の強度は極めて小さいため，レーリー散乱光とラマン散乱光を分光学的に切り分けることが重要である．この目的のために，古くはダブルモノクロメーターやトリプルモノクロメーター（それぞれモノクロメーターを2つ，3つ連結すること）が用いられたが，近年は非常に有効な光学フィルター（ノッチフィルターやバンドパスフィルター，ローパスフィルター，ハイパスフィルターなど）が開発され，シングルモノクロメーターでも十分にラマン散乱光を測定できるようになってきた．

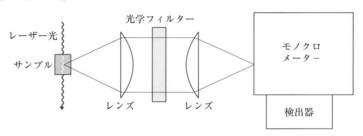

図2.31　ラマン散乱光の測定装置の概略

　＊5　通常のラマン散乱スペクトルの測定では，半値幅として $2\sim10\ \mathrm{cm^{-1}}$ のものが用いられる．

例題 2.9

ラマン散乱光と蛍光を見分ける方法を記せ.

解　答

ラマン散乱では，光源の波長を変化させると，強度はほとんど変わらずに，波長が変化する．一方，蛍光では，光源の波長を変えると，発光の波長は変わらないが，強度が変化する.

例題 2.10

ストークス線 $200 \, cm^{-1}$ のシグナルの強度と，それに対応するアンチストークス線の強度が 3：1 であった場合，試料の温度を計算せよ．振動基底状態と振動励起状態の多重度は同じとする.

解　答

まず $200 \, cm^{-1}$ のエネルギー差は，$6.626 \times 10^{-34} \times 2.998 \times 10^8 \times 20000 \, m^{-1} = 4.0 \times 10^{-21}$ J. ボルツマン分布から，振動基底状態 N_g と振動励起状態 N_e の分子の存在比は，$N_e/N_g = \exp\{-4.0 \times 10^{-21}/1.38 \times 10^{-23} \, T\}$. 図 2.29 を見ると，ストークス線とアンチストークス線の強度比は，そのまま N_g と N_e の比になるから，$N_e/N_g = 1/3$. 以上から T を求めると，264 K となる.

2.6　円偏光二色性吸収分光法

私たちの身体を構成しているタンパク質は，キラルな分子であり，その構成単位であるアミノ酸もキラルな分子である．また，細胞膜を構成しているリン脂質もキラルな分子である．このように，生体関連物質の多くはキラリティを有する．また，そこに作用する薬剤などの多くはキラルな物質である．それらのキラリティを調べるための手法の1つとして，中学校や高等学校において旋光現象を学んだ．これは，直線偏光がキラルな物質を含む試料を通過すると，偏光方向が時計回りまたは反時計回りに回転するという現象である．古くは，キラルな物質の頭に（＋），（－）または D-, L- が付けられてきたが，それらの記号は，この回転方向を示している[*6].

ここで取り上げる円偏光二色性（circular dichroism, CD）は，上記の旋光現象と深く関連した現象であるが，キラルな分子に対してより多くの情報が得られる分光分析法である．CD では，直線偏光ではなく円偏光を用いる[*7].キラルな分子が，ある波長において光吸収を示す場合，左円偏光と右円偏光を用いたときの吸光度がわずかに異なることがある．この吸光度の差を波長に対して示したものが，CD スペクトルである.

[*6]　現在は，立体化学の立場から，R-, S- が主に用いられるようになってきているが，アミノ酸については，今でも D-, L- を用いることが多い.

[*7]　円偏光には，左円偏光と右円偏光の2種類がある．それぞれ左ネジ，右ネジのようなものであり，互いに鏡像の関係にある.

　得られる CD シグナルは，図 2.32 に示すように左円偏光と右円偏光の吸光度の差 $\Delta A = A_L - A_R$ である．この図では，左円偏光のほうがより吸収されている例を示している．ここで，下付きの L と R はそれぞれ左円偏光，右円偏光を表す．それぞれの吸光度に対してランベルト—ベールの法則が成り立つため，$\Delta A = (\varepsilon_L - \varepsilon_R)bC$（$\varepsilon$：モル吸光係数（単位 $M^{-1}\,cm^{-1}$），b：光路長（単位 cm），C：モル濃度（単位 M））となる．この $\Delta\varepsilon = (\varepsilon_L - \varepsilon_R)$ は，モル円二色性と称される．

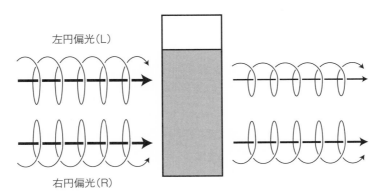

左円偏光（L）

右円偏光（R）

図 2.32　キラルな物質を含む溶液による左円偏光と右円偏光の吸収の違い

2.6.1　原　理

　CD スペクトルが現れる機構は極めて複雑であるため，詳細は専門書に譲ることにして，ここでは簡単な表記にとどめることにする．

　最も重要なポイントは，CD シグナルには，キラルな物質の電気遷移双極子モーメントと磁気遷移双極子モーメントの量子論的な積が関与しているという点である．アキラルな物質の場合，この積は 0 になるが，キラルな物質ではこの積は 0 にはならず，CD シグナルが現れることになる．ただし，磁気遷移双極子モーメントは通常極めて小さな値であるため，CD シグナルも極めて小さな値になる．また，電気遷移双極子モーメントが関与しているため，光吸収による電子遷移が起こらない波長領域では CD シグナルは得られないことになる．

　現在市販されている CD 分光器では，一般に CD のシグナルとして，上記の吸光度の差 ΔA ではなく，楕円率 θ（単位：度（deg））が出力される．この θ と ΔA の間には，

$$\theta = (180/4\pi)\ln 10\,\Delta A \tag{2.25}$$

の関係がある（楕円率の詳細は 2.6.4 で触れる）．

　θ に対してランベルト—ベールの法則を適用すると，次式のようになる．

$$\theta = ([\theta]/100)bC = [\theta](b/10)(C/10) = [\theta]b'C' \tag{2.26}$$

モル吸光係数に相当する量は，モル楕円率 $[\theta]$（単位 $\deg\,cm^2\,dmol^{-1}$）であり，物質に固

50

有の値である．ここで b'，C' は，それぞれ光路長（単位 dm），モル濃度（単位 10 mol L^{-1} $=10$ M）であるが，一般的なランベルト—ベールの法則で採用されているものと単位が異なるため，$'$ をつけて表している*8.

モル楕円率 $[\theta]$ は，上記のモル円二色性 $\Delta\varepsilon$ と次式の関係にある．

$$[\theta] = (18000/4\pi) \ln 10 \, \Delta\varepsilon = 3300 \, \Delta\varepsilon \tag{2.27}$$

多くの研究では，deg cm^2 dmol^{-1} が $[\theta]$ の単位として採用されている．

2.6.2 装　置

CD スペクトルを測定する装置は，基本的に光吸収を測定するものであるため，光源，回折格子，光強度の検出器など，通常の紫外可視分光器に組み込まれているものと類似のものが使われる．

回折格子と試料の間に，PEM（Photo elastic modulator，光弾性変調器）が置かれる．これは，$40\sim60$ kHz の一定周期で，透過光を左円偏光と右円偏光に切り替える光学部品である．この PEM の周期に検出器を同期させて，左円偏光と右円偏光の強度（それぞれ I_L と I_R）を高感度に検出する．そして，吸光度の差を次式によって求めている．

$$A_L - A_R = -\log(I_L/I_0) + \log(I_R/I_0) = -\log(I_L/I_R) \tag{2.28}$$

ここで I_0 は入射光強度である．I_L と I_R は極めて近い値をとるので，高精度でこの値が得られるように，装置上の工夫がなされている．

2.6.3 CD スペクトルの実例

図 2.33 に，キラルな分子である樟脳の CD スペクトルの例を示す．（＋）と（−）で，同形であるが，正負が逆になっていることがわかる．また，いずれも濃度の増加とともに楕円率の絶対値が増大することがわかる．

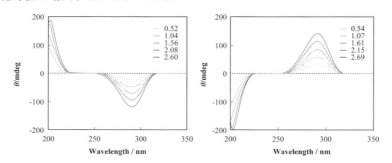

図 2.33 （＋）-樟脳（左図）および（−）-樟脳（右図）の CD スペクトルの例
図中の数値はモル濃度（単位は mM）を表す．

---

*8　C' の単位は見慣れないものであるが，例えば $C=1$[M] であれば，$C'=0.1$[10 M] になる．一般的なモル濃度を 10 で割ったものに相当する．通常，単位には [　] をつけないが，ここでは明確に区別する目的でつけている．

2.6.4　偏光と屈折率の関係性

　物質と光の相互作用を考える場合，一般に，物質による光の吸収を考えるが，溶液の屈折率もしばしば重要な役割を示すことがある．すでに 2.1.1 項で見たように，ある媒体中の光の進行速度は，その媒体の屈折率 n に反比例する．そこで，例えば，図 2.34 のような複屈折（垂直方向と水平方向で，屈折率がわずかに異なる物質，具体的には水晶や方解石などの固体）を示す物質に，直線偏光の偏光方向が 45° になるように入射することを考える（ここでは，水平方向の屈折率が垂直方向の屈折率より大きい例を示している）．ベクトル分解して考えると，水平方向の光は垂直方向の光よりわずかに進行が遅れることになる．光は一定周期で振動しているため，この遅れは，出口において両者の波の位相差を生むことがわかる．位相差が 90° の場合，図 2.34 のように円偏光になる．位相差が 10° の場合，図 2.35 のような楕円偏光になる．位相差が 180° の場合は，直線偏光になるが，入射光の偏光方向に対して 90° 回転した直線偏光になる．前記の PEM は，このように位相差を制御して，左右円偏光を作り出している．

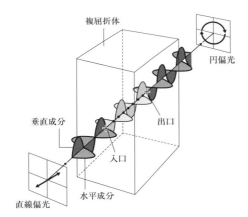

図 2.34　複屈折の媒体に入射した直線偏光の例

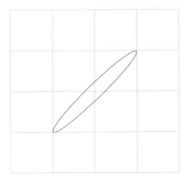

図 2.35　図 2.34 において位相差が 10° のときに生じる楕円偏光

2.6.5　キラリティと直線偏光の関係

　最後に，キラルな物質を含む溶液に直線偏光を入射したときに，透過した光がどのように変化するかについて考察してみたい．

　あらかじめ，直線偏光と円偏光の関係について触れたい．図 2.36 に示すように，偏光方向が上下方向である直線偏光は，同じ大きさで，位相差がない左円偏光と右円偏光の和と等価である．換言すれば，直線偏光の電場の振幅 E_p は，左円偏光の電場の振幅 E_L および右円偏光の電場の振幅 E_R にベクトル分解される．

52

初めに光吸収を示さないキラルな物質の溶液に，偏光方向が上下方向である直線偏光を入射することを考えよう．この場合，その溶液内の物質の配向はランダムであるため，2.6.4 のような複屈折を示すことはない．しかし，そのようなランダムな状態であってもキラルな物質が存在するため，左円偏光と右円偏光の屈折率がわずかに異なる．そのため，両円偏光で進行速度が異なり，両者に位相差が生じる．その結果，図 2.37 に示すように透過光の偏光方向は回転することになる．これが旋光現象である．図 2.37 では，左円偏光の位相が 20° 遅れた例を示しており，直線偏光は時計回りに回転する．

図 2.36　直線偏光と円偏光の関係

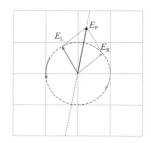

図 2.37　光吸収を示さないキラルな物質の溶液による旋光現象

次に，光吸収を示すキラルな物質の溶液に，偏光方向が上下方向である直線偏光を入射する．図 2.38（左）に示すように，左円偏光のほうが右円偏光よりも吸収されるとすると，左円偏光の円の半径がより小さくなる．また，キラルな物質を含む溶液であるため，左円偏光に対する屈折率と右円偏光に対する屈折率がわずかに異なり，位相差が生じる．図 2.38 では，左円偏光の位相が 20° 遅れる例を示している．生じた 2 つの円偏光のベクトル和を考えると，偏光方向が時計回りに回転した右楕円偏光が得られることがわかる．2.6.1 で示した楕円率 θ というのは，図 2.38（右）のように，この楕円偏光の長軸と短軸のなす角のことである．

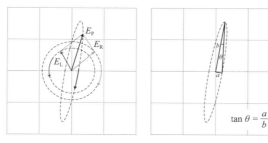

図 2.38　光吸収を示すキラルな物質の溶液に直線偏光を入射したときに得られる透過光の楕円偏光

2.7　原子スペクトル分析法

原子の状態で外殻電子の遷移によって引き起こされるそれぞれの現象（吸光，発光および蛍光）を利用した測定法が原子スペクトル分析法（atomicspectrometry）である．本書では主に原子吸光分析法，誘導結合プラズマ発光分析法および誘導結合プラズマ質量分析法について解説する．

2.7.1　原子における電子の遷移

分子スペクトルでは分子内の振動および回転の励起状態の変化を伴うため，分子吸収スペクトルおよび蛍光スペクトルはいくつかの成分によって構成されるので，スペクトルは幅の広いバンドとして観測される．また分子においては分子吸収スペクトルに比べ，蛍光スペクトルは図 2.19 に示すように長波長側へシフトする．しかし，原子スペクトルではこれらの振動，回転の励起を伴わず電子配置のみによって決まるので，スペクトルは幅の狭い（線幅の狭い）吸収および発光として観察される．原子スペクトルのうち最も簡単なものは水素原子で，その発光線は主量子数によって説明でき，各スペクトル線は，

$$\tilde{\nu} = \frac{R}{2^2} - \frac{R}{n^2} \qquad n = 3, 4, 5, \ldots\ldots$$

で示される．ここで，$\tilde{\nu}$ は 1 cm あたりの波数（cm^{-1}），R はリュードベリ定数（109677.58 cm^{-1}）である．またナトリウムなどのアルカリ金属のスペクトル線はいくつかの系列に分けられるが，各系列の線は

$$\tilde{\nu} = \frac{R}{(1+a)^2} - \frac{R}{(n+b)^2} \qquad n = 3, 4, 5, \ldots\ldots$$

で示される．ここで a, b は定数である．

これらのエネルギー順位はエネルギー準位図（グロトリアン（grotorian）図）として表すことができる．ナトリウム原子のグロトリアン図を図 2.39 に示す．ナトリウム原子の基底状態は 3s 順位に電子を 1 個持つ．電子を励起すると高いエネルギーの軌道に電子は遷移し，この励起状態から基底状態へ電子が戻るとき，いくつかの異なった波長の紫外・可視領域の光を放出する．この基底状態と励起状態の間の遷移に基づくスペクトルを共鳴線と呼び，分析に利用される．また中性原子，1 価イオン，2 価イオンなどを区別するため，元素記号の後に I, II, III などをつける．

グロトリアン図は他の元素においても求められるが，外殻電子の数が多くなると発光線は複雑になり，系列に分けて帰属させることが難しくなる．これらスペクトル線の強さについて示すと発光線の強さ I_E および吸収線の強さ I_A は，基底状態にある原子数を N_G，励起状態にある原子数を N_E とすると，それぞれ次式によって示される．

54

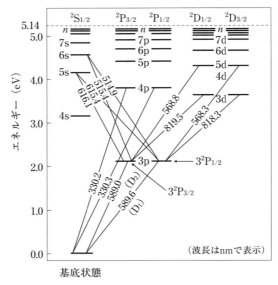

図 2.39　ナトリウム原子のグロトリアン図

$$I_\mathrm{E} = N_\mathrm{E}\,A_\mathrm{EG}\,h\,\nu_\mathrm{EG}$$
$$I_\mathrm{A} = N_\mathrm{G}\,B_\mathrm{EG}\,h\,\nu_\mathrm{EG}\,\rho_\nu \tag{2.28}$$

　ここで A_EG は各元素の 1 波長ごとに特有の値を持つアインシュタインの遷移確率であり，h はプランク定数，ν_EG は原子発光（または吸収）線の振動数，ρ_ν は輻射密度である．
　また B_EG は A_EG と

$$B_\mathrm{EG} = \frac{c^3}{8\pi\,h\,\nu_\mathrm{EG}^3}\cdot\frac{g_\mathrm{G}}{g_\mathrm{E}}\cdot A_\mathrm{EG} \tag{2.29}$$

の関係にあり，c は光速，基底状態の統計的重みが g_G，励起状態の重みが g_E である．g は電子の全角運動量 J との間に $g = 2J+1$ の関係にある．

　1 つの波長であれば ν_EG，それぞれの統計的重みは一定であるので，吸収線の強さは基底状態にある原子の数 N_G に比例し，発光線の強さは励起状態にある原子の数 N_E に比例することとなる．ここで基底状態と励起状態のエネルギーの差を ΔE，ボルツマン定数を k，絶対温度を T とし，N_G と N_E を比較すると（2.5）式に示したマクスウェル－ボルツマン則は以下のようになる．

$$\frac{N_\mathrm{E}}{N_\mathrm{G}} = \frac{g_\mathrm{E}}{g_\mathrm{G}}\mathrm{e}^{-\Delta E/hT} \tag{2.30}$$

　いくつかの元素について $N_\mathrm{E}/N_\mathrm{G}$ 比を表 2.6 に示した．表 2.6 から 2000〜4000 K の温度においては基底状態にある原子の数 N_G が多く，さらに高温であれば励起状態になる原子の数 N_E が多くなることがわかる．原子発光強度は N_E に比例するので励起源の温度が 2000〜4000 K ではごくわずかな線のみ観測され，スペクトルは単純となる．また ICP の

ような励起源では温度が 4000 K 以上に達することからより多くの高エネルギー順位に電子が励起され，さらにイオン化されるため，スペクトルはより複雑なものとなる．発光に比べ吸光や蛍光では共鳴遷移のみ生じるため，スペクトルは単純なものとなる．

表 2.6　主な元素の共鳴線 N_E/N_G の値

元素	波長 (nm)	g_E/g_G	N_E/N_G		
			2000 K	3000 K	4000 K
Cs	852.1	2	4.44×10^{-4}	7.24×10^{-3}	2.98×10^{-2}
Na	589.0	2	9.86×10^{-6}	5.83×10^{-4}	4.44×10^{-3}
Sr	460.7	3	4.99×10^{-7}	9.07×10^{-5}	
Ca	422.7	3	1.21×10^{-7}	3.69×10^{-5}	6.04×10^{-4}
Fe	372.0	11/9	2.29×10^{-9}	1.31×10^{-6}	
Cu	324.8	2	4.82×10^{-10}	6.65×10^{-7}	
Mg	285.2	3	3.35×10^{-11}	1.50×10^{-7}	
Zn	213.9	3	7.29×10^{-15}	5.38×10^{-10}	1.48×10^{-6}

例題 2.12

　カリウムの 3000 K におけるフレーム中の励起状態にある原子の数（N_E），基底状態にある原子の数（N_G）の N_E/N_G 比を計算せよ．ただし，カリウムの共鳴線（766.5 nm）は $4\,^2S_{1/2} \rightarrow 4\,^2P_{3/2}$ の遷移に相当する．

解　答

カリウム原子の励起エネルギーはアインシュタインの法則によって計算できる．
以下，式（2.23）より，

$$E = h\nu = h\frac{c}{\lambda}$$

$$= \frac{(6.63 \times 10^{-34}\,\mathrm{J\,s})(3.0 \times 10^8\,\mathrm{m\,s^{-1}})}{(7.665 \times 10^{-7}\,\mathrm{m})}$$

$$= 2.59 \times 10^{-19}\,\mathrm{J}$$

$$\frac{E}{kT} = \frac{(2.59 \times 10^{-19}\,\mathrm{J})}{(1.38 \times 10^{-23}\,\mathrm{J\,K^{-1}})(3000\,\mathrm{K})} = 6.26$$

g_E/g_G 値は $g = 2J+1$ によって求められるので

$$\frac{g_E}{g_G} = \frac{2(3/2)+1}{2(1/2)+1} = \frac{4}{2} = 2$$

したがって N_E/N_G は

$$2\exp(-6.26) = 3.82 \times 10^{-3}$$

となる．

2.7.2　装置構成

　原子スペクトル分析法における装置構成の概略を図 2.40 に示した．原子吸光分析法では分析対象元素を原子化させ，生成した原子蒸気に特定波長の発光線幅にほぼ等しい線幅の光を照射し，そのときに生じる光の吸収を測定して定量分析を行う．装置構成は分析元素に応じた特定の波長の光源およびバックグラウンド補正のための重水素ランプからなる光源部，分析元素を原子化する原子化部，分光部，検出部，データ記録部からなる．

原子化部は大別するとフレーム（flame）を用いる方法（flame atomic absorption spec-trometry：FAAS）と黒鉛（graphite）あるいは金属を原子化炉（atomizer）として用いる電気加熱式（electrothermal atomic absorption spectrometry：ET-AAS）を含むフレームレス法（flameless）に大別できる.

FAASの多くは切り替えによってフレーム発光分光分析法（flame spectrometry）としても測定できるようになっている. 両者の違いは光源部を使用するか否かである. またフレーム発光分光分析法は炎色反応で知られる元素固有の波長の光を測定するため, 原子化部で発光した光は分光部でそれぞれ特定の波長の光に分光し, 検出すれば, 多元素分析が可能であるため, 定性分析にも利用される.

一方, 原子吸光分析法は測定元素に対応する光源が必要となるため, 複数の元素を測定する必要がある定性分析には不向きである.

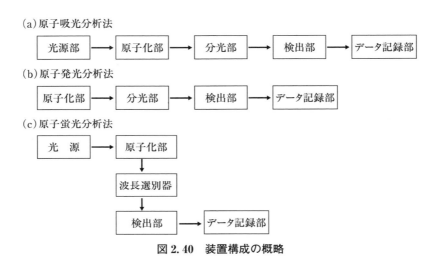

図 2.40 装置構成の概略

1) 光源部

原子吸光スペクトルおよび発光スペクトルは, 励起状態にある原子の寿命によって定まる自然幅, 熱運動によって生じるドップラー広がり, 衝突または圧力によるローレンツ広がり, また励起原子が基底状態にある同一の原子に衝突することで生じるホルツマーク広がり, および電場の影響による広がりであるシュタルク広がりにより, スペクトルに線幅を持つ. そのため, 原子吸収を観測するには吸収線幅より発光線幅が狭いことが重要となる. この目的のために開発されたものが, 中空陰極ランプ（ホローカソードランプ：HCL）である. 構造を図 2.41 に示す.

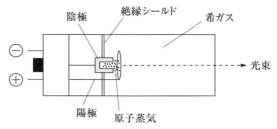

図 2.41　中空陰極ランプの構造

　石英窓を持つガラス管内には，分析元素の単体あるいは分析元素を含む合金または分析元素を蒸着した陰極とタングステンなどの陽極が配置され，内部は 500〜1300 Pa 程度の圧力でアルゴンやネオンなどの希ガスが封入されている．両電極間に電圧をかけると放電が起こり，希ガスイオンが生成する．これが陰極部の分析対象元素に衝突し，原子蒸気を生成する．これを陰極スパッタリングという．この分析対象原子がさらに電子やイオンと衝突を繰り返すことによって分析対象元素の電子が励起され，これが基底状態に戻るとき，元素固有の波長の光を発する．通常，ホローカソードランプの使用電流は数 mA〜60 mA 程度で点灯される．また元素によっては HCL では光強度が弱い場合があり，そのときには無電極放電ランプ（EDL）を使用する．

　最近の装置ではメーカーごとに市販されているランプの下部に分析対象元素に関する情報を持ち，ランプを装置に接続するだけで分析対象元素の基本的な測定条件が PC に表示される．さらに近年では連続光源としてキセノンランプを用い，検出器に半導体検出器を用いることで誘導結合プラズマ発光分析法に匹敵するシーケンシャル型（多元素逐次型）の測定を可能とした原子吸光分析装置も市販されている．

2)　原子化部

　分析元素の原子化法は，フレーム法とフレームレス法である電気加熱方式，および分析対象元素を還元反応によって金属水素化物に変換し，原子化部に導入する水素化物発生（hydrogenation）原子化法に大別できる．水素化物発生のための還元剤には，金属亜鉛を用いる方法，水素化ホウ素ナトリウム（$NaBH_4$）を用いる方法がある．また，水銀では常温で原子蒸気が生成可能であることを利用した冷還元気化法などが用いられる．

①　フレーム法

　フレーム法は燃焼ガスの種類によってフレーム温度が変化する．その一例を表 2.7 に示した．また，構造を図 2.42 に示した．試料は 3〜5 mL min^{-1} 程度で，キャピラリーを介してネブライザーにより噴霧室内に霧化される．この霧は燃料ガスおよび助燃ガスとともにフレーム内へ導入され，即座に原子化される．フレーム中へ導入される霧は，均一で

58

ないとフレームのゆらぎの原因となるため，噴霧室内のスポイラーによって大きな液滴がとり除かれ均一な霧がフレームに送られる.

表2.7　フレームの温度

燃料ガス	助燃ガス	温度/℃
水　　素	空　　　気	2050
アセチレン	空　　　気	2300
水　　素	酸　　　素	2650
アセチレン	一酸化二窒素	2800
アセチレン	酸　　　素	3140

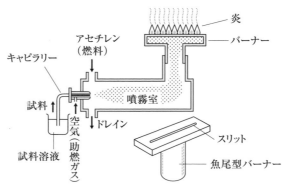

図2.42　噴霧器とバーナーの構造

② フレームレス法

電気加熱方式　電気加熱式原子吸光分析装置に使用される原子化部の一例を図2.43に示した.試料はグラファイトあるいは融点の高いタングステンやタンタルなどの金属製のチューブあるいはボート上に10〜数十μL程度注入し，脱溶媒過程である乾燥（drying），分析元素の化学形態の統一と試料マトリックス（共存成分）の干渉除去を目的とした灰化（pyrolysis）を行った後，分析対象元素の原子化（atomizing）によって生じた原子蒸気による原子吸光を測定する.このときの原子吸収スペクトルは，ピークを持ったトランジェントシグナル（過渡的なシグナル）として観測される.グラファイトチューブには熱分解黒鉛で被覆されたパイロコートチューブ（pyrographite tube）やチューブ内に，いわゆる「プラットフォーム」を持つプラットフォームチューブ（platform tube）などがある.一般的なチューブは直接加熱によって原子化されるのに対し，プラットフォームチューブは輻射熱によってチューブ内が熱平衡に達してから原子化されるため，干渉が小さいなどの特徴を持つ.さらに加熱方式においても，従来の光軸方向から加熱するマスマン（Massmann）（現在のグラファイトアトマイザーの原型）タイプのものと，光軸と直交する方向から加熱する直交タイプのものがある.直交タイプでは光路に対してチューブ全体の温度が一様になるので干渉が小さくなる.

　分析対象元素や試料の形態に応じて，測定に適しているチューブが異なるので，メーカーの技術資料等を参考に使用するグラファイトチューブを選定するとよい.

　原子化炉の昇温方法には，ある設定時間内で徐々に設定温度まで昇温するランプ（Ramp）モードと，ある設定温度まで段階的に昇温し一定時間保持するホールド（Hold），またはステップモードがある．原子化部は空気酸化を防ぐため，測定中はアルゴンガスで不活性雰囲気にし，金属炉ではさらに水素ガスを流すことによって還元雰囲気下で測定を行う．グラファイトチューブを原子化部に用いた加熱条件の一例を図2.44に示した.

　この乾燥，灰化および原子化の各段階における温度，時間，昇温方法によって測定値は大きく変動するので，再現性あるデータを得るためには，試料および分析元素に応じて加熱条件を最適化する必要がある.

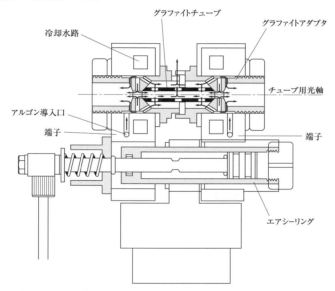

図2.43　原子化部の一例（グラファイトファーネスアトマイザー）

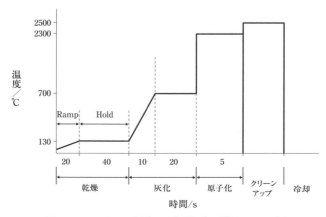

図2.44　アトマイザーの加熱プログラムの一例

60

還元気化方式 　主に 15〜16 族の元素を定量する場合に用いられる．還元剤として水素化ホウ素ナトリウム（NaBH₄）を加え，下記のような還元反応によって金属水素化合物（AsH₃, SbH₃, H₂Se など）を発生する水素化合物発生法である．

　生成した金属水素化合物は，ガスにより石英セルや低温の水素–アルゴンフレーム中に導入され，原子化される．原子化された原子は，原子吸光分析，原子発光分析（および質量分析）によって測定される．その他，発生した金属水素化合物をパラジウムなどに添加し，200℃ 程度に加熱された黒鉛炉上に捕集する方法（atom trapping method）も考案されている．

③ 誘導結合プラズマ（ICP）

　鉄鋼のような固体試料の場合には，試料自身を電極とし，対電極の間で放電し，アーク，スパークにより発生した発光線を用いることによって金属元素の直接分析が可能である．溶液試料を対象とした場合には，一度試料を濃縮乾固した固体試料を用いて測定することができる．一方，プラズマは，化学炎やアーク，スパークに変わる高温の励起源として開発されたもので，物質の三態（液体，気体，固体）とは異なる第4の状態であり，電気的に中性な状態（放電電離気体）である．溶液試料はそのまま用いて，アルゴンやヘリウムなどの希ガスプラズマに導入すればよい．各原子の第一イオン化エネルギーを図 2.45 に示した．例えば，アルゴンより下位に位置する元素は，アルゴンプラズマを用いればイオン化できることを示している．したがって，プラズマには比較的安価なアルゴンが用いられる．希ガスプラズマの発生には，ガスを電離するために，直流，高周波，マイクロ波が用いられ，点灯方式によって誘導結合型と容量結合型に分類される．一般に，誘導結合プラズマ発光分析法（ICP–AES）ではアルゴンプラズマが用いられる．

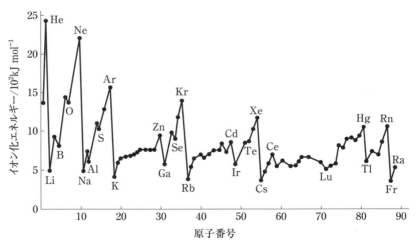

図 2.45　各元素の第一イオン化エネルギー

　図 2.46 に示す石英製の三重管構造のトーチによって点灯され，三重管の中心管にはキャリヤーガスが 1 L min^{-1} 程度で流され，効率よく試料溶液をプラズマ内へ導入し，かつプラズマを安定化させる役割を持つ．その外側には，プラズマの生成や試料がトーチの中心管に付着するのを防ぐための補助ガス（メーカーによっては中間ガスともいう）が 0.65 L min^{-1} 程度流れている．最も外側の管はプラズマを空気から遮蔽し，トーチを冷却する役割を持つ冷却ガス（あるいはプラズマガス）が 10 L min^{-1} 程度で流れている．

　フレーム原子吸光分析法に比べ，ICP-AES ではさらに微細な霧化が必要なため，一般には図 2.47 に示すような，霧を生成するニューマティックネブライザー（同軸型ネブライザー）と霧の粒径選別のためのスプレーチャンバー（チャンバー）が用いられる．ここで生成された均一な霧のみがプラズマへ導かれる．

　さらにネブライザーでは微細な霧を発生するための超音波ネブライザーや懸濁液を噴霧するためのスラリーネブライザー，少量試料に対応したマイクロミスト（20〜100 μL min^{-1}）ネブライザーなどがある．試料導入法も加熱気化，フローインジェクションなど多彩である．試料導入系は目的によって適切なものを選択する．

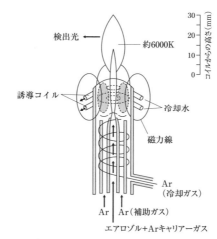

図 2.46　トーチによるプラズマの生成

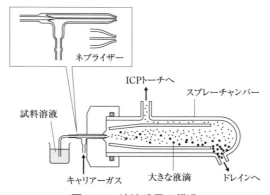

図 2.47　溶液噴霧の構造

3） 分光部

　分光器は主に，観測光を単色光に分光するモノクロメーターと，多波長を同時に分光するポリクロメーターとに分けられる．原子吸光分析法では光源にホローカソードランプを使用するため，モノクロメーターの使用が主である．

　モノクロメーターは回折格子のマウンティング方式によって，図2.48に示すリトロー型，エバート型，ツェルニ–ターナー型に分類される．これらはコリメーティングミラーとカメラミラーが兼用であるか，両ミラーの球心が一致しているかどうかで区別される．入口スリットは原子化部からの迷光成分の光路への進入を防ぎ，入射した光は回折格子によって分光され，目的波長の光を出口スリットから検出部へ導く．一般に回折格子の刻線数が多いものほど波長分解能は高いが，長波長側の測定はできなくなる．分光器の性能は逆線分散値（出口スリット幅1mmあたりのスペクトル幅）によって表される．この値が小さいほど高い波長分解能を有する分光器であるといえる．

　一方，パッシェン–ルンゲポリマウンティング方式のポリクロメーターでは凹面回折格子が用いられ，ローランド円上に多数配置された検出器により多元素同時検出を可能とするものである．

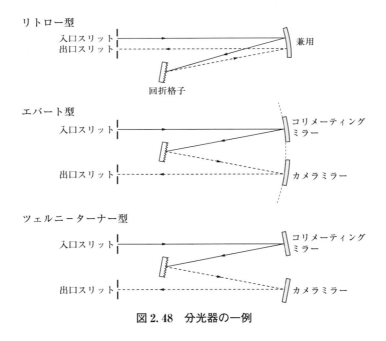

図2.48　分光器の一例

　さらに，特殊な分光器としてはエシェル分光器がある．本来，エシェル分光器はモノクロメーターに属するが，回折格子とプリズムを組み合わせることによって光を波長方向（横軸）と次数方向（縦軸）の平面に分散するため，半導体検出器のような面検出器を用

いることにより多元素同時検出が可能となる．図2.49にエシェル分光器の一例を示した．
　原子吸光分析法においても前述した連続光源を用い，シーケンシャルによる多元素測定
が可能な装置や線光源であるホローカソードランプを複数個用い，2〜6元素を同時に測
定する多元素同時測定装置にはエシェル分光器が利用されている．
　発光分析法では，シーケンシャル型の装置ではツェルニ–ターナー型が，多元素同時型
ではパッシェン–ルンゲあるいはエシェル分光器が用いられる．

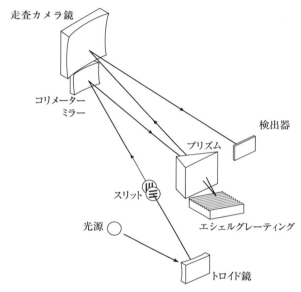

図2.49　エシェル分光器の一例

4)　検出部

　検出器は光電子増倍管（photomultiplier tube：PMT，フォトマルチプライヤーともい
う）によって光エネルギーを電気信号に変換し，検出する方法がとられる．さらにはフォ
トダイオードアレー検出器や，量子効率が従来のフォトマルチプライヤーに比べ高い電荷
注入方式のCID（charge injection device）あるいは電荷結合方式であるCCD（charge
coupled device）半導体検出器がある．CIDやCCDなどの半導体検出器は画素数（ピク
セル）を2次元に配置できるため，面検出を可能とする．そのためポリクロメーターやエ
シェル分光器と組み合わせると多元素同時検出が可能となる．
　ICP-AESにおける測光方式は，従来の放射光観測（radial veiw）とプラズマを鉛直上
から観測する軸方向観測（axial veiw）に分けられる．元素によるが，一般に軸方向観測
のほうが放射光観測より2〜5倍程度高感度測定が可能である．

64

2.7.3 誘導結合プラズマ質量分析法（ICP-MS）

原理的には通常の質量分析と同様，装置はイオン化部と質量分析計から構成される．イオン化源としては前述したプラズマを用い，質量分析計の多くは四重極（Q-MS）型であるが，二重収束型（高分解能 MS）や飛行時間型（TOF-MS）も用いられる．ICP-MS の概略図を図 2.50 に示した．プラズマトーチは水平方向に配置し，プラズマでイオン化された元素はインターフェース部にあるサンプリングコーン，スキマーコーンを経てイオンレンズにて収束され，質量分析計に効率よく導入される．原子スペクトル分析法の中で ICP-MS のみが元素を質量数で検出（質量／電荷：m/z）するので，同位体の測定が可能である．

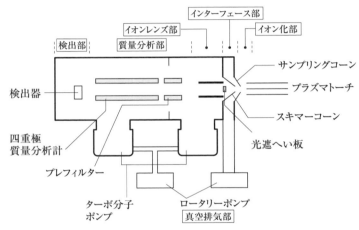

図 2.50 ICP-MS の概略図

2.7.4 バックグラウンド補正

原子吸光分析法におけるバックグラウンドは，分析元素の近傍にスペクトル線を持つ共存元素や試料マトリックスから生じる塩による光散乱，あるいは分子吸収による影響などが主な原因である．これらの原子吸光分析法におけるバックグラウンド補正には次にあげる 4 つの方法があるが，市販装置には②〜④の方法のうち，1 つあるいは 2 つが採用されている．

① 非共鳴線を利用する方法

ホローカソードランプから得られる分析元素に近接した線であり，かつ分析元素に吸収されない近接線を用いる方法である．

② 連続光源を用いる方法（一般に D₂ 補正法）

バックグラウンドとなる吸光は主に分子吸光であり，幅の広いバンドスペクトルとして観測される．ホローカソードランプは線スペクトルであるため，測定される吸収は原子吸光＋バックグラウンド吸光であるのに対し，連続光源である重水素ランプ（D₂ ランプ[*9]）

[*9] 実際に D₂ ランプは 500 nm 程度まではバックグラウンド補正は可能であるが，360 nm 以降の光強度は減衰するため，紫外領域での使用が望ましい．

はスリット幅に応じた吸収が測定されるのでバックグラウンド吸光のみ測定される. 両者
を差し引くことで真の分析元素の原子吸光を求めることができる.

　D. ランプは 360 nm 程度以下の紫外領域にきわめて強い光強度を持つ連続光源であり,
多くの金属元素は紫外領域に吸収を持つため D. 光源が利用される. したがってバックグ
ラウンド補正の適用には波長制限がある. 360 nm 以降の原子吸収を測定するには, 可視
光領域に光強度を持つ連続光源であるタングステンランプに取り替えれば測定可能となる
ものではなく, 光学系を含め装置に大幅な変更が必要となる.

③　ゼーマン効果を利用する方法（ゼーマン補正法）

　スペクトル線に磁場を印加すると π 成分と σ 成分に光が分裂（偏光）するゼーマン効
果を用いた方法である. このとき, π 成分では原子吸収＋バックグラウンド吸収が, σ 成
分ではバックグラウンド吸収が測定される. 連続光源と同様, π 成分から σ 成分を差し引
くことでバックグラウンド吸収は補正される. 元素によっては異常ゼーマン効果によって
感度を損ねる場合がある. このゼーマン補正法および次にあげる自己反転法は全波長領域
において使用が可能である.

　ゼーマン補正法はフレーム原子吸光分析法に適用するには磁石の消磁化の問題があった
が, これを克服した装置も市販されている.

④　自己反転を利用する方法（自己反転法, self-reverse：SR 法）

　この補正法は開発者の名をとり, スミス–フィーフェ（Smith-Hieftje）バックグラウンド
補正システムともいう. ホローカソードランプに高電流を流すとその発光線の幅は広がり,
かつ中心波長の光強度は自己吸収によって減少する. これは高電流によって陰極から分析
元素がたたき出された結果によるものである. したがって, 通常電流とそれに数十倍高い
電流とを交互に点灯し, 通常電流で原子吸収＋バックグラウンド吸収を, 高電流でバック
グラウンド吸収を測定し補正するものである. この方法では, 高電流側でも原子吸収の一
部が含まれるため感度の低下があり, ランプに高電流を流すためランプの寿命が短くなる.

⑤　ICP-AES におけるバックグラウンド補正

　ICP-AES においてのバックグラウンドは, プラズマ自身の連続発光によるもの, プラ
ズマ中への空気の混入によって生成する NO, OH, NH, N_2^+ などの分子バンドによる発光,
さらに試料マトリックスによる発光などでバックグラウンドは変動する. このため, ICP-
AES におけるバックグラウンド補正は, 測定波長より短波長側で測定した発光強度と,
長波長側で測定した発光強度の平均値を求め, 測定波長の最大発光強度より差し引くこと
で行うか, または微分スペクトルを測定する方法がある.

2.7.5　干　渉

　干渉とは主に試料マトリックスが分析元素の測定値に及ぼす影響をいう. 大きく分類す
ると化学干渉, 物理干渉, 分光干渉およびスペクトル干渉に分けられる.

66

1)　化学干渉

　分析元素と試料マトリックス由来物質との化学反応によって，原子化部で難解離性物質あるいは揮発性物質の生成などによって生じる干渉をいう．ICP-AES においてはプラズマが高温であるため干渉は比較的少ないとされる．干渉抑制には次に示す方法がある．

①　試料前処理によって干渉成分と分析元素をあらかじめ分離しておく．
②　干渉物質を一定過剰量添加し，干渉する割合を一定とする．
③　干渉物質と優先的に反応する試薬を加える．
④　分析元素が安定かつ揮発性化合物を生成するような試薬を加える．

　ET-AAS においては化学修飾剤（chemical modifier）の添加によって分析元素を熱的に安定な化合物とし，干渉抑制する方法がある．

2)　物理干渉

　試料溶液の粘性，比重，表面張力など，物理的な変化によって生じる干渉を物理干渉という．これは主にネブライザーで試料を噴霧し，導入する過程で生じる．特に ICP-AES および ICP-MS において顕著である．これらの抑制には，試料前処理によって試料マトリックスの除去，または溶液を同一の組成に統一するマトリックス合わせなどがある．

3)　分光干渉

　分光干渉は ICP-AES において顕著であり，生成するガス成分や試料マトリックス由来の原子や分子の発光線が，分析元素の発光線と重なる現象をいう．対策としては，バックグラウンドに影響するものでは 2.7.4 に示したバックグラウンド補正法を用いることで回避できる．発光線が重なる場合には測定波長を変更することで対応する．

4)　スペクトル干渉

　プラズマ内で生成される同重体イオン（分析元素の質量数と他の元素の同位体の質量数の重なり，あるいは m/z の等しいもの），二価イオン（分析元素の質量数と他の元素の質量数が分析元素の 2 倍にあたるとき），多原子イオン（プラズマあるいはインターフェース部で生成される多原子イオンで分析元素と同じ質量数のもの）によって，分析元素の m/z とこれらのスペクトルの重なりによって生じる干渉をいう．抑制法としては高分解能 ICP-MS の使用，コールドプラズマ（通常より低い高周波で点灯）があり，最近では，干渉抑制に質量分析計の前に水素ガスやヘリウムガスで系内を満たした質量分析計を配置したダイナミックリアクションセルおよびコリジョンリアクションセルが開発されている．

コラム	原子スペクトル分析法

原子吸光分析法（atomic absorption spectrometry：AAS）は 1955 年，物理学者であるオーストラリアのウォルシュ（A. Walsh）とオランダのアルケメイド（C. T. J. Alkemade）によって提案された.

発光分析法（atomic emission spectrometry：AES）は 1860 年，物理学者であるキルヒホッフ（G. R. Kirchhoff）と化学者であるブンゼン（R. Bunsen）によりフレーム発光分光分析法として提案された. さらに 1960 年代にアメリカのファッセル（V. A. Fassel）およびイギリスのグリーンフィールド（S. Greenfield）によって誘導結合プラズマ発光分析法（inductively coupled plasma-atomic emission spectrometry：ICP-AES）が提案されたが，それまでは励起源としてアークやスパークなどが用いられていた.

原子蛍光分析法（atomic fluorescence spectrometry：AFS）は 1964 年，アメリカのワインフォードナー（J. D. Winefordner）によって創始されたが，装置化が困難であることもあり，現在でも市販装置は少ない. さらに 1980 年には，プラズマ内で多くの元素が 90% 以上イオン化していることから，アメリカのホーク（R. S. Houk）が質量分析に応用したものが誘導結合プラズマ質量分析法（inductively coupled plasma mass spectrometry：ICP-MS）である. 原理的には質量分析ではあるが，ICP-AES の研究者の多くが引き続きこの分析法の研究を行っている経緯もあり，原子スペクトル分析法に加えられている.

2.7.6　定量分析

原子スペクトル分析法における定量範囲を，他の主な分析法も含めて図 2.51 に示した. それぞれの分析法に一長一短があり，すべての元素において万能な分析法はない. 分析目的，分析元素ならびに試料マトリックスに応じて適切な分析法を選択するのが望ましい. 原子スペクトル分析法で定量分析を行うには，1）検量線法，2）マトリックスマッチング法，3）標準添加法，および 4）内部標準法がある. なお，定量分析にあたっては分析法に合った試料前処理や装置の検出限界，検量範囲を考慮し実施する必要がある.

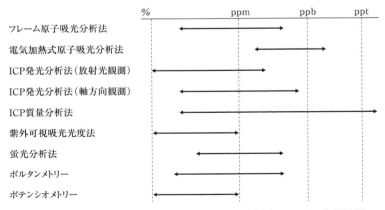

図 2.51　原子スペクトル分析法および他の分析法における定量範囲

1) 検量線法

　分析元素の既知濃度の溶液（標準溶液：金属標準溶液の場合，金属の加水分解を防ぐため，酸性溶液）を複数と，標準溶液を調製する際に用いた溶媒（ブランク）を用意し，これらの濃度を横軸にとり，測定で得られた値（AAS であれば吸光度，AES であれば発光強度，および ICP-MS であればカウント数（count per signal：cps））を縦軸にとり，その関係から検量線を作成する方法である（図 2.52）．留意点は，試料溶液を調製したものと同一の操作をして，調製した溶液（試薬ブランクという）についても測定を行うことである．試薬ブランクで信号が得られた場合，その信号分を試料の値より差し引いて値を補正する．なお，検量線には検出限界（limit of detection：LOD）および検量線が湾曲する検出上限が存在するので，これらを除く直線領域で測定することが望ましい．

　検量線法では，干渉によって定量値が影響を受けているかどうかは判断できない．しかし，試料マトリックスが類似した認証標準物質（certified reference materials：CRM）が頒布されていれば，値付けされている値（保証値：certified values）を基に判断が可能である．

　干渉を受けている場合，試料溶液を希釈して干渉を受けない濃度にする方法もあるが，分析元素の濃度も同時に希釈され，感度が損なわれることにも注意が必要である．

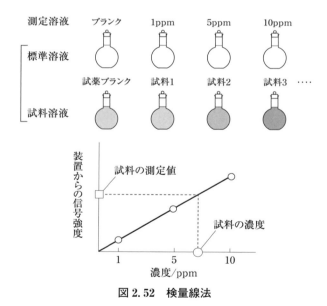

図 2.52　検量線法

2) マトリックスマッチング法

　マトリックスマッチング法は試料の化学組成が明らかな場合に有効な方法である．この方法では，検量線作成時に試料と同じ試料マトリックスをブランクおよび標準溶液にも添加し，試料マトリックスの影響を同一にするものである．

3）　標準添加法

　ブランクおよび標準溶液に一定量の試料溶液を添加し，測定する方法である（図2.53）．得られた直線を縦軸がゼロとなる位置まで外挿することで値が得られる．これは干渉が予測できない場合に有効であるが，直線の傾きが検量線と10%程度以上異なる場合にはこの方法での干渉抑制は困難である．また，検量線で得られる直線領域内で標準添加を行う必要がある．標準添加法によって得られた直線の傾きが検量線で得られる直線の傾きと同じ場合，試料マトリックスの影響は抑制されていると考えられるため，次回以降，同様の試料であれば検量線法の適用が可能である．

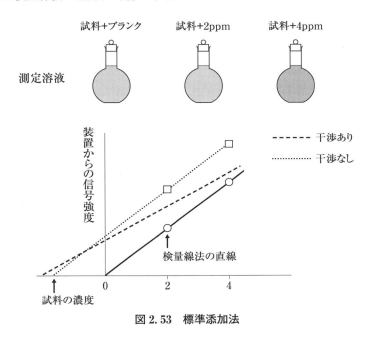

図2.53　標準添加法

4）　内標準法

　ブランク，標準溶液，試薬ブランクおよび試料溶液に，試料中に含まれない元素（内標準元素）を一定濃度となるように添加し，分析元素の信号を内標準元素の信号で割った比の値を縦軸にとった検量線を作成するものである（図2.54）．内標準元素は分析元素に分光干渉等の影響を及ぼさないこと，プラズマ中での挙動が分析元素と類似していること，ICP-MSにおいては質量数が近い等を満足していることが条件となる．この方法では分析元素が干渉を受けても内標準元素も前述したように分析元素と同様に干渉を受けるような場合，あるいは長時間の測定により信号強度が経時変化を受けるような場合に有効である．

　両者を割ることで干渉を相殺することができる．また分析元素および内標準元素を同時に測定したほうが精確な測定が達成される．

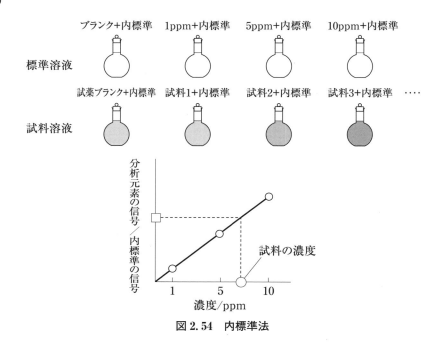

図 2.54　内標準法

参考文献

（1）　日本分析化学会編，「機器分析ガイドブック」丸善（1996）

（2）　日本分析化学会九州支部編，「機器分析入門」南江堂（1998）

（3）　澤田嗣郎他著，日本化学会編，「分光分析化学」大日本図書（1988）

（4）　（社）日本分析化学会編，「基本分析化学」朝倉書店（2004）

（5）不破敬一郎，下村滋，戸田昭三編，「最新原子吸光分析 I〜III」廣川書店（1990）

（6）　原口紘炁著，「ICP 発光分析の基礎と応用」講談社サイエンティフィク（1992）

（7）　濱口宏夫，平川暁子編，「ラマン分光法」学会出版センター（1988）

（8）　中崎昌雄著，「旋光性理論入門」培風館（1973）

2.1 ［推奨］

　　錯体の組成比決定法の1つである連続変化法（図2.15）について，吸光度最大となる横軸の位置と組成比について，以下のように定式化できる．以下の文章中の（　）にあてはまる適当な式を答えなさい．

　　初濃度 a の金属イオン M と初濃度 b の配位子 L が濃度 x の錯体 $M_m L_n$ を生成する錯生成平衡（電荷は省略する）$mM+nL \rightleftharpoons M_m L_n$ で，平衡定数 K がきわめて大きいとき，K は（①）と表すことができる．連続変化法では，a＋b＝c（一定）と，金属イオンと配位子の濃度の和は一定であり，$b=c-a$ を①式に代入すると，

$$x = K(a-mx)^m (c-a-nx)^n$$

が得られる．金属イオン濃度 a を 0〜c まで変えたとき，錯体の濃度が最大となる条件は $\dfrac{dx}{da}=0$ であるから，上式を a について微分すると次式が得られる．

$$\frac{dx}{da} = K(a-mx)^{m-1}(c-a-nx)^{n-1}\{m(c-a-nx)-n(a-mx)\}$$

　　右辺の第3項をゼロと置くと，$\dfrac{m}{m+n}=$（②）となる．

　　この式から，錯体の組成比が M：L＝1：1，1：2，1：3 のそれぞれに対して，横軸の値が（③），（④），（⑤）となることがわかる．

2.2 ［推奨］

　　一塩基酸の蛍光性色素 HA が水溶液中で $HA \rightleftharpoons H^+ + A^+$ の解離平衡にある．分析濃度が 1.0×10^{-3} M である色素 HA の吸収スペクトルを，1 cm 角型セルを用いて pH 3.0 と pH 10 の緩衝液中で測定した結果がそれぞれ図の A1 と A2 に示されている．

（1）　図のスペクトル中 432 nm 付近の交点のことを何と呼ぶか，名称を答えなさい．

（2）　KCl の濃度が 0.10 M と一定で，色素 HA の分析濃度を 1.0×10^{-6} M から 1.0×10^{-4} M まで変えた水溶液を調製して 400 nm，432 nm，450 nm の波長で色素の分析濃度と吸光度の関係を調べた．各波長において Beer の法則が成立するかどうか簡潔な理由を付して答えなさい．

（3）　濃度が 1.0×10^{-6} M である色素の蛍光スペクトルを 1 cm の角形セルを用いて 90° 散乱のセル配置で測定した結果が図に破線（F1）で示されている．色素 HA の濃度を 1.0×10^{-6} M から 1.0×10^{-3} M まで変化させて分析濃度と蛍光強度の関係を波長 500 nm で調べた．蛍光測定のための励起波長として 400 nm，432 nm，450 nm のうちどの波長が最適か答えなさい．また，その理由を答えよ．また，上記の濃度範囲で，分析濃度と蛍光強度との関係はどのようになるか，簡潔に説明しなさい．

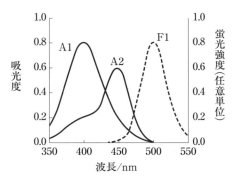

一塩基酸の蛍光性色素 **HA** の吸収スペクトルと蛍光スペクトル

2.3 ●必須●

一酸化炭素分子は 2143 cm^{-1} 付近に吸収を持つ．波長（μm），およびエネルギー（J mol^{-1}）を求めなさい．

2.4 ●必須●

H$_2$, >C=C< および $-$C≡N の力の定数はそれぞれ約 500, 1000 および 1700 Nm^{-1} である．それぞれの基本振動数を求めなさい．

2.5 ●必須●

湖沼水中の銅を電気加熱式原子吸光分析したところ，ピーク面積値は 0.0472 であった．湖沼水中の銅濃度を求めなさい．なお，銅標準溶液では下記のデータが得られた．なお，グラファイトチューブへの注入量は一定量とする．

銅濃度（ngml^{-1}, ppb）	ピーク面積
0.0	0.0025
10.0	0.0436
20.0	0.0861
30.0	0.1287
40.0	0.1710

2.6 ●必須●

河川水 100 mL を 0.1 M 硝酸酸性下でサンプリングし，1 晩浸漬後，メンブランフィルター（ポアサイズ：0.45 μm）で吸引過した試料溶液を電気加熱式原子吸光分析で鉄の分析を行った．得られたピーク面積値は 0.0402 であった．河川水中の鉄濃度はいくらか．なお，鉄標準溶液（0.1 M 硝酸酸性）は下記のデータであり，さらに，グラファイトチューブへの注入量は一定とする．

鉄濃度（μgL^{-1}, ppb）	ピーク面積
0	0.0090
3	0.0190
9	0.0447
12	0.0607
15	0.0715
24	0.1090
30	0.1370

2.7 ［推 奨］

　　茶葉 0.1036 g を正確に量り取り，濃硝酸 10 mL，過酸化水素水 5 mL で湿式分解後，100 mL 定容とした溶液中の銅を電気加熱式原子吸光法で測定したところ，ピーク面積値は検量範囲を超えた．そこで試料を 2 倍に希釈し，測定した結果，ピーク面積値は 0.1548 と得られた．茶葉中の銅の含有量を計算しなさい．なお，検量線は上記 2.5 で作成したものを使用し，グラファイトチューブへの注入量は同一量とする．

課　題

2.1　図 2.16 の $S_0 \rightarrow S_1$ の吸収と $S_1 \rightarrow S_0$ の蛍光で振動準位 $v=0$ どうしのエネルギーは同じであり，吸収と蛍光は同じ波長に現れるはずである．しかし，実際には図 2.19 に示すように両者の間にはずれ（ストークスシフト）が現れる．その理由を考察しなさい．（ヒント：溶媒和）

2.2　図 2.20 で高濃度では蛍光強度が減少する理由を考察しなさい．（ヒント：濃度消光，エキシマー）

2.3　赤外吸収スペクトル法は有機化合物の構造決定によく利用されるが，この方法のみの構造決定は難しい．理由を述べなさい．また正確な構造決定をするためにはどうすればよいか記しなさい．

2.4　赤外吸収スペクトル法において試料調製の際に注意すべき点は何か記しなさい．

2.5　原子吸光分析において試料中の金属が原子化される過程を記しなさい．

2.6　原子吸光スペクトルおよび発光スペクトルが線幅をもつ理由について記しなさい．

2.7　原子スペクトル分析における物理干渉，分光干渉，化学干渉およびスペクトル干渉について例をあげ説明しなさい．

2.8　原子スペクトル分析における定量分析について方法を分類し，図を用いて説明しなさい．

2.9　図 2.35 を自分で計算して描きなさい．また，位相差が 90° のとき，円偏光が得られることを確かめなさい．

第3章　光の吸収および放射を利用する分析法
―γ線，X線およびマイクロ波，ラジオ波の利用―

　第2章において，主に紫外可視領域および赤外領域の電磁波と物質との相互作用について論じたが，この第3章では，紫外可視領域および赤外領域よりもエネルギーの高い領域の電磁波（γ線，X線）および低い領域の電磁波（マイクロ波，ラジオ波）を用いた分析法について解説する．エネルギーの高低に応じて，物質との相互作用がどのように変化するかについて，基本的な現象をまず理解してもらいたい．また，エネルギーが低い電磁波を用いる場合は，ボルツマン分布も重要な意味を持つことにも留意して欲しい．いずれの分析法も，それぞれの物理現象を巧みに分析法に昇華している．

《本章で学ぶ重要事項》
（1）　γ線分光法：放射線の1つであるγ線の発生原理と分析化学的利用法
（2）　X線分光法：X線と内殻電子の相互作用，X線を用いる分光法の原理と応用
（3）　電子スピン共鳴分光法（ESR）：ESRの原理と装置，不対電子のZeeman分裂とマイクロ波の吸収
（4）　核磁気共鳴分光法（NMR）：NMRの原理と装置，原子核のZeeman分裂とラジオ波の吸収

3.1　γ　線

　第2章，表2.1に示されているように，一般に知られている電磁波の中で最もエネルギーの高いものはγ線である．放射性核種の核反応から生じる放射線として，高いエネルギーを持つα線，β線，γ線が知られている．これらのうち，α線はヘリウムの原子核，β線は電子（β^-線は電子，β^+線は陽電子）であり，γ線のみが電磁波である．いずれの放射線も生体に対して大きな影響（害）があるが，特にγ線は物質に対する透過性が高いため，使用するときは遮蔽などに注意する必要がある．

3.1.1　原　理

　一例として ^{60m}Co の壊変スキームを図3.1に示す．放射性核種は，原子核がよりエネルギーの高い状態に励起している状態である．このエネルギー状態も離散的であり（量子化されている），放射性核種固有のエネルギーを有する．したがって，γ線のエネルギーを分解して測定すれば，核種の同定が可能である．また，その強度から定量も可能である．γ線のエネルギーから波長を計算してみよう．図3.1の壊変スキームの右横に書かれている数値は，γ線のエネルギーを表している*1．例えば，0.059 MeV のγ線のエネルギーから，

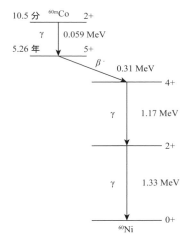

図 3.1　^{60m}Co の壊変スキーム

第 2 章 2.1.1 に記したプランク定数と光の速度を用いると，波長は 2.1×10^{-11} m になる．

　放射性核種は，壊変を起こすと別な元素に変わるため，壊変にともなって元の放射性核種の量は減少する．この現象は，次の反応速度式で表現できる．

$$-\frac{\mathrm{d}N}{\mathrm{d}t} = kN \tag{3.1}$$

ここで，N は放射性核種の量（または濃度），t は時間，k は反応速度定数である．放射性核種の量が半分になると，放射能の量も半分になるが，それまでに要する時間を半減期 $t_{1/2}$ という．式（3.1）を用いると，$t_{1/2} = \dfrac{\ln 2}{k}$ となる．

例題 3.1

　図 3.1 の中にある 1.17 MeV の γ 線の波長を求めなさい.

解　答

　1.17 MeV は，

$1.17 \times 1.602 \times 10^{-19} \times 10^6 = 1.87 \times 10^{-13}$ J

である．これは，hc/λ に等しいから，

$\lambda = 1.06 \times 10^{-12}$ m となる.

3.1.2　装　置

　γ 線を測定するための装置には，種々のものが知られている．その代表的なものとして，ここでは，GM 管，シンチレーションカウンター，および半導体検出器を紹介する．

＊1　M はメガであり，10^6 である．また 1 eV は，1 V の電位差を 1 つの電子が移動したときのエネルギーであり，SI 単位に換算するには，1 つの電子が持つ電荷，つまり電気素量 1.602×10^{-19} C を乗じればよい．したがって 1 eV $= 1.602 \times 10^{-19}$ J となり，1 MeV $= 1.602 \times 10^{-13}$ J となる．

76

　GM管は，ガイガー・ミュラー（Geiger-Müller）計数管の略であり，ヘリウム，ネオンなどの気体が満たされた管の中に，高い直流電圧（700〜1000 V）が印加されているものである．そこに放射線が入ると，気体が電離し，イオンが増幅されて電極に到達し，電流が生じる．それにより放射線を検出するものである．GM管では γ 線のエネルギー分解をすることは難しいが，高感度で放射能の有無を測定することができるため，汚染のサーベイなどによく用いられている．

　シンチレーションカウンターは，特定の物質に放射線を当てると発光する現象を検出器に利用したものである．放射線を当てると発光する物質（固体）として，NaI（Tl）（ヨウ化ナトリウムに極少量のタリウムをドープしたもの）がしばしば用いられる．放射能の量が少ないとき，γ 線は間欠的に発生するため，発光もパルス状になる．その発光を光電子増倍管で検出して計数し，γ 線量を測ることができる．また，γ 線のエネルギーにほぼ比例した発光強度（光子数）を示すため，各パルス状の発光の強度を測定すれば，エネルギー分解することも可能である．図3.2の上の線はこのようにして得られたものである．ただし，次の半導体検出器に比べるとエネルギー分解能がかなり低いため，詳細な情報は得にくい．

　半導体検出器では，直流電圧が印加された半導体（Ge など）が使われる．半導体内に入射された放射線（おもに γ 線）が，その強度に比例して，半導体内に電子と正孔のペアを多数作るが，それらが印加されている半導体内を移動して，電流として検出される．半導体では，電子と正孔のペアを作るためのエネルギーが小さいため，多くの電子と正孔のペアが生成することになる．このため，図3.2の下の線のように，高いエネルギー分解能が実現されている．

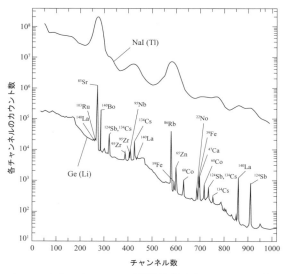

図3.2　シンチレーションカウンターおよび半導体検出器を用いた γ 線スペクトルの測定例（試料：中性子放射化した海水）

吉原賢二著「核・放射化学」，1986 年

3.1.3　環境放射能分析

天然にはもともと数多くの放射性核種が存在する．さらに，人類の活動によって人工的に作られた放射性核種も存在する．このような環境中の放射性核種は，半導体検出器を用いれば同定と定量が同時に可能である．また，シンチレーションカウンターでもおおよそのことは判断できる．

3.1.4　放射化分析

放射化分析は，濃度未知試料と濃度既知試料を同一条件下で放射線を照射して放射化し，その後，両方の γ 線スペクトルを測定し，同定と定量を行うものである．放射化するためには中性子線などが利用できる．多くの元素は，中性子線を照射すると核反応を起こし，不安定核種に変わるため，本法は多くの元素に同時に適用できるという利点がある．

例えば，安定同位体である ^{45}Sc に中性子を照射すると（n, γ）反応により不安定核種 ^{46}Sc が生成する．これは，半減期 83.8 日で β^- 崩壊を起こす．この ^{46}Sc の放射能を測定することで，Sc の定量が可能である．

3.1.5　放射性トレーサー法および同位体希釈分析法

放射性核種は，壊変する直前までは元の元素である．また，化学反応は，原子核の状態にほとんど依存しない．したがって，放射性核種の挙動を追跡することで，化学的な挙動を調べることができる．このような概念に基づく手法を放射性トレーサー法という．

放射性核種は，極めてわずかな量でも高い感度で検出できるため，注目している物質が生体内や環境内などでどのような挙動を示すかを測定することが可能である．また，例えば，溶媒抽出実験において，有機相と水相を一定量取り出して放射能の量を測定するだけで，分配比や抽出率を求めることができる．

放射性を有する元素と安定同位体である元素で，化学的な挙動が変わらないという性質を用いると，以下のように定量法にも用いることが可能である．いま，未知の物質量 n の安定同位体を含む溶液に，物質量 n_1，放射能 a_1 の放射性核種を添加し，平衡状態にする．その後，その一部の物質量 n_2 を取り出し放射能を測って a_2 を得たとする．$\dfrac{a_1}{n+n_1}=\dfrac{a_2}{n_2}$ の関係があるから，未知の物質量 n を求めることができる．この方法のメリットは，n を全量回収しなくても，その一部を一定量取り出すことができれば定量できる点である．このような分析法を，同位体希釈分析法という．

放射性核種を含む原液と，その原液の一部（物質量 n_y）を添加した試料溶液に対して同一の操作を行い，同一の物質量を取り出してそれらの放射能の測定を行うと，放射能と n_y だけで定量が実現できる．これは，特に不足当量法として知られている．

78

例題 3.2

^{46}Sc は半減期 83.8 日で β^- 壊変を起こす. 壊変後の核種の陽子数, 中性子数, 元素記号を答えよ.

解 答

β^- 壊変は, 中性子が電子を放出して, 陽子に変わる壊変である. Sc の原子番号は 21 であるので, ^{46}Sc の中性子の数は 25.

したがって, β^- 壊変によって, 陽子数は 22, 中性子数は 24, 元素記号は Ti になる.

例題 3.3

不足当量法によって, 原液と試料溶液から物質量 n_3 を取り出し, それぞれの放射能として, a_0 と a_s を得たとする. このとき, 試料溶液中の物質量を表す式を求めよ.

解 答

試料溶液に加えた原液の物質量を n_y, その放射能を a, 未知の物質量を n_x とすると,

$$\frac{a}{n_y}=\frac{a_0}{n_3}, \qquad \frac{a}{(n_y+n_x)}=\frac{a_s}{n_3}$$

が成り立つ.

2 つ目の式から,

$$n_x=\frac{a}{a_s}n_3-n_y$$

が得られる. ここから 1 つ目の式を用いて, a を消去すると,

$$n_x=\left(\frac{a_0}{a_s}-1\right)n_y$$

となる. この最終的な式には, n_3 が含まれておらず, 一般的な同位体希釈法とは異なることがわかる.

3.2 X 線

γ 線の次にエネルギーの高い電磁波は X 線である. 私たちの健康を維持するために, 胸部 X 線や腹部 X 線などを測定するが, それらにも用いられている.

γ 線は励起された原子核から放射される電磁波であるが, X 線は原子内の内殻電子が関与する電磁波である. X 線のエネルギーが高いため物質透過性は高いが, X 線を多量に浴びると生体に害がある.

化学の領域で X 線をもっとも多く用いている手法は, X 線結晶構造解析であろう. これは, 結晶状態にある分子内の原子の結合長や結合角に対して極めて精密な情報を与えてくれる. また, 試料に X 線を照射しその吸収を測定する X 線吸収分光法, あるエネルギーの X 線を試料に照射することで発生する別の低いエネルギーの X 線を測定する蛍光 X 線分光法が知られている. 後者 2 つの方法を用いることで, 試料内に存在する元素の分析が可能である. ここでは, これら 3 つの方法について紹介する.

なお, X 線領域の場合, 原子の電子軌道は慣習的に K 殻, L 殻, M 殻…が使われている. K 殻は 1s 軌道（主量子数 $n=1$）, L 殻は 2s と 2p 軌道（$n=2$）, M 殻は 3s と 3p と 3d 軌道（$n=3$）…に対応する.

3.2.1　原　理

1)　X 線結晶構造解析

　X 線結晶構造解析の詳細は専門書に譲ることにして，ここでは基本原理を説明する．

　X 線も電磁波であるから回折現象を起こす．回折は，紫外可視光の回折格子による分光（第 2 章，図 2.8）を想像するとよいであろう．回折格子の表面には一定の間隔で規則的な溝があり，そこに照射された光は干渉を起こして強め合ったり弱めあったりする．強め合いの条件は，光の波長や回折格子の溝の間隔，回折格子への光の入射角と回折光の角度に依存する（ブラッグの回折条件）．全く同じことが X 線の場合にもいえる．

　可視光の場合，回折格子の溝の間隔は，一般に 150～1800 本/mm である．ここから溝の間隔を計算してみると，6.7～0.56 μm であることがわかる．つまり，回折格子の間隔は，用いている光の波長と同じくらいか，それの 10 倍程度になっている．これよりも溝の間隔が広すぎたり狭すぎたりすると，回折現象が起こりにくくなる．

　ここで改めて X 線の波長を確認してみよう．X 線の波長は 0.01～10 nm である[*2]．したがって，X 線の回折は，ナノメートル程度の規則的なパターンから生み出されることが予想される．分子の結晶は，分子とそれを構成する原子が規則正しく並んでおり，その原子間の結合は約 1 Å（＝0.1 nm）である．つまり，結晶が複雑な構造を持つ X 線の回折格子と考えられる．可視光の回折格子には，平面に複数本の直線状の溝が平行に存在するが，結晶は 3 次元的な規則性を持っているため，回折パターンはさまざまな方向に現れる．その解析は，極めて高度な知識と技術を要するが，主な原理は回折格子と同じである．

2)　X 線吸収分光法

　紫外可視領域の光の吸収は，分子の HOMO 近傍および LUMO 近傍の分子軌道間を電子が遷移することによって起こる．一方，X 線の場合は，図 3.3 の①のエネルギー以上の X 線を吸収すると，K 殻の電子が真空準位まで励起する（真空準位への励起は，その原子から電子が外部へ放出されることを意味する）．この X 線の吸収が起こるところを K 吸収端という．同様に②のエネルギー以上の X 線が吸収されるところを，L 吸収端という．内殻準位は量子化されている．また，原子によって内殻準位と真空準位のエネルギー差は固有の値を有するため，各原子は特定のエネルギーの X 線を吸収することになる．

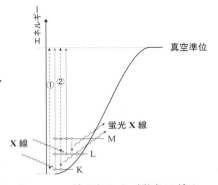

図 3.3　X 線吸収および蛍光 X 線の発生機構

　[*2]　X 線結晶構造解析に用いられている X 線源として，Mo, W, Cu などが用いられている．このうち，例えば Mo の Kα₁ 線の波長は 0.7093 Å＝0.07093 nm である．

3) 蛍光 X 線分光法

図3.3に示すように,吸収した X 線が内殻電子を外部へ放出すると,その原子は電子が失われた状態になるため,より高いエネルギー準位から電子が遷移してくる(落ちてくる).その際,過剰のエネルギーがあるため,X 線として放出される.これを蛍光 X 線と呼んでいる.各原子には量子化された特定のエネルギー準位が存在するため,蛍光 X 線のエネルギーから元素を特定できる.また,その強度から定量が可能である.

この現象は,紫外可視領域の蛍光の発光現象に似ているため,蛍光 X 線分光法と呼ばれる.

3.2.2 装 置

1) 光 源

X 線の光源としては,高エネルギー加速器研究機構(KEK)や大型放射光施設(SPring-8)など,大きなエネルギーを有する放射光を利用することが多い.

実験室用の光源としては,図3.4のような封入型 X 線管球をあげることができる.これは,真空中で,ターゲットである金属(Mo, W, Cu など)に,高い直流電圧(+20~100 kV)を印加して,熱電子を当てるものである.これによって,陽極の金属から特性 X 線が放出される(変換効率0.1%程度).図3.3では,内殻電子は X 線によって放出されているが,図3.4の装置では,内殻電子は熱電子によって放出される.

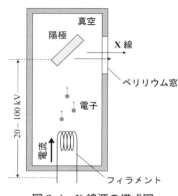

図3.4　X 線源の模式図

2) 分光器

X 線の領域では,分光器は主に2種類存在する.

第1は,γ線のところでも触れたが,半導体検出器である.γ線とはエネルギー領域が異なるが,類似の機構によって,X 線のエネルギー分解が可能である.第2は,結晶分光器である.3.2.1の1)で規則正しい結晶は,X 線の回折を生じるということを記したが,単純な物質の結晶(例えば,フッ化リチウムの単結晶)は,紫外可視分光器の回折格子のように,角度を変えることで X 線の分光を行うことができる.

両者ともに X 線の分光を行っているが,前者はエネルギー分散型(Energy dispersive X-ray spectroscopy; EDS),後者は波長分散型(Wavelength-dispersive X-ray Spectroscopy; WDS)と呼ばれる.一般に,WDS のほうが分解能は高い.

3)　検出器

　現在はさまざまなX線の検出器が開発されている．前記のEDSはエネルギー分解をしているが，同時に検出も行っている．

　X線を検出する装置としては，他にシンチレーションカウンターやイオンチェンバー（電離箱）などがある．前者の原理はγ線のところでも触れたが，X線が照射されると発光する物質を利用している．後者は，γ線のGM管と類似していて，気体が充満された容器内に直流電圧（数100 V）を印加し，X線の通過によって発生したイオンを電流として検出している．

　なお，X線が照射されると発光する物質を平面板の形状に加工し，イメージングプレートとして使うこともできる．これは，多くの場所のX線の強度を同時に測定することができるため，X線結晶構造解析などにも利用されている．

3.2.3　分析例

　X線結晶構造解析の具体例は，機器分析の範疇外であるので，ここでは割愛する．

1)　X線吸収分光法

　図3.5に白金粉末のX線吸収スペクトルの例を示す．先に記したように，元素ごとに特有のX線のエネルギーで吸収するので，定性分析が可能である．0.9～1.1 Åの大きなピークは白金のL吸収端，0.1 Å付近に見られる小さなピークは白金のK吸収端である．前記のように，L殻は2sと2p軌道を含んでいるために，図3.6のようにLは3つの状態がある．なお，X線も電磁波であることから，紫外可視吸収分光法で見られるランベルト―ベールの法則が適用できるため，定量分析も可能である．

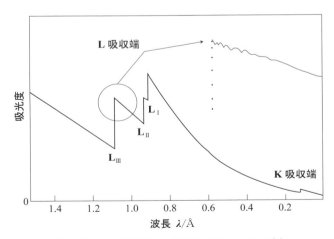

図3.5　白金粉末のX線吸収スペクトルの例
宇田川康夫編，「X線吸収微細構造―XAFSの測定と解析―」学会出版センター（1993）

　本方法は，定量法以外に，化学的な構造情報も得られるという特長を有する．図3.5のL吸収端の拡大図をみてみると，微細な振動が認められる．吸収端のすぐ近傍のスペクトルは XANES（X-ray absorption near edge structure），吸収端から約 10 eV 高エネルギー側から始まるスペクトルは EXAFS（extended X-ray absorption fine structure）と呼ばれている．両者をまとめて，XAFS と称されている．XANES および EXAFS の理論は，大変複雑で本書の範囲を超えるために割愛するが，注目している原子の近傍に存在する他の原子の情報（種類や数，結合距離など）を与えることが知られている．X線結晶構造解析のような精密な構造情報は得られないが，結晶化できない物質や不純物を含むもの，また溶液状態でも測定できるため，実用上のメリットは大きい．

2)　蛍光 X 線分光法

　蛍光 X 線分光計は，研究室にも設置できる大きさの装置が市販されており，より簡便に用いることができる．

　図3.3 に示すように，よりエネルギーの高い X 線の照射によって，K 殻に空孔（正孔）ができ，そこに向かって L 殻や M 殻から電子が遷移する際，過剰のエネルギーが X 線として放出される．これが蛍光 X 線である．より詳しいスキームを図3.6 に示す．L 殻は，L_1, L_2, L_3 の 3 つに細分される．これらは，それぞれ 2s, 2p（$2P_{1/2}$），2p（$2P_{3/2}$）に相当している．軌道間の電子遷移には選択則があり，2s→1s は禁制であるため起こらない（原子吸光のグロトリアン図（図2.27）でも同様のことが読み取れる）．また，M 殻には 5 つの状態があり，M→K や M→L にも選択則があるため，複雑な状況が生まれる．

　各スペクトルに付される記号は，X 線の研究でノーベル賞を受賞したジーンバーグが決めたものである．K 殻に遷移する場合は，その記号はすべて K から始まる．L 殻，M 殻に遷移する場合も同様である．しかし，次に続く α, β や数字にはあまり規則性はない．IUPAC では，よりわかりやすい記号を用いることを提案しているが，ジーンバーグが決めた記号が一般的に用いられているようである．

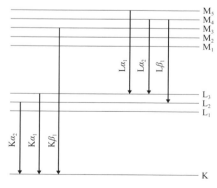

図3.6　蛍光 X 線の発生スキーム

　図 3.7 に実際に得られた蛍光 X 線スペクトルの例を示す．先にも記したように，蛍光 X 線のエネルギーは，各原子固有のものであるため，同定が行える．またその強度から定量も可能である．このスペクトルから，Hg, As, Pb, Br, Sr, Cd などの存在が確認できる．ただし，As の Kα 線と Pb の Lα 線はこの分解能のスペクトルでは重なっているため，別のエネルギーを有するシグナルを用いる必要がある．

　なお，同じ種類のシグナルのエネルギーを元素で比較すると，Kα($_{48}$Cd)>Kα($_{33}$As)，Kβ($_{48}$Cd)>Kβ($_{35}$Br) である．つまり，原子番号の大きな元素のほうが，より高いエネルギーを持つことに気づく．

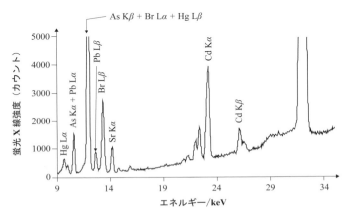

図 3.7　ある有機物の蛍光 X 線スペクトルの例
大谷肇編，「機器分析」講談社（2015）

例題 3.4

　図 3.4 において，熱電子のエネルギーと発生する X 線のエネルギーの大小関係を考察せよ．例として，100 kV の電圧と，Mo の Kα$_1$ 線の波長 0.07093 nm を用いよ．

解　答

　100 kV で加速された電子は 100 keV のエネルギーを持つ．これは 1.6×10^{-14} J に相当する．一方，Mo の Kα$_1$ 線の波長 0.07093 nm からこのエネルギーは 2.8×10^{-15} J である．したがって，与えるエネルギーのほうが大きい．

例題 3.5

　図 3.3 と図 3.5 の関連性を述べよ．

解　答

　図 3.5 では，L 吸収端が 1 Å 付近に，K 吸収端が 0.1 Å 付近に表れている．したがって，K 吸収端のほうがエネルギーは大きい．これは，図 3.3 で K 殻のほうがエネルギー的に安定なことに対応している．

3.3 電子スピン共鳴分光法（ESR）

　電子スピン共鳴分光法（Electron Spin Resonance：ESR）は，不対電子のスピンに注目した分光法である．また電子常磁性共鳴分光法（Electron Paramagnetic Resonance：EPR）は，常磁性を示す物質に対する分光法に相当する．しかし，常磁性を示す物質は，不対電子を有しており，どちらもほぼ同じ意味を持っている．ここでは，日本で伝統的に用いられている ESR という言葉を用いて紹介する．一般の有機化合物では，電子は対になっており，ESR のシグナルは観測できない．ESR は，多くの無機物質および有機化合物のラジカルなどで観測できる．

3.3.1　原　理

　すべての電子は電子スピン（スピン量子数 $s=\frac{1}{2}$，スピン磁気量子数 $m_s=+\frac{1}{2}$ または $-\frac{1}{2}$）をもっているが，互いに反対符号のスピン磁気量子数を持つ電子同士がペアになると打ち消されてしまい，ESR のシグナルを観測することができない．また，図3.8に示すように，スピン磁気量子数 $m_s=+\frac{1}{2}$ と $m_s=-\frac{1}{2}$ の不対電子は，無磁場下では同じエネルギー状態であり，分裂していない．

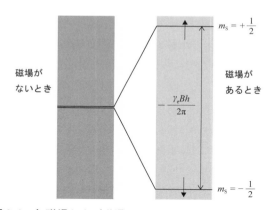

図3.8　無磁場および磁場下における不対電子の安定状態

　簡単のために１つの不対電子を持つ物質を考えよう．この物質を磁場下におくと，不対電子が２つの状態に分裂する．この分裂は Zeemam 効果（または Zeeman 分裂）として知られている．このとき，エネルギーは各 m_s に対して $-\frac{\gamma_e B h m_s}{2\pi}$ であり，エネルギー差 ΔE は $-\frac{\gamma_e B h}{2\pi}$ になる．ここで，γ_e は電子の磁気回転比であり，$-1.76\times10^{11}\,\mathrm{T^{-1}\,s^{-1}}$ である（γ_e は負の数である．そのため，$m_s=-\frac{1}{2}$ のほうが安定になる）．B は磁束密度，h はプランク定数である．実際には，強力な電磁石により発生させる 0.3 T 程度の磁束密度で ESR のシグナルが測定されている．0.3 T の値を用いて，図3.8のエネルギー差を求めると

5.6×10^{-24} J になり，その電磁波の波長を計算するとマイクロ波の領域であることがわかる．

　熱エネルギーは，298 K において 4.1×10^{-21} J（$= kT$）であるため，この Zeeman 分裂のエネルギー差よりも約 3 桁大きい．したがって，ボルツマン分布を考えると，このように極めて小さなエネルギー差では，その分布の比はほぼ 1：1 になる．ESR のシグナルは，基底状態にある分子の数 N_G と励起状態にある分子の数 N_E の差（$N_G - N_E$）に比例するため，ESR では，そのわずかな差を効率的に検出している．

　図 3.8 のエネルギー差 ΔE は $g_e \mu_e B$ と書くことも可能である．ここで g_e は電子の g 値（$= 2.002319$　単位なし），μ_e はボーア磁子 9.274×10^{-24} J T^{-1}（$= eh/4\pi m_e$）である（e は電気素量，m_e は電子の静止質量）．この式のほうが歴史は古い．

3.3.2　装　置

　ESR の装置の概略を図 3.9 に示す．N 極および S 極の 2 つの電磁石の中心に試料を置くスペースがあり，さらにそこにマイクロ波が照射できるようになっている．その吸収量を検出する装置があり，磁場の強度またはマイクロ波の振動数を変化させてスペクトルを得る．

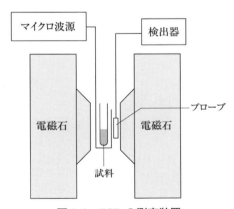

図 3.9　ESR の測定装置

3.3.3　実　例

　図 3.10 に示すベンゼンアニオンラジカルの ESR スペクトルの例を図 3.11 に示す．図 3.10 を見ると，このラジカルには不対電子が 1 つしかない．したがって，図 3.8 から判断すると電子スピンの状態は 2 つしかないので，シグナルは 1 本になりそうである．しかし，実際には，図 3.11 のようにかなり複雑なスペクトルが得られている．

　まず，図 3.11 中の 1 本のシグナルの形状をみてみよう．ESR のシグナルは，＋から－へ上下に振れている．実は，ESR のシグナルは，装置上の特性から一般に微分形として得られる．したがって，図 3.11 の中にはシグナルが 7 本存在することがわかる．中央の

シグナルが一番大きく，そこから離れると次第に対称的に小さくなる．このような複雑な
シグナルは，一般に超微細構造といわれており，化合物の細かな環境を反映している．先
に記したように，本来1本のピークになるべきであるのに，7本のピークが現れた理由は，
核スピンと相互作用するからである．3.4でも触れるが，^{1}H の核は，核スピン量子数 $\frac{1}{2}$
を有しており，これが電子スピンと相互作用して，上記のような複雑な形になる．^{12}C の
核スピン量子数は0なので，ESR シグナルに影響を与えることはないが（^{13}C の核スピン
量子数は $\frac{1}{2}$ であるが，天然存在比が約1%と低いので，ほとんど影響はない），^{14}N は核
スピン量子数1を持つため，ESR シグナルに影響を与える．

　なお，不対電子が複数ある無機イオンや無機物質では，不対電子のスピン同士の相互作
用も現れるため，より複雑になる．

図3.10　ベンゼンアニオンラジカル（$C_6H_6^-$）の化学構造

図3.11　ベンゼンラジカルアニオンの ESR スペクトル

(2) P. Atkins, J. de Paula 著，「物理化学」（下）第10版，中野元裕，上田貴洋，
奥村光隆，北河康隆訳，東京化学同人（2017）

例題 3.6

　0.30 T の磁束密度で，図3.8のエネルギー差がマイクロ波に相当することを確認せよ．

解　答

　図3.8のエネルギー差は $-\gamma_e B h / 2\pi$ である．これに γ_e, h, B の値を代入すると，エネルギ
ー差は 5.6×10^{-24} J になる．これを電磁波の波長に変換すると，0.036 m になり，マイクロ波
の領域であることがわかる．

3.4　核磁気共鳴分光法（NMR）

　核磁気共鳴分光法（Nuclear Magnetic Resonance：NMR）は，今日までの有機化学の目覚ましい発展を支えてきたが，今後も強固に支えていくであろう．有機化合物の化学構造を知るために，NMR は極めて有効な分析法であり，今日では必須なものである．

　医療の分野で診察によく用いられている MRI（Magnetic Resonance Imaging，磁気共鳴画像）も NMR の一種である．MRI はシグナルを検出するのではなく，身体の臓器を画像化して，異常部位を見つけようとするものであるが，基本的には NMR と同一の原理を用いている．

3.4.1　原　理

　NMR は，その名前が示すとおり，磁場下におかれた原子核が電磁波を吸収する現象である．簡単のために核スピン量子数 I が $\frac{1}{2}$ の原子核を考えよう（よく用いられている ^{1}H や ^{13}C はこれに相当する）．この原子核には，核スピン磁気量子数 $m_1=+\frac{1}{2}$ と $m_1=-\frac{1}{2}$ の 2 つの状態が存在するが，図 3.12 に示すように，無磁場下ではこの 2 つの状態は同じエネルギーである．

　この原子核を磁場下におくと，図 3.12 のように，2 つのエネルギー準位に分裂する．この分裂も Zeemam 効果である．このときのエネルギーは各 m_1 に対して $-\frac{\gamma_N B h m_1}{2\pi}$ であり，分裂のエネルギー差 ΔE は $\Delta E=\frac{\gamma_N B h}{2\pi}$ になる．ここで，γ_N は各原子核固有の磁気回転比（^{1}H の $\gamma_N=26.75\times10^7\ \mathrm{T^{-1}\ s^{-1}}$，^{13}C の $\gamma_N=6.73\times10^7\ \mathrm{T^{-1}\ s^{-1}}$ など），B は磁束密度，h はプランク定数である．

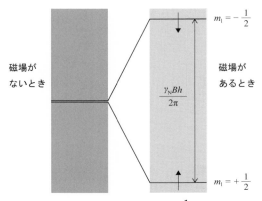

図 3.12　磁場下における原子核（核スピン量子数 $\frac{1}{2}$）のエネルギー分裂の模式図

88

電子の磁気回転比は負の値であったため，負のスピン磁気量子数のほうが安定であったが，^{1}H や ^{13}C の磁気回転比は正の値であるため，正の核スピン磁気量子数のほうが安定になる．また，^{1}H の磁気回転比は，電子の磁気回転比よりも 600 倍くらい小さい．したがって，計測可能な Zeeman 分裂を生むためには，より大きな磁場が必要になる．^{1}H の場合，非常に強い磁場（20 T）を用いてもこのエネルギー差はわずか $6×10^{-25}$ J 程度である．これはラジオ波領域の電磁波に相当する．他の原子核では，エネルギー差はより小さくなる．

温度 298 K における熱エネルギーは，$4.1×10^{-21}$ J であるため，図 3.12 の Zeeman 分裂のエネルギー差よりも約 4 桁も大きい．したがって，ボルツマン分布を考えると，分布の比はほぼ 1：1 になってしまう．そこで，そのシグナルは極めて小さな値になるため，高感度に測定することが難しい．大きな磁場を用いると，それに比例してエネルギー差が増大し，ボルツマン分布もそれに応じて偏るため，感度も増大することがわかる．

^{1}H-NMR の測定装置が市販されはじめたころは，60 MHz のラジオ波が用いられていた．最近は，大型の超電導磁石によって発生した強磁場が利用できるようになってきており，900 MHz ものラジオ波が使われるようになってきている*3.

3.4.2 装　置

NMR は極めて特殊でかつ高価な分析装置であるため，通常，その内部を調整したり，改造したりすることはほとんどない．したがって，ここでは装置をごく簡単に紹介することにする．図 3.13 に概略を示している．外部磁場は超伝導磁石によって印加される．ラジオ波は，通常の可視光とは異なり，導管によってより効率的に伝えることができる．導管によってラジオ波が試料に伝えられ，試料の近くには，ラジオ波の吸収量を測定するためのプローブとそれに接続された検出器がある．ラジオ波のエネルギーまたは磁場の強度を掃引して，NMR スペクトルを得ている．

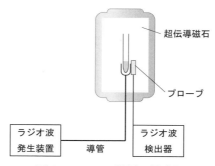

図 3.13　NMR 装置の概略図

---

*3　このように，NMR では磁場強度ではなく，ラジオ波の振動数で分解能を表現することが多い．振動数 900 MHz は，波長に換算すると 30 cm であり，ラジオ波の領域である．

3.4.3 化学シフト（ケミカルシフト）とカップリング定数

　前記のように，NMR は，核スピンの磁場下における分裂を測定している．その分裂の
エネルギー差は，γ_N の値が異なるため原子核ごとに異なるが，同一の原子核であればほ
ぼ同じ値になる．"ほぼ同じ"というのは，原子核の置かれた化学的な環境（主に周囲の
電子状態）の差によって，わずかに違いが生じることを意味している．^{1}H の場合，その
違いは，磁場強度でいうとわずか 10 ppm 以内の差でしかない．また，そのシグナルの強
度（シグナルの積分値）は，^{1}H の数に比例している．さらに，化合物内において，極近
傍に存在している別な ^{1}H と相互作用することによって，シグナルが分裂したりすること
がある．これが有機化学でいうところの J 値（J カップリング）である．このような情報
を総合的に解釈して，化合物の構造を得ている．具体的な例でそれらをみてみよう．

　図 3.14 にエタノールの例を示す．ESR と異なり，NMR のシグナルは微分形にはなら
ない．横軸 δ は化学シフトであり，図の右にいくほど，高磁場になることを意味するが，
通常，左を正にするようにとる．$\delta = 0$ は標準物質のシグナルを与えるところであり，一
般に，テトラメチルシラン（Si(CH$_3$)$_4$, TMS）のシグナルが用いられる．

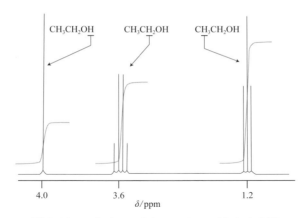

図 3.14　エタノールの ^{1}H-NMR スペクトルの例

　エタノールの水酸基の ^{1}H のシグナルは $\delta = 4.0$ ppm 付近に 1 本現れている．一方，メ
チル基の ^{1}H は $\delta = 1.2$ ppm 付近に 3 本，メチレン基の ^{1}H は $\delta = 3.6$ ppm 付近に 4 本現れ
ている．いずれも，TMS よりも低磁場側にシグナルが現れているが，その化学的な環境
の差（電子状態の差）により，δ の値が異なっている．

　また，メチル基およびメチレン基が分裂しているが，これは，隣り合った炭素に結合し
ている ^{1}H 同士の相互作用の結果生じるカップリングである．これは，ESR で記した電子
スピンと核スピンの相互作用に類似した効果である．分裂のパターンから，隣接している
炭素に結合している ^{1}H の数がわかる．

　^{1}H-NMR のシグナルに重なるように階段状の線があるが，この階段の高さが，NMR シ

グナルの積分値を表している．積分値から，水酸基の ^{1}H，メチレン基の ^{1}H，メチル基の ^{1}H の量の比が，おおよそ 1：2：3 であることがわかる．

なお，NMR スペクトルから，化合物を推定するより詳細な手段については，専門書を参考にされたい．

例題 3.7

^{1}H を 20 T の磁場下に置いた場合，その分裂のエネルギーを求めよ．またそのエネルギーに相当する電磁波の波長を求めよ．さらにその電磁波の振動数を求めよ．

解 答

図 3.12 のエネルギー差は $\gamma_\mathrm{N} B h / 2\pi$ である．これに ^{1}H の γ_N, h, B の値を代入すると，エネルギー差は 5.6×10^{-25} J になる．これを電磁波の波長に変換すると，0.35 m になる．振動数は 8.5×10^2 MHz である．

参考文献

（1） 大谷　肇編，「機器分析」講談社 （2015）

（2） P. Atkins, J. de Paula 著，「物理化学」（下）第 10 版，中野元裕，上田貴洋，奥村光隆，北河康隆訳，東京化学同人 （2017）

（3） 宇田川康夫編，「X 線吸収微細構造—XAFS の測定と解析—」学会出版センター （1993）

第 3 章の章末問題

3.1 ●必 須●
半減期 $t_{1/2}$ が $\dfrac{\ln 2}{k}$ に等しいことを示しなさい．

3.2 ●必 須●
同じ種類の蛍光 X 線のエネルギーを元素で比較すると，原子番号の大きな元素のほうが，より高いエネルギーを持つ．この理由を考えなさい．

3.3 ●必 須●
0.30 T の磁束密度を用いて ESR の測定を行う．温度が 77 K（液体窒素温度）と 298 K（室温）において ESR シグナルにどれくらいの強度の差が現れるか，求めなさい．

3.4 ●必 須●
20 T の磁束密度を用いて ^{13}C-NMR を測定する場合，用いるラジオ波の振動数を求めなさい．

3.5 ●必 須●
3.4 の条件において，^{1}H-NMR と比較すると，^{13}C-NMR のシグナルはどれくらい減少するか，温度 298 K において求めなさい．ただし，試料中の H と C の物質量は同じとする．また，^{1}H と ^{13}C の同位体存在率はそれぞれ 99.985%, 1.11% である．

課　題

3.1　自然界には宇宙線による核反応によって一定量の放射性核種が存在する．その一例として，^{14}C がある．これを用いた年代測定について調べて記しなさい．

3.2　γ 線を用いた特別な分光法として，メスバウワー分光法がある．この分析法の概要を調べて記しなさい．

3.3　X 線の検出器として，エネルギー分散型と波長分散型がある．それぞれの特徴をまとめなさい．

3.4　蛍光 X 線が放出される代わりに，オージェ電子が放出されることがある．このオージェ電子の発生原理を調べて記しなさい．

3.5　誘導吸収のアインシュタイン係数（B_{fi}），誘導放出のアインシュタイン係数（B_{if}）について調べ，ボルツマン分布が成り立っている場合（$N_E < N_G$）は，光は減衰することを確かめなさい．また，レーザー光の発生は，$N_E > N_G$ のときに起こることも確認しなさい．

第4章　電気化学分析法

ほとんどの化学反応は，ある物質から他の物質に電子移動が起こる酸化還元反応ということができる．イオンの酸化あるいは還元などの直接的な電子移動ばかりでなく，酸・塩基反応でも水素イオン（酸化剤）に塩基（還元剤）の電子を渡して完結すると考えれば酸化還元反応である．電気化学的分析法は，このような電子移動反応を，電極を用いて電流や電圧に変換し直接捉える方法である．電気化学分析法では目的物質の濃度に依存した電気信号を直接得ることができ，簡単な測定装置で高感度な測定が可能である．

《本章で学ぶ重要事項》
（1）　電気化学反応の基礎
（2）　電極の種類：指示電極と参照電極
（3）　電位差測定法（ポテンシオメトリー）
（4）　電解重量分析と電量分析（クーロメトリー）
（5）　ボルタンメトリー

4.1　電子移動と分析法

電気化学分析法では，電流，電圧，電気量などを測定する．以下に測定の基礎となる電気量について述べる．

4.1.1　電気量

電気化学的な基本量として電荷，電流がある．電流は単位時間当たりに移動した電荷 q（クーロン，単位 C）であり，次式で示すように $\mathrm{C\,s^{-1}}$ の次元を持つ．

$$i = \frac{\Delta q}{\Delta t} \qquad \text{または微分形式で} \qquad i = \frac{\mathrm{d}q}{\mathrm{d}t}$$

ある時間内（t 秒）に一定電流（i アンペア）が流れるとき，この間に移動した電荷量はその積 $t \cdot i$ クーロン（C）である．電流の大きさはアンペア（A）で表され，これは1秒間に1クーロン（C）の電荷が移動したとき1 A と定義される．また電子1つ当たりの電荷である電気素量は $e = 1.609 \times 10^{-19}$ C である．酸化還元反応に伴って1モルの電子（アボガドロ数，6.022×10^{23}）が移動したときの電荷を1ファラデー（F）と呼び，次式で示される．

$$1\,F = 1.609 \times 10^{-19} \times 6.022 \times 10^{23} \cong 96500\ \mathrm{C}$$

電流値は同じ量の電荷が移動した場合でも，移動に要する時間によって異なる．例えば 0.0001 C の電荷が1秒間で移動したとき，その電流値は $0.0001\ \mathrm{C\,s^{-1}} = 0.1\ \mathrm{mA}$ である．

　一方，同じ電荷が 1 ミリ秒で移動すれば 0.0001 C/0.001 s＝0.1 A となる．また，同じ時間内で電子の移動が起こるとき，反応する分子数（移動する電子数）が大きいほど大きな電流が流れたことになる．

　一般に，マイクロ〜ナノアンペア（μA〜nA）の電流計測は比較的容易に行える．10 nA（10×10^{-9} A）の電流を 1 秒間測定するとき，10^{-8} クーロンの電荷に相当する物質量である 10^{-13} モル（＝10^{-8} C/(96500 C mol^{-1})$\cong 1 \times 10^{-13}$ mol；ただし電子移動は 1 電子とする）が測定できることになる．これは他の分析法に比べかなり高感度である．このような測定は電極と電気測定器（および周囲の電気ノイズを除去するシールド装置）などの簡単な装置構成で行うことができる．

4.1.2　電気化学反応の基礎

　水道水やジュースなどの飲料はよく電気を通すが，純粋な水は絶縁体である．したがって，純水をそのまま電気分解するのは困難である．そこで通常は硫酸ナトリウムなどの支持電解質を加える．支持電解質によって水中のイオンが電子のキャリヤーとなって移動し，結果的に電流が流れるようになる．水に 2 本の不活性な電極（例えば白金電極）を入れ，電極間に印加する電圧を徐々に増加させると，電圧が小さいときには何も起こらない（ように見える）が，電圧が約 1.5 V を超えた付近から急激に電流が流れ始める．このとき，電極のプラス側では以下の反応により水から電子を奪い酸素ガスが発生する．

$$H_2O \longrightarrow \frac{1}{2}O_2 + 2e^- + 2H^+ \tag{4.1}$$

マイナス側では，水素イオンに電子を与え水素ガスが発生する．

$$2H^+ + 2e^- \longrightarrow H_2 \tag{4.2}$$

両電極を合わせ，正味では，酸素と水素が 1：2 のモル比で発生する．

$$H_2O \longrightarrow \frac{1}{2}O_2 + H_2 \tag{4.3}$$

この様子を図 4.1 に示す．

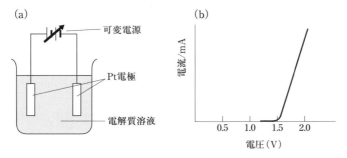

図 4.1　希硫酸水溶液の電気分解
（a）電気分解装置　（b）0.1 M 希硫酸水溶液を電気分解したときの電圧と電流の関係

　電極における反応を考える場合，外部電源により電気分解する場合と，溶液から電子を取り出す場合（電池）では電極の呼び方が逆になる．水の電気分解のときは＋極には溶液側から電子が流れ込む（式4.1で水から電子を放出）が，この極をアノードという．アノードとは溶液内の物質の酸化反応が起こる極である．また，－極は溶液側に電子を与える極で，カソードという．カソードは還元反応，すなわち水の電気分解では水素発生が起こる側である．外部電源を用いて電気分解を行う場合，電源の＋極につないだ極を陽極，電源の－極につないだ極を陰極と呼ぶ．一方電池反応ではプラス極を正極，マイナス極を負極という．電気分解とはプラスとマイナスが逆に，すなわち＋極では還元反応（カソード），マイナス極では酸化反応（アノード）が起こる．

　水の電気分解において電気分解が始まる前の2つの電極の電圧が1.5 V以下の場合について考えてみよう．図4.2には電極間の電位の分布を示した．電極は両側の影で示してあり，電極それ自身は電気分解によって反応を起こすことがないものとする．溶液に1 Vの電圧をかけた後にできる電位分布は，電極の表面付近で非常に大きな勾配を示し，溶液の中では電位が殆ど発生していない．電圧を印加した瞬間は2つの電極の表面に電荷を蓄えるための電流が瞬間的に流れる（充電電流という）．図では電極近傍の様子について，わかりやすいように表面からの距離を拡大して表示してある．

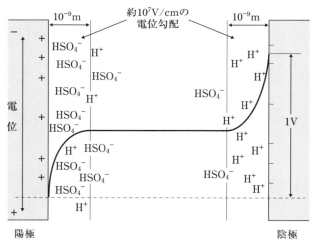

図4.2　希硫酸中の電極表面付近及び溶液中の電位分布

　陽極の電極表面は若干正に帯電しており，溶液中の反対符号を持つイオンがこの電荷を中和するように集まる．逆に陰極では負に帯電しているので溶液中の正電荷を持つイオンが陰極表面に集まる．このような電極表面にできたプラス―マイナスの電荷の層を電気二重層という．両極の表面付近にできる正電荷の薄い板と負電荷の薄い板の向かい合った状態で，コンデンサのような構造である．電圧を印加したときに瞬間的に流れる充電電流は，

このコンデンサを充電するときに使われる電荷で，印加電圧と電極表面積に比例する．電気二重層の厚さは電解質のイオン強度に依存し，$0.1\,M$ の電解質溶液では約 $1\,nm$ といわれ，その厚さは電解質濃度の平方根に反比例する．例えば $0.1\,M$ よりも電解質濃度が 100 分の 1 小さい $0.001\,M$ では約 $10\,nm$ である．また，純水では約 $1\,\mu m$ と非常に厚い．2 つの電極間に小さな電圧を印加するとその電場のほとんどすべては電極表面の電気二重層に印加されることになる．この電場強度について考えてみよう．電場強度とは単位長さ当たりの電圧差である．電気二重層を $1\,nm$ とし，陽極—陰極間に $1\,V$ の電圧を印加する．陽極，陰極とも同じ電場強度とすると $1\,cm$ 当たり $5 \times 10^6\,V\,cm^{-1}$ の電場強度となることがわかる．小さな電圧を印加しているようでも，電極表面でイオンが感じているのはこのような高い電圧なのである．

　電源の電圧を増加して 2 本の電極に $1.5\,V$ 以上の電圧を印可すると式 (4.1) と (4.2) の反応が同時に起こり，陰極側では水素イオン H^+ が消費されるため溶液側から＋イオンが輸送される．一方陽極側では H^+ が生成するので，これが溶液側に拡散する．このように，陰極—還元反応による水素イオン消費—イオンの輸送—酸化反応による水素イオン生成—陽極という，両極での酸化還元反応と溶液中での電荷移動のループができてはじめて電流が流れる．

例題 4.1

　次の半反応の化学式を完成させなさい．必要に応じて H^+, H_2O は加えて良い．

① $ClO_3^- \longrightarrow Cl^-$　　② $IO_3^- \longrightarrow I_2$　　③ $H_2O_2 \longrightarrow H_2O$

④ $I^- \longrightarrow I_2$　　⑤ $MnO_4^- \longrightarrow Mn^{2+}$　　⑥ $As_2O_3 \longrightarrow As_2O_5$

解　答

　左右の電荷と原子数および着目する原子の酸化数の変化から水素イオン，電子，水を加えて式を完成させる．

① $ClO_3^- + 6H^+ + 6e^- \longrightarrow Cl^- + 3H_2O$　　④ $2I^- \longrightarrow I_2 + 2e^-$

② $2IO_3^- + 12H^+ + 10e^- \longrightarrow I_2 + 6H_2O$　　⑤ $MnO_4^- + 8H^+ + 5e^- \longrightarrow Mn^{2+} + 4H_2O$

③ $H_2O_2 + 2H^+ + 2e^- \longrightarrow 2H_2O$　　⑥ $As_2O_3 + 2H_2O \longrightarrow As_2O_5 + 4H^+ + 4e^-$

例題 4.2

　上記の半反応で①と④，③と⑥との化学反応式を示しなさい．

解　答

①と④　$ClO_3^- + 6H^+ + 6I^- \longrightarrow Cl^- + 3I_2 + 3H_2O$

③と⑥　$As_2O_3 + 2H_2O_2 \longrightarrow As_2O_5 + 2H_2O$

4.1.3 電極電位

電極の電位は酸化還元反応の自由エネルギー変化から誘導された Nernst の式で表される．酸化還元反応の自由エネルギー変化は反応に関与する化学種の濃度により変化し，次式のように表される．

$$aA + bB + \cdots\cdots \quad \rightleftarrows \quad lL + mM + \cdots\cdots$$
$$\Delta G = \Delta G° + RT \ln Q$$

ここで $\Delta G°$ は標準状態におけるギブズの自由エネルギー変化，Q は電池反応の反応商で，次式で示される．

$$Q = \frac{a_L^l \cdot a_M^m \cdots\cdot}{a_A^a \cdot a_B^b \cdots\cdot}$$

自由エネルギーの式で，両辺を $-nF$ で割ると，

$$-\frac{\Delta G}{nF} = -\frac{\Delta G°}{nF} - \frac{RT}{nF} \ln Q$$

ここで，n は反応に関与する電子数，F は 1 ファラデー（9.649×10^4 C/mol）である．nF ファラデーの電荷が E ボルトの電位を移動したときのエネルギー変化は ΔG に等しく（$-nFE = \Delta G$），上式は以下のように示される．

$$E = E° - \frac{RT}{nF} \ln Q = E° - \frac{2.303RT}{nF} \log Q$$

これを Nernst の式といい電極電位を与える基本となる式である（基礎編第 6 章参照）．ここで $E°$ は標準酸化還元電位（標準電極電位）である．$n = 1$ のとき，25℃ では

$$\frac{2.303RT}{F} = \frac{2.303 \times 8.314 \times 298.15}{96490} \cong 59.16 \text{ mV}$$

$$E = E° - \frac{0.05916}{n} \log Q$$

となる．簡便のため以下では

$$E = E° - \frac{0.059}{n} \log Q$$

を用いる．反応商が 10 倍変化すると，約 0.059 V（59 mV）の電位変化が生じる．

Nernst の式は電極反応の電位を与える一般式として重要なものであるが，実際の電極ではどのようになるのであろうか．例としてダニエル電池 $CuSO_{4(aq)}$：1.0×10^{-3} M, $ZnSO_{4(aq)}$：3.0×10^{-3} M の無電流電池電位（25℃）を求めてみよう（活量係数は 1 とする）．無電流電池電位とは，電池電位を，電流を流さないで測定した電位である．電流を流さずに電圧を測定することは事実上不可能であるが，入力抵抗の極めて大きな測定器で測った電圧では，流れる電流は無視できる程小さいと見なすことができる（例題 4.3 参照）．

ダニエル電池を構成する酸化還元反応対の標準電位は以下のようである．

$$Cu^{2+}_{(aq)} + 2e^- \rightleftharpoons Cu_{(s)} \qquad (E^\circ_{Cu^{2+}/Cu} = +0.34 \text{ V})$$

$$Zn^{2+}_{(aq)} + 2e^- \rightleftharpoons Zn_{(s)} \qquad (E^\circ_{Zn^{2+}/Zn} = -0.76 \text{ V})$$

したがって，標準状態（酸化剤および還元剤の活量が1）における電極間の電位差（起電力 E_{cell}）は $+0.34-(-0.76)=1.102$ V である．標準酸化還元電位は大きいほどその反応は還元側に進む．すなわちこのダニエル電池では，銅イオンは電子を受け取って還元され金属銅となり電極に析出し，亜鉛極は電子を放出して酸化され亜鉛イオンになり溶け出す．ダニエル電池の電池図式はつぎのように表される．

$$Zn_{(s)} \,|\, ZnSO_{4(aq)} \,\|\, CuSO_{4(aq)} \,|\, Cu_{(s)}$$

電池の表記では | は相の境界を，‖ は塩橋や隔膜で半電池が連結されていることを表す．このように構成された電池の起電力は，右側の半電池の電位から左側の半電池の電位を引いたものと定義される．もしこの起電力が正となる場合には，左側で酸化反応，右側で還元反応が，負となる場合には逆に，左側で還元反応，右側で酸化反応が起こることを意味している．上記の例では，硫酸亜鉛溶液に亜鉛電極が浸してある半電池と，硫酸銅溶液に銅電極が浸してある半電池が接続され，銅が還元される側であることを示している．このような電池の正味の反応は次式のようである．

$$Cu^{2+}_{(aq)} + Zn_{(s)} \longrightarrow Cu_{(s)} + Zn^{2+}_{(aq)}$$

このときの反応商 Q は

$$Q = \frac{a_{Cu_{(s)}} \cdot a_{Zn^{2+}}}{a_{Cu^{2+}} \cdot a_{Zn_{(s)}}} = \frac{3.0 \times 10^{-3}}{1.0 \times 10^{-3}} = 3.0$$

ここで $a_{Cu_{(s)}} = a_{Zn_{(s)}} = 1$ である．よって，電池の起電力 E_{cell} は次のようになる．

$$E_{cell} = (E^\circ_{Cu^{2+}/Cu} - E^\circ_{Zn^{2+}/Zn}) - \frac{0.059}{2} \log Q = 1.102 - \frac{0.059}{2} \log 3.0$$

$$= 1.102 - \frac{0.059}{2} \times 0.477 = 1.087$$

例題 4.3

内部抵抗が $200\,\Omega$ の電池（起電力 $1.2\,V$）を入力抵抗が $1.0\,k\Omega$（$=1000\,\Omega$）の電圧計で測定した．観測される電圧は何ボルトか．また，そのときに流れる電流は何アンペアか．入力抵抗が $1.0\,M\Omega$（$=1,000,000\,\Omega$）の電圧計を用いた場合についても同様に計算しなさい．

解　答

$1.2\,V$ の電圧が直列に接続した $200\,\Omega$ と $1000\,\Omega$ の抵抗に印加され，$1000\,\Omega$ の抵抗の両端の電圧を観測することになる（図4.3）ので，電圧計の入力抵抗が $1\,K\Omega$ のときは

$$1.2 \times 1000/(200+1000) = 1 \text{ V}$$

電流は

$$1 \div (200+1000) = 830\,\mu A$$

一方，入力抵抗が $1\,M\Omega$ では

$$1.2 \times 1000000/(200+1000000) = 1.1998 \text{ V}$$

電流は

$$1.2 \div (200+1,000,000) = 1.2\,\mu A$$

となる．このように入力抵抗の大きな電圧計で測定すると正しい電圧に近い電圧が観測され，そのときに流れる電流も小さい．

98

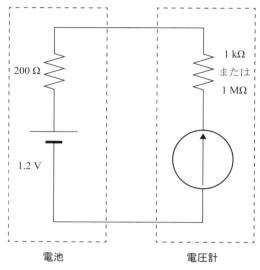

図 4.3　電圧計の内部抵抗の影響

4.1.4　電極の種類

　電気化学測定法には，溶液の pH 測定に代表される電位差測定法（ポテンシオメトリー）や，電気量を測定する電量分析法（クーロメトリー）などさまざまな方法があり，それぞれの方法に応じた電極を用いる．電極表面で電気化学的反応を生じさせるための電極は，指示電極（Indicator Electrode）あるいは作用電極（Working Electrode：WE）と呼ばれ，不活性なものを用いることが多く白金，金，グラシーカーボン，水銀などが目的に応じて用いられる．指示電極の表面が酸化還元反応の反応場となる．指示電極にはもう 1 つ別のタイプがあり，後述するイオン選択性電極では，酸化還元反応ではなく，電極膜表面でのイオンとの選択的な結合に由来する電位が発生する．しかし指示電極は単なる半反応の場であるのでこの電位を測定，あるいは設定するための参照電極（Reference Electrode：RE）が必要である．ポテンシオメトリーでは，参照電極に対する指示電極の電位を測定することで，溶液中の目的イオン濃度を測定する．また，クーロメトリーでは，参照電極の電位に対して作用電極の電位を一定の値に設定することで，作用電極上で起こる反応を制御することができる．このとき，参照電極に多くの電流を流すと電位が変化してしまうので，電流は別の電極に流すことが多く，この電極を対極（Counter Electrode：CE）という．大部分のこの方式では作用電極表面での酸化還元反応は参照電極に対して一定の電位で行い，作用電極上で起こった反応と対をなすもう 1 つの半反応は対極が受け持つわけである．この WE, CE, RE を使った測定を三電極方式と呼ぶ．さらに，前節の理論でも明らかなように電極電位を与える Nernst 式では電位は温度の関数であるのでこの影響を補償する温度補償極を挿入することもある．

　このような電極方式で重要なのは参照電極である．以下の3種類の電極が参照電極として用いられている（表4.1，図4.4）．

表4.1　主な参照電極

参　照　電　極	電　極　反　応	電極電位（25℃）
標準水素電極	$2H^+ + 2e^- \rightleftharpoons H_2$	0.000 V（基準）
銀・塩化銀電極（1MKCl）	$AgCl + e^- \rightleftharpoons Ag + Cl^-$	0.236 V
銀・塩化銀電極（飽和 KCl）	$AgCl + e^- \rightleftharpoons Ag + Cl^-$	0.197 V
飽和カロメル電極	$Hg_2Cl_2 + 2e^- \rightleftharpoons 2Hg + 2Cl^-$	0.241 V

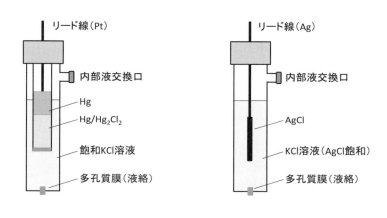

図4.4　参照電極

1)　標準水素電極（standard hydrogen electrode, SHE）

　SHE は，全ての標準電極電位（$E°$）の基準となる電極で，次のような半電池を形成する（基礎編第6章参照）．

$$Pt,\ H_2(10^5\,Pa),\ H^+(a=1)\|$$

　SHE では，白金黒（はっきんこく）と呼ばれる Pt 微粒子がメッキされた Pt 電極（白金黒付き白金電極）を用いる．白金黒は比表面積を増やし，電極反応を触媒するはたらきをする．この白金黒付き白金電極を酸性溶液（$a_{H^+}=1$）に浸し，一気圧（$1.0 \times 10^5\,Pa$）の水素ガスを通じたものが SHE で，電極反応は次のように表される．

$$2H^+ + 2e^- \rightleftharpoons H_2 \qquad E° = 0.000\,V$$

　SHE の電極電位は，全ての温度で 0.000 V と定められている．

2) 銀—塩化銀電極

AgCl で被覆した Ag を塩化カリウム水溶液に浸した電極で，電池図式と電極反応は次のように表される．

$$\text{Ag} \,|\, \text{AgCl, KCl} \,\|$$

$$\text{AgCl} + \text{e}^- \; \rightleftarrows \; \text{Ag} + \text{Cl}^- \qquad E^\circ_{\text{AgCl/Ag}} = 0.222 \text{ V}$$

$$E = E^\circ_{\text{AgCl/Ag}} - 0.059 \log \frac{a_{\text{Ag}} a_{\text{Cl}^-}}{a_{\text{AgCl}}} = E^\circ_{\text{AgCl/Ag}} - 0.059 \log a_{\text{Cl}^-} \qquad (25℃)$$

銀—塩化銀電極の電位は塩化物イオン濃度に依存する．飽和 KCl 溶液（約 4.2 M）を用いた場合，SHE に対して +0.197 V を示す（25℃）．

3) 飽和カロメル電極 (saturated calomel electrode, SCE)

塩化カリウムの飽和水溶液に，カロメル（Hg_2Cl_2）と水銀を浸した電極で，"飽和"は KCl 濃度が飽和していることを意味している．

$$\text{Hg} \,|\, \text{Hg}_2\text{Cl}_2\text{, KCl（飽和）} \,\|$$

$$\text{Hg}_2\text{Cl}_2 + 2\text{e}^- \; \rightleftarrows \; 2\text{Hg} + 2\text{Cl}^- \qquad E^\circ_{\text{Hg}_2\text{Cl}_2/\text{Hg}} = 0.268 \text{ V}$$

$$E = E^\circ_{\text{Hg}_2\text{Cl}_2/\text{Hg}} - \frac{0.059}{2} \log \frac{(a_{\text{Hg}})^2 (a_{\text{Cl}^-})^2}{a_{\text{Hg}_2\text{Cl}_2}}$$

$$= E^\circ_{\text{Hg}_2\text{Cl}_2/\text{Hg}} - 0.059 \log a_{\text{Cl}^-} \qquad (25℃)$$

銀—塩化銀電極の場合と同様に，カロメル電極の電位は塩化物イオン濃度に依存し，SCE は SHE に対して +0.241 V を示す（25℃）．

　上述したように，全ての標準電極電位（E°）の基準は標準水素電極（SHE）である．しかし，SHE は取り扱いが容易ではないため，通常の電気化学測定では，銀—塩化銀電極あるいは飽和カロメル電極（SCE）が用いられる．いずれの電極も，その電位は塩化物イオン濃度に依存し，飽和 KCl 溶液を用いることで容易に一定値にすることができる（溶液が蒸発しても，塩化物イオン濃度が変化しない）．

　なお，異なる参照電極で測定した電極電位を比較する場合，SHE に対する銀—塩化銀電極と SCE の電位に着目すればよい．例えば，銀—塩化銀電極（飽和 KCl 溶液）を用いて測定した電極電位は，その値に 0.197 V を加えれば SHE 基準の電位に換算できる．同様に，SCE を用いた場合，測定電位に 0.241 V を加えれば SHE 基準の電位になる．

4.2　電位差測定法（ポテンシオメトリー）

参照電極に対する指示電極の無電流電位を測定することにより，pH やイオンなどの溶存化学種の濃度（活量）を測定することができる．

4.2.1　測定原理と装置

電位差測定法では通常図 4.5 に示すような装置を用いる．測定したい物質を含む試料溶液に指示電極と参照電極を浸す．2 つの電極間の電位差（起電力）は入力抵抗の極めて大きな電圧計で測定する．

　　　参照電極 ∥ 試料溶液 ∣ 指示電極

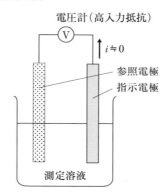

図 4.5　電位差測定装置

参照電極と指示電極の電位をそれぞれ E_{ref}, E_{ind} とすると，そのときの起電力 E は次式で表される．

$$E = E_{ind} - E_{ref} + E_j$$

ここで，E_j は参照電極の内部溶液と試料溶液との間（塩橋）に生じる電位差で，液間電位と呼ばれる．液間電位は，異種の電解質溶液が接するとき，その界面に必ず生じる電位差で，溶液に含まれる陽イオンと陰イオンの移動度が異なるために生じる．液間電位は電位差測定の確度と精度を制限するため，できるだけ小さくかつ一定にする必要があり，通常，塩橋の電解質には高濃度の KCl が用いられる．これは，K^+ と Cl^- の移動度がほぼ同じためで，KCl を用いることで液間電位は数 mV 以下に抑えられる．

参照電極は，試料溶液中の目的イオン及び他のイオンの濃度に依存しない一定の電位 E_{ref} を示す．上述したように，標準水素電極は取り扱いが不便であるため，銀—塩化銀電極あるいは飽和カロメル電極が用いられている．

指示電極は試料溶液中の目的イオンの濃度（活量）に応じた電位 E_{ind} を生じる．したがって，起電力 E を測定することで，試料溶液中の目的イオンの濃度（活量）を測定できる．

4.2.2 指示電極

指示電極は，金属電極およびイオン選択性電極（膜電極）に大別される．金属電極では，電極表面での酸化還元反応により電位を生じる．一方，イオン選択性電極では，酸化還元反応ではなく，イオンとの選択的な結合に基づく電位が生じる．

1) 金属指示電極

ある金属イオン M^{n+} の濃度（活量）を測定するために，その金属 M を指示電極として用いる．Ag や Hg, Cu, Zn などが用いられており，ネルンスト式に従った電位が発生する．例えば，銀電極を指示電極としたとき，Ag と Ag^+ は平衡状態になり，その電位 E_{ind} は次のネルンスト式で表される．

$$Ag^+ + e^- \rightleftarrows Ag \qquad E^\circ_{Ag^+/Ag} = 0.799 \text{ V}$$

$$E_{ind} = E^\circ_{Ag^+/Ag} - 0.059 \log \frac{a_{Ag}}{a_{Ag^+}} = E^\circ_{Ag^+/Ag} + 0.059 \log a_{Ag^+} \qquad (25℃)$$

よって，銀電極の電位 E_{ind} は活量の対数（$\log a_{Ag^+}$）に比例し，溶液中の Ag^+ の活量が10倍変化すると，電位 E_{ind} は 59 mV 変化する（25℃）．

金属指示電極は，自身の金属イオンだけでなく，金属イオンと難溶性沈殿を形成する陰イオンの活量にも応答する．例えば，銀電極は，溶液中の Cl^- の活量に依存して電位が変化する．このとき，電極反応と電位応答のネルンスト式は，それぞれ次のように表される．

$$AgCl + e^- \rightleftarrows Ag + Cl^- \qquad E^\circ_{AgCl/Ag} = 0.222 \text{ V}$$

$$E_{ind} = E^\circ_{AgCl/Ag} - 0.059 \log \frac{a_{Ag} a_{Cl^-}}{a_{AgCl}} = E^\circ_{AgCl/Ag} - 0.059 \log a_{Cl^-} \qquad (25℃)$$

このように，銀電極は Cl^- にも応答するため，硝酸銀標準液による Cl^- の沈殿滴定の指示電極として用いることができる（4.2.3 電位差滴定）．

また，白金や金，パラジウムなどのように，酸化還元反応に関与しない不活性な金属は，酸化還元系の測定のための指示電極として用いられる（不活性酸化還元電極）．例えば，Ce^{4+} と Ce^{3+} を含む溶液に浸した白金電極の電位 E_{ind} は次のように表される．

$$E_{ind} = E^\circ_{Ce^{4+}/Ce^{3+}} - 0.059 \log \frac{a_{Ce^{3+}}}{a_{Ce^{4+}}} \qquad (25℃)$$

2) イオン選択性電極（膜電極）

イオン選択性電極（膜電極）はイオンセンサーとも呼ばれ，特定のイオンに選択的に応答し電位を発生する．イオン選択性電極の重要な特徴は，特定のイオンと選択的に結合・透過させる薄膜を利用していることで，試料溶液中の目的イオン A と電極内部のイオン A の活量（濃度）差によって生じる膜電位を測定する（濃淡電池）．

膜電位の発生は次のように考えることができる（図4.6）．2つの溶液が薄膜で仕切ら

れており，両側の溶液には A_1, A_2, A_3, …などのイオンが溶けているが，薄膜は A_1 のみを透過することができる.

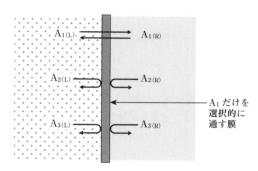

図4.6　膜電位の発生

左側の溶液 L$(a_{A_1(L)})$ | 薄膜 | 右側の溶液 R$(a_{A_1(R)})$
　　　　　　E_1　　　　E_2

膜の左右で A_1 の活量（濃度）差があるとき，A_1 だけが膜内を拡散するため，溶液と膜界面近くで陽イオンと陰イオンの数が異なる領域ができる.　このとき，膜と試料溶液の界面（左側）には電位差 E_1 が発生する.　同様に，膜の右側の界面にも電位差 E_2 が発生する.　両者をまとめると，膜を横切る電位差（膜電位）E_m は，次式で表される.

$$E_m = E_1 - E_2 = \frac{2.303RT}{nF} \log \frac{a_{A_1(L)}}{a_{A_1(R)}} = \frac{0.059}{n} \log \frac{a_{A_1(L)}}{a_{A_1(R)}} \quad (25℃)$$

ここで，$a_{A_1(L)}$ と $a_{A_1(R)}$ は，それぞれ左側および右側溶液中の A_1 の活量，n は A_1 の電荷数である.

イオン選択性電極では，薄膜の内側（図4.6では右側）に活量既知（一定）の A_1 を含む溶液（内部溶液）を用いて電極を構成する（図4.7）.　このとき，膜電位は次のように表される.

$$E_m = \frac{2.303RT}{nF} \log \frac{a_{A_1(L)}}{a_{A_1(R)}} = C + \frac{0.059}{n} \log a_{A_1(L)} \quad (25℃)$$

ここで，$C = -0.059 \log a_{A_1(R)}$ であり，定数と見なすことができる.　したがって，膜電位 E_m は試料溶液中（図4.6では左側）の A_1 の活量のみに依存し，膜電位 E_m を測定することで，A_1 の活量を計測することができる.　すなわち，試料溶液中の A_1 の活量が10倍変化すると，膜電位 E_m は $\frac{0.059}{n}$ mV 変化する（25℃）.　この式は，ネルンスト式と呼ばれ，全てのイオン選択性電極の電位応答にあてはまる.　また，比例定数 $\frac{2.303RT}{nF}$ はネルンスト係数と呼ばれ，その値は測定温度や目的イオンの電荷数に依存し，分析対象のイオンが陰イオンの場合，n の符号は負になることに注意する.

イオン選択性電極としては，ガラス薄膜電極（pH測定）のほか，各種イオンを計測できる固体膜電極と液膜型電極が広く用いられている.

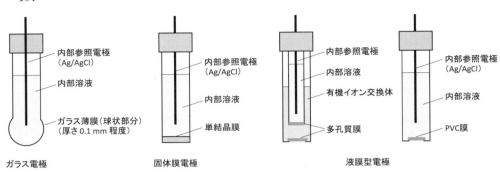

図 4.7　種々のイオン選択性電極

①　ガラス薄膜電極

　pH を測定するためのガラス電極は，最も一般的なイオン選択性電極の 1 つである．ガラス薄膜により，水素イオンの活量の異なる 2 つの溶液（試料溶液・内部溶液）を隔てて電池（濃淡電池）を構成する（図 4.7）．このセルの典型的な電池図式は次のようになる．

$$\underbrace{\text{Ag}|\text{AgCl}|\text{Cl}^- \|}_{\text{外部参照電極（}E_{\text{ref(ext)}}\text{）}} 試料溶液（\text{H}^+）\overbrace{|\text{ガラス薄膜}|内部溶液（\text{H}^+, \text{Cl}^-）}^{\text{ガラス指示電極（}E_{\text{ind}}\text{）}}\underbrace{|\text{AgCl}|\text{Ag}}_{\text{内部参照電極（}E_{\text{ref(int)}}\text{）}}$$

　試料溶液と内部溶液の水素イオンの活量を，それぞれ $a_{\text{H}^+(\text{試料})}, a_{\text{H}^+(\text{内部})}$ とすると，ガラス薄膜の膜電位 E_{m} と起電力 E は次のように表される．

$$E_{\text{m}} = \frac{2.303RT}{F} \log \frac{a_{\text{H}^+(\text{試料})}}{a_{\text{H}^+(\text{内部})}} = 0.059 \log \frac{a_{\text{H}^+(\text{試料})}}{a_{\text{H}^+(\text{内部})}} \quad (25℃)$$

$$E = E_{\text{ind}} - E_{\text{ref(ext)}} + E_{\text{j}}$$
$$= (E_{\text{m}} + E_{\text{ref(int)}}) - E_{\text{ref(ext)}} + E_{\text{j}}$$
$$= (E_{\text{ref(int)}} - E_{\text{ref(ext)}} + E_{\text{j}}) + 0.059 \log \frac{a_{\text{H}^+(\text{試料})}}{a_{\text{H}^+(\text{内部})}} \quad (25℃)$$

　ここで，参照電極の電位（$E_{\text{ref(int)}}, E_{\text{ref(ext)}}$），液間電位 E_{j}，および内部溶液の水素イオンの活量 $a_{\text{H}^+(\text{内部})}$ は一定と見なすことができる．これらをまとめて E_{cons} とおくと，ガラス膜電極の応答（起電力）は次のようになる．

$$E = E_{\text{cons}} + 0.059 \log a_{\text{H}^+(\text{試料})} = E_{\text{cons}} - 0.059\,\text{pH} \quad (25℃)$$

　理想的なガラス膜電極の電位は，試料溶液の pH が 1 変化すると，59 mV 変化する（25℃）．しかし，実際には用いるガラス電極ごとに補正係数を考慮した値（$\beta \times 0.059$）を求める必要がある．また，E_{cons} もガラス電極によって異なり，同一の電極でも長期間の使用によってその値が変化する．したがって，実際に未知試料溶液の pH を測定するとき

には，あらかじめ pH が既知の標準緩衝液を少なくとも 2 つ用いて電位を測定し，E_{cons} と（$\beta \times 0.059$）を求めなければならない．この操作をガラス電極の校正という．標準緩衝液として中性リン酸緩衝液（pH 6.86, 25℃），フタル酸緩衝液（pH 4.02, 25℃），ホウ酸緩衝液（pH 9.01, 25℃）などが市販されており，例えば，酸性側ではフタル酸緩衝液とリン酸緩衝液を，塩基性側ではホウ酸緩衝液とリン酸緩衝液を用いてガラス電極を校正する．

　このように校正したガラス電極で未知試料の電位 $E_{試料}$ を測定する．緩衝液の pH を $pH_{標準}$，その電位を $E_{標準}$ とすると，未知試料溶液の $pH_{試料}$ は次のように求められる[*1][*2]．

$$pH_{試料} = pH_{標準} + \frac{(E_{標準} - E_{試料})}{\beta \times 2.303RT/F} = pH_{標準} + \frac{(E_{標準} - E_{試料})}{\beta \times 0.059} \qquad (25℃)$$

　ガラス電極の pH 応答は，ガラス膜表面の水和ゲル層（10 nm 程度の厚さ）でのイオン交換平衡に基づいている．すなわち，ガラス成分の Na^+ と溶液中の H^+ とのイオン交換反応で，H^+ が水和ゲル層に強い親和性（平衡定数）を示すため，ガラス電極は H^+ に対して選択的に応答する．しかし，塩基性溶液で，かつ Na^+ 濃度が高いとき，ガラス電極は Na^+ にも応答して，真の pH よりも低い値として計測される．これをナトリウム誤差，あるいはアルカリ誤差といい，Na^+ の影響は以下のように表される．

$$E = E_{cons} + 0.059 \log (a_{H^+} + K_{H^+,Na^+} \cdot a_{Na^+}) \qquad (25℃)$$

　ここで，K_{H^+,Na^+} は選択係数といわれ，この値が大きいほど Na^+ の妨害が大きくなる（選択係数が 0 であれば，妨害はない）．

　通常，アルカリ誤差は pH 9 以下では無視できる．また，ガラス膜組成を変えることで，アルカリ誤差を軽減した電極も市販されており，強塩基性溶液の pH 測定が必要な場合には，それらの専用の電極を用いるのがよい．

②　固体膜電極

　ハロゲン化銀，硫化銀などの難溶性沈殿を加圧成形または焼結した薄膜や，フッ化ランタンの単結晶膜が固体膜電極として用いられている（表 4.2）．一般的な固体膜電極の構造を図 4.7 に示す．内部溶液には，分析対象となる目的イオンと，内部参照電極用の Cl^- が含まれている．ガラス薄膜電極と同様に，試料溶液と内部溶液中の目的イオンの活量（濃度）の差によって電位差（膜電位）が発生し，目的イオンに対して選択的な電位応答が得られる．

---

　*1　水素イオン単独の活量 a_{H^+} は正確に実測できない．この式は，「pH を実験的に求める定義」として広く認められている．
　*2　主に液間電位と標準緩衝液の不確かさのため，未知試料の pH 測定の絶対的な正確さは，±0.02 pH に制限される．

表 4.2 　主な固体膜電極

電　極	膜　物　質	検出範囲 (M)	主な妨害イオン（選択係数）
F^-	LaF_3	$1 \sim 10^{-6}$	OH^- (0.1)
Cl^-	$AgCl$ $AgCl - Ag_2S$	$1 \sim 10^{-6}$	S^{2-}, I^- (2×10^6), CN^- (5×10^6), Br^- (3×10^2)
Br^-	$AgBr$ $AgBr - Ag_2S$	$1 \sim 10^{-6}$	S^{2-}, CN^- (1.2×10^4), I^- (5×10^3)
I^-	AgI, $AgI - Ag_2S$	$1 \sim 5 \times 10^{-6}$	S^{2-}
CN^-	AgI	$0.01 \sim 10^{-6}$	S^{2-}, I^- (10)
SCN^-	$AgSCN$	$1 \sim 10^{-5}$	S^{2-}, I^-, Br^- (3×10^2)
S^{2-}	Ag_2S	$1 \sim 10^{-7}$	
Ag^+	Ag_2S	$1 \sim 10^{-7}$	Hg^{2+}
Cu^{2+}	$CuS - Ag_2S$	$1 \sim 10^{-7}$	Ag^+, Hg^{2+}, Fe^{3+} (10)
Cd^{2+}	$CdS - Ag_2S$	$1 \sim 10^{-6}$	Ag^+, Hg^{2+}, Cu^{2+}, Fe^{3+} は同量以下
Pb^{2+}	$PbS - Ag_2S$	$1 \sim 10^{-6}$	Ag^+, Hg^{2+}, Cu^{2+}, Cd^{2+} と Fe^{3+} は同量以下

　フッ化物イオン電極は，特に優れた固体膜電極で，伝導率を増すためにフッ化ユウロピウム（II）をドープしたフッ化ランタンの単結晶を膜物質として用いている．このセルの典型的な電池図式は次のようになる．

$$\underbrace{Ag \,|\, AgCl \,|\, Cl^- \,\|}_{外部参照電極} 試料溶液 (F^-) \,|\, LaF_3 \,|\, 内部溶液 (F^-, Cl^-) \,\underbrace{|\, AgCl \,|\, Ag}_{内部参照電極}$$

　試料溶液中のフッ化物イオンの活量を a_{F^-} とすると，F^- 電極の応答（起電力）は次のネルンスト式で表される．

$$E = E_{cons} - \frac{2.303RT}{F} \log a_{F^-} = E_{cons} - 0.059 \log a_{F^-} \qquad (25℃)$$

　F^- 電極は，$1 \sim 10^{-6}$ M の濃度範囲でほぼネルンスト応答（ネルンスト式に従う電位応答）を示す．その応答は F^- に対して極めて選択的で，唯一の妨害イオンは OH^- である（選択係数 $K_{F^-, OH} = 0.1$）．

　実際の測定では，あらかじめ標準溶液で検量線を作成し，未知試料に対する電位応答を測定する．このとき，高イオン強度の溶液で標準溶液と未知試料を希釈する．これにより，溶液のイオン強度が一定に保たれるため，F^- の活量係数 γ_{F^-} がすべての溶液中で一定となり，電位応答は $\log [F^-]$ に比例する．

$$E = E_{cons} - 0.059 \log \gamma_{F^-} [F^-] = (E_{cons} - 0.059 \log \gamma_{F^-}) - 0.059 \log [F^-] \qquad (25℃)$$

　また，検量線の作成が不要な標準添加法もたいへん有用である．この方法では，一定容量の未知試料溶液に，一定容量の標準溶液を少量添加して電位を測定する．標準液添加による濃度変化を $\Delta [F^-]$ とすると，添加前後の電位は次のように表される．

$$E_1 = E_{\mathrm{cons}} - 0.059 \log \gamma_{\mathrm{F}^-}[\mathrm{F}^-] \qquad (25℃)$$

$$E_2 = E_{\mathrm{cons}} - 0.059 \log \gamma_{\mathrm{F}^-}([\mathrm{F}^-]+\Delta[\mathrm{F}^-]) \qquad (25℃)$$

標準液の添加による活量係数の変化が無視できるほど小さいとすると，未知試料溶液中の $[\mathrm{F}^-]$ は次式から求められる．

$$\Delta E = E_1 - E_2 = 0.059 \log \frac{[\mathrm{F}^-]+\Delta[\mathrm{F}^-]}{[\mathrm{F}^-]} \qquad (25℃)$$

③　液膜型電極

　液膜型電極では，分析対象の目的イオンと選択的に結合する疎水性イオン交換体あるいは電荷中性の疎水性配位子（ニュートラルキャリア）を感応物質として用いる（表 4.3）．液膜型電極に用いられる感応物質はイオノフォアとも呼ばれ，適切な疎水性有機溶媒と混合したイオノフォアを多孔質膜に保持させることで，液膜型電極を構成する（図 4.7）．また，イオノフォアを高分子膜（ポリ塩化ビニル（PVC））に含浸したプラスチック薄膜（PVC 膜と呼ばれる）も広く用いられている（図 4.7）．ガラス薄膜電極や固体膜電極と同様に，内部溶液には，分析対象となる目的イオンと内部参照電極用の Cl^- が含まれている．

　液膜型電極の代表例は，ジアルキルリン酸カルシウム [I] をイオン交換体として用いる Ca^{2+} 電極で，$1 \sim 10^{-4}\,\mathrm{M}$ の濃度範囲でネルンスト応答を示す．

$$E = E_{\mathrm{cons}} + \frac{2.303RT}{2F} \log a_{\mathrm{Ca}^{2+}} = E_{\mathrm{cons}} + \frac{0.059}{2} \log a_{\mathrm{Ca}^{2+}} \qquad (25℃)$$

　種々のジアルキルリン酸カルシウム誘導体が開発されており，Na^+ や K^+，Mg^{2+}，Ba^{2+} に対して，1000 倍を超える選択性をもつ Ca^{2+} 電極が市販されている．

　また，イオノフォアとしてバリノマイシン [II] を用いる K^+ 電極もその有用性が広く認められている．バリノマイシン*3は，Streptomyces fulvissimus の培養菌体から抽出された中性環状ペプチド（抗生物質）で，K^+ を三次元的に包み込むことにより，K^+ と選択的に 1：1 複合体を形成する．この K^+ 電極は，$1 \sim 10^{-5}\,\mathrm{M}$ の濃度範囲でネルンスト応答を示し，K^+ に対する選択性は Na^+ の約 10^4 倍に達する（選択係数 $K_{\mathrm{K}^+,\mathrm{Na}^+}=0.002$）．

$$E = E_{\mathrm{cons}} + \frac{2.303RT}{F} \log a_{\mathrm{K}^+} = E_{\mathrm{cons}} + 0.059 \log a_{\mathrm{K}^+} \qquad (25℃)$$

　液膜型電極のイオノフォア開発は極めて精力的に行われ，アルカリ金属イオンに対しては，クラウンエーテルの有用性が広く知られている．例えば，14-クラウン-4 誘導体 [III] による Li^+ 電極や 12-クラウン-4 誘導体 [IV] による Na^+ 電極は，いずれも優れた選択性を示す．また，アルカリ土類金属（Mg^{2+}，Ca^{2+}）に対するアミド型のイオノフォア（[V]，[VI]）や塩化物イオンに対するチオ尿素型のイオノフォア [VII] が開発・市販されている．

---

　*3　カリウムイオンと選択的に包接化合物を形成することによりカリウムを細胞内に送り込み，ミトコンドリアにおける酸化的リン酸化を阻害する．

表 4.3　主な液膜型電極

目 的 イオン	感応物質 （イオノフォア）	溶　　媒 （可塑剤）	検出範囲 （M）	主な妨害イオン（選択係数）
Ca^{2+}	リン酸ジアルキルエステル [I]	ジオクチルフェニルリン酸	$1\sim10^{-4}$	Na^+, $K^+(10^{-4})$, $Mg^{2+}(0.014)$, $Ba^{2+}(0.010)$
Ca^{2+}	HDOPP-Ca	DOPP（PVC膜）	$1\sim10^{-6}$	Na^+, K^+, $Mg^{2+}(<10^{-3})$
Ca^{2+}	ETH129 [VI]	NPOE（PVC膜）	$\sim1.6\times10^{-9}$	$Na^+(5.0\times10^{-9})$, $K^+(7.9\times10^{-11})$, $Mg^{2+}(5.0\times10^{-10})$
K^+	バリノマイシン [II]	DOS（PVC膜）	$1\sim10^{-5}$	$Na^+(0.002)$
Li^+	ジベンジル-14-クラウン-4 [III]	NPPE/TEHP（PVC膜）	$\sim5\times10^{-6}$	$Na^+(1.3\times10^{-3})$, $K^+(6.5\times10^{-4})$, $Ca^{2+}(3.0\times10^{-5})$, $Mg^{2+}(2.5\times10^{-5})$
Na^+	ビス (12-クラウン-4) [IV]	NPOE（PVC膜）	$10^{-1}\sim10^{-4}$	$Li^+(1\times10^{-3})$, $K^+(1\times10^{-2})$, Ca^{2+}, $Mg^{2+}(1\times10^{-4})$
Mg^{2+}	C14-K22B5 [V]	NPOE（PVC膜）	$10^{-1}\sim10^{-5}$	$Li^+(1.6\times10^{-4})$, $Na^+(6.3\times10^{-4})$, $K^+(0.03)$, $Ca^{2+}(3.2\times10^{-3})$
Cl^-	トリドデシルメチルアンモニウム塩酸塩	DOS（PVC膜）	$10^{-1}\sim9\times10^{-5}$	$SCN^-(2000)$, $NO_3^-(32)$, $I^-(400)$, $Br^-(10)$
Cl^-	ビスチオウレア [VII]	NPOE（PVC膜）	$\sim6.5\times10^{-6}$	$SCN^-(40)$, $NO_3^-(5)$, $I^-(3.2)$, $Br^-(2.5)$

HDOPP-Ca：ビス（4-n-オクチルフェニル）リン酸カルシウム，DOPP：ジオクチルフェニルホスホネート，NPOE：2-ニトロフェニルオクチルエーテル，DOS：セバシン酸ジオクチル，NPPE：2-ニトロフェニルフェニルエーテル，TEHP：りん酸トリス（2-エチルヘキシル）

[I]　[II]　[III]

[IV]　[V]

[VI]　[VII]

4.2.3　電位差滴定

　参照電極と指示電極を組み合わせて被滴定液に浸し，滴定液の滴下によって変化する電位差（起電力）を測定する．滴定量と電位差の関係をプロットし（滴定曲線），その変曲点を求めて当量点を決定する方法で，酸塩基滴定，沈殿滴定，酸化還元滴定およびキレート滴定のいずれにも適用できる．

　いま一例として，Cl^- を含む溶液に指示電極として銀線を挿入し，硝酸銀標準溶液で滴定する沈殿滴定を考える．当量点までは Cl^- が過剰に存在し，当量点を過ぎると Ag^+ が過剰になる．このとき，銀電極の電位はそれぞれ次のように表される．

$$当量点前：E_{ind} = E^{\circ\prime}_{AgCl/Ag} - 0.059 \log [Cl^-] \quad (25℃)$$

$$当量点後：E_{ind} = E^{\circ\prime}_{Ag^+/Ag} + 0.059 \log [Ag^+] \quad (25℃)$$

ここで，$E^{\circ\prime}$ は条件標準電位（式量電位）であり，溶液の組成（イオン強度や pH など）が一定であれば定数となる（基礎編第 6 章参照）．

　当量点では，$[Ag^+]=[Cl^-]=\sqrt{K_{sp, AgCl}}$ より，その電位 E_{eq} は次のようになる．

$$E_{eq} = E^{\circ\prime}_{AgCl/Ag} - 0.059 \log \sqrt{K_{sp, AgCl}} = E^{\circ\prime}_{Ag^+/Ag} + 0.059 \log \sqrt{K_{sp, AgCl}} \quad (25℃)$$

4.2.4　その他のセンサー

　これまでは主として水溶液中のイオンに感応する電極について説明した．イオンばかりでなく，酸素や過酸化水素，酵素の基質なども電位差測定により測定することができる．また選択的な検出を行うため酵素膜をつけた酵素センサーについても述べる．

1)　酸素電極

　酸素電極は酸素透過性膜と内部電極からなるクラーク型電極があり，透過した酸素を定電位で電解し，そのときの電流を求めるポーラログラフィック型と，外部電源を用いず電池電流を求めるガルバニ電池式がある．クラーク型酸素センサーの構成を図 4.8 に示す．カソード表面に酸素透過性プラスチック膜がある．酸素はプラスチック膜を透過し，カソード表面に達し，電気化学的に還元される．このときの電流は酸素分圧に比例するため，電流値から酸素濃度を測定できる．化学研究に用いるものとして以下の 2 つの形式がある．

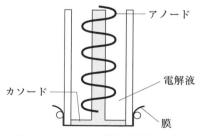

図 4.8　クラーク型酸素電極の構造

① 定電位電解型酸素電極（ポーラログラフィック型）

外部電源により酸素を定電位電解するもので，白金カソードと銀・塩化銀アノードおよび塩化カリウム電解液を用いることが多い．酸素透過性膜としては厚さ $10\sim20\,\mu\mathrm{m}$ テフロンまたはシリコン膜が用いられている．銀・塩化銀電極に対して $-0.6\,\mathrm{V}$ の電位に設定したカソード（白金電極）では次のような酸素の還元反応が起こる．

$$O_2 + 2H_2O + 4e^- \longrightarrow 4OH^- (-0.6\,\mathrm{V}\ vs.\ \mathrm{Ag/AgCl})$$

アノード（銀電極）では銀が酸化され塩化銀となる．

$$4Ag + 4Cl^- \longrightarrow 4AgCl + 4e^-$$

酸素が電気分解される際の電流は酸素分圧に比例するので，濃度を求めることができる．

② ガルバニ電池式

ガルバニ電池式では外部電源を用いることはなく，以下の2つの電極で電池を構成し，その際に流れる電流を測定する．カソードには白金，アノードには鉛を用いる．電解質に塩基性電解液（KOH）を使う．白金カソードは非多孔性フッ素樹脂の隔膜をとおして透過した酸素を還元し，Pb アノードでは Pb が水酸化物イオンと反応して酸化鉛を生成する．

$$\mathrm{Pt}\ \text{カソード}:O_2 + 2H_2O + 4e^- \longrightarrow 4OH^-$$

$$\mathrm{Pb}\ \text{アノード}:2Pb + 4OH^- \longrightarrow 2PbO + 2H_2O + 4e^-$$

このときに流れる微小電流を測定する．酸素分圧に比例した出力が得られる．校正は通常酸素濃度ゼロと空気または酸素飽和水の2点で行うことが多い．溶存酸素ゼロでは $0.5\sim1\,\mathrm{M}$ 亜硫酸ナトリウム水溶液を用いる．

2) 過酸化水素電極

定電位電解式酸素電極と同様の原理に基づいている．図 4.9 に示す構造で，多孔性高分子膜を透過した過酸化水素を白金アノードで定電位電解酸化（銀・塩化銀電極に対して $+0.6\,\mathrm{V}$）を行い，このときに流れた電流を測定することにより過酸化水素濃度を測定する．電解液には塩化カリウムなどを用い，カソードには Ag/AgCl 電極を用いる．カソードおよびアノードにおける反応は以下のとおりである．

カソード：$2AgCl + 2e^- \longrightarrow 2Ag + 2Cl^-$

アノード：$H_2O_2 \longrightarrow 2H^+ + O_2 + 2e^-$

この電極の場合，多孔性高分子膜は水その他の共存成分も通すので還元物質の共存に注意する必要がある．また過酸化水素電極は酵素電極の下地電極として用いることができる．

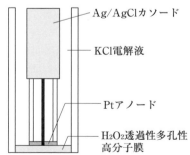

図 **4.9** 過酸化水素電極の構造

3)　酵素電極

　これまでに述べた単一成分を測定する電極と固定化酵素を組み合わせると，バイオセンサー（酵素電極）を構成することができる．すなわち，酵素を電極表面に固定化し，酵素反応に必要な成分を測定する．例としてグルコースオキシダーゼを酸素電極表面に固定化したグルコースセンサーの原理について述べる（図4.10）．グルコースオキシダーゼ（GOD）は，補酵素としてフラビンアデニンジヌクレオチド（FAD）と以下のような反応により，グルコースを溶存酸素によって酸化し，グルコノラクトンと過酸化水素を生成する．

$$\beta\text{-D-glucose} + H_2O + FAD + O_2 \longrightarrow \text{グルコノラクトン} + H_2O_2 + FADH_2$$

　したがって，GOD固定化膜を酸素電極表面に装着すると，グルコース濃度が測定できることになる．

　この際，キャリヤー液には空気または酸素を飽和させておく．グルコースが存在しないときには，GOD固定化膜を通して一定量の酸素が電極表面に到達する．グルコースが表面にくるとGOD固定化膜で反応し，この際に酸素を消費するので，表面に到達する酸素濃度が減少する（図4.10b）．この減少量はグルコースの濃度に比例する．電極には過酸化水素電極も使用できる．

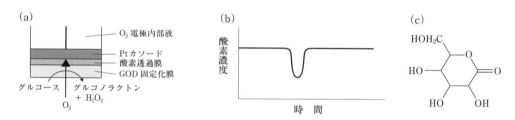

図4.10　グルコースに応答する酵素電極
（a）酵素電極の構造　　（b）電極の応答　　（c）グルコノラクトンの構造

　同様に尿素はウレアーゼ固定化酵素膜をアンモニア電極に装着して，尿酸はウリカーゼ固定化酵素膜を酸素電極に装着して測定できる．尿酸のウリカーゼによる酸化反応を図4.11に示した．尿酸はウリカーゼの触媒作用により酸素と反応し，アラントインと二酸化炭素を生成するので，酸素電極を用いることで酸素濃度の減少量から尿酸の量を計測できる．

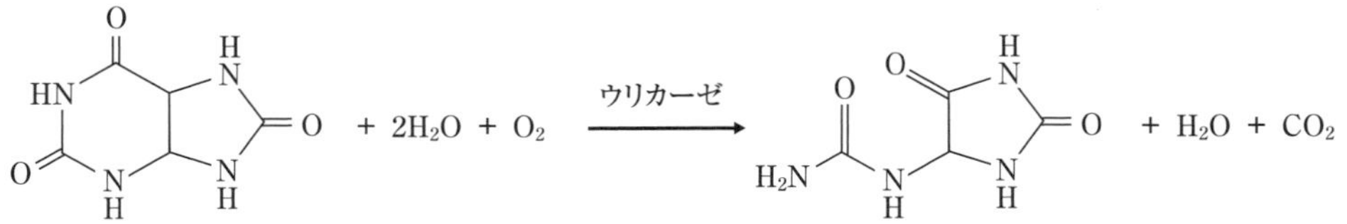

図 4.11 ウリカーゼによる尿酸の酸化反応

4.3 電解分析と電量分析

　測定対象物質を電気分解することにより生成した物質の重量（質量）を測定，あるいは電気分解に要した電気量を測定することにより定量する方法である．絶対定量法として使用できる．測定対象の電解質成分を含む溶液に電極を入れ，ここに電圧を徐々に印加していくと電気分解（電解）に基づく電流が流れる．このとき，水の電気分解は起こらない電圧とする．この電流は溶質の関与する酸化還元反応によって生じたものである．電解電圧は反応種の成分によって異なる．電気分解後，電極上に析出した成分の重量（質量）を測定することにより元の測定対象成分が定量できる．これを電解重量分析法という．このときに電解するために要した電気量（クーロン量）を測定することにより電解された成分の量を測定する方法を，電量分析法あるいはクーロメトリーという．

　電解重量分析法は，電極間に流れる電流を一定の値に制御しながら測定する定電流電解法と，電極に印加する電圧を，ポテンシオスタットを使用して一定の値に設定し，このときに流れる電流を測定する定電圧電解法に大別される．

　電量分析法は電解重量分析法と同じ電極系で測定できる．測定法についても定電流法と定電圧法が使用される．測定は電流値を精密に測ることにより行うが，電解効率 100% で電気分解を行ったときには，電流値と時間から求めた電気量を用いて目的物質を定量することができる．電気量と物質量が 1:1 で対応することから絶対量が測定できる分析法（絶対定量法）の 1 つで，標準溶液や検量線の作成などは不要である．

4.3.1　電解重量分析法

1)　定電流電解法

　硫酸銅の硫酸水溶液中に 2 本の白金電極が浸してある場合を考える．水溶液中には水の他に水素イオン，硫酸イオン，銅イオンなどが存在している．カソード（陰極）とアノード（陽極）の間には外部電源から電圧が印加されているので，カソードで起こる反応としては以下の 2 つの電極反応が考えられる．

$$Cu^{2+} + 2e^- \longrightarrow Cu_{(s)} \quad (E^\circ_{Cu^{2+}/Cu} = +0.34\ V)$$

$$H^+ + 2e^- \longrightarrow \frac{1}{2}H_{2(s)} \quad (E^\circ_{H^+/H_2} = +0.000\ V)$$

　銅イオンの還元電位は水素イオンの還元電位よりずっと大きく，銅イオンの還元・析出が先に起こる．また銅イオンに与えられた電子は電流として観測される．一方アノードでは酸化反応として以下の反応が考えられる．

$$H_2O \longrightarrow 2H^+ + \frac{1}{2}O_2 + 2e^-$$

　実際にカソード・アノード間の電圧 E_{ap} を徐々に上げていくと，カソードでは銅イオンの還元反応が，アノードでは水の酸化反応が起こる．電解電流の大きさを I，溶液の抵抗を R とすると，印加電圧とアノードおよびカソード極の電位の間には以下の関係がある．

$$E_{ap} = E_{anode} - E_{cathode} + IR$$

　印加電圧はアノード電位からカソード電位を引き，電解電流によるドロップ分（IR）を加えたものに等しい[*4]．アノードおよびカソードの電位は以下の Nernst の式で表される．

$$E_{anode} = E^\circ_{O_2/H_2O} + \frac{0.059}{2}\log\left(a_{H^+}^2 \cdot a_{O_2}\right)$$

$$E_{cathode} = E^\circ_{Cu^{2+}/Cu} + \frac{0.059}{2}\log a_{Cu^{2+}}$$

　結果的にアノードでは水分子の酸化反応により酸素ガスと水素イオンが発生し，カソードでは銅イオンが析出する．つまり，カソードでは $E_{cathode}$ が大きい，アノードでは E_{anode} が小さい電極反応がそれぞれ優先的に起こる．しかし，電極電位は Nernst 式に従うため，溶液中の金属イオン濃度の減少とともに徐々に変化する（図 4.12）．定電流で電気分解を続け銅イオンが溶液からなくなると，一定電流を供給するために必要な電位は銅イオンの電気分解の電位から水素イオンの還元の電位に変化するため，定電流とするために印加する電圧が急激に上昇する．ここが電気分解の終了点である．電気分解終了後，電極を洗浄し乾燥後重量を量って析出した銅を定量する．図 4.13 に装置の概略図を示した．

---

　*4　実際には電極の種類と電流に依存する過電圧（w）を考慮した以下の式となる．上ではこの影響は無視している．w_{anode} および $w_{cathode}$ はそれぞれ酸素過電圧，水素過電圧といわれる．
$$E_{app} = (E_{anode} + w_{anode}) - (E_{cathode} - w_{cathode}) + IR$$

114

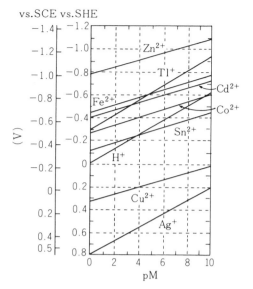

図 4.12　金属イオン濃度と陰極電位

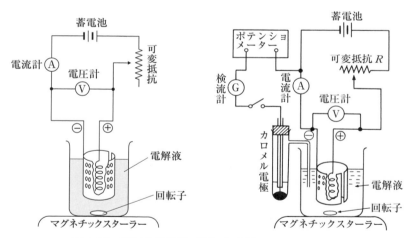

図 4.13　電解分析装置（左）と定電位電解装置（右）

次に銅イオンと銀イオンが含まれる溶液について考える．この場合，

$$E_{Ag} = E°_{Ag^+/Ag} + 0.059 \log a_{Ag^+} > E_{cu} = E°_{Cu^{2+}/Cu} + \frac{0.059}{2} \log a_{Cu^{2+}}$$

の関係が成り立っていれば，銀の析出が優先的に起こる．しかし，$E_{Ag} < E_{Cu}$ となると銅が析出しはじめる．このように他種類のイオンが共存する場合，特定のイオンだけを電極反応させるために作用電極の電位を一定にして行う方法がある．次にこれについて示す．

2)　定電位電解法

　1) で説明した銅の電気分解は電流値を一定にして電気分解を行った．電気分解の終点近くでは銅イオンの濃度が低下し，水素ガスも発生するので銅イオンの電気分解効率が大きく低下する．また，2 電極方式であるので目的とするカソードの電位は標準水素電極 (SHE) に対して未知の値となり，厳密にその値を制御することはできない．反応を選択的に進行させるためには作用電極の電位を制御して電解する．作用電極の電位を一定に保って電気分解するため，参照電極を新たに用い 3 電極方式（図 4.13）で電気分解する．銅の還元の場合，カソードの電位は銅イオンの還元電位よりも小さく設定し，さらにアノードで発生した酸素が測定に影響を及ぼすことがないように隔壁を用いて 2 つの電極を隔離して電気分解する．これによりカソードでは銅イオンのみが還元され，電解が進むに従って電流は徐々に減少し，最終的にはゼロに近い一定の値になったところで電気分解を終了する．この後，1) の方法と同様に電極を洗浄・乾燥し，重量の増加を測定することにより析出した銅を定量する．また，銀イオンと銅イオンが共存する場合の分別析出については次の例題 4.4 に示した．

例題 4.4

　Cu^{2+} と Ag^+ をそれぞれ 1.0×10^{-2} M 含む溶液について定電位電解によって銀を選択的に析出させたい．銀イオン濃度が $10\,\mu$M となったときに銀の析出が完了したとするとき，作用電極には標準水素電極を基準として何ボルトの範囲の電圧を印加すればよいか．ただし，各金属イオンの活量係数を 1 とする．

解　答

Nernst 式より銅が析出しはじめる電位は

$$E_{Cu} = E^{\circ}_{Cu^{2+}/Cu} + \frac{0.059}{2} \log [Cu^{2+}]$$

$$= 0.337 + \frac{0.059}{2} \log 0.01 = 0.278 \text{ V}$$

銀イオンが $10\,\mu$M のときの電位は

$$E_{Ag} = E^{\circ}_{Ag^+/Ag} + 0.059 \log [Ag^+]$$

$$= 0.779 + 0.059 \log 0.00001 = 0.504 \text{ V}$$

よって，$0.278 \sim 0.504$ V の範囲である．

4.3.2 電量分析法

電解重量分析法では，電極上に析出した物質の重量を測定することにより定量分析を行った．しかし，電気分解の効率が100％の条件では，析出した物質の量は電気分解に要した電気量に直接比例するので，重量を測定する代わりに電気量を測定すれば定量分析が可能となる．また生成種が電極上に析出しないような還元反応にも応用できる．すなわち鉄イオンの還元，有機溶媒中の水分測定などにも適用可能である．次のような反応の場合を考える．

$$M^{n+} + ne^- \longrightarrow M_{(s)}$$

1モルのMを析出するのに要する電気量は1原子当たりn個の電子を要することから，nFクーロンである．したがって分子量mの物質Wgを生成するのに要する電気量Qは

$$Q = \frac{W}{m}nF \text{ (C)}$$

となる．ここでFはファラデー定数（96500 C mol^{-1}）である．図4.14に定電位電量分析装置の概略図を示した．また，電気量は電流を時間で積分したものであるので，例えば，x-t レコーダーに電解電流（x）と電解時間（t）を描かせ，この曲線の下の面積を求めればよい（図4.15）.

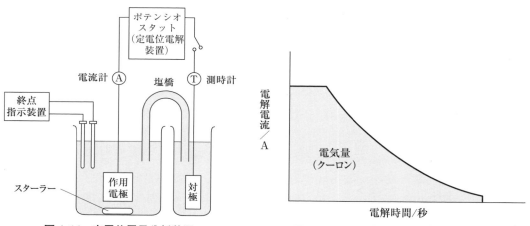

図4.14　定電位電量分析装置　　　　図4.15　電解電流の時間変化と電気量

4.4　ボルタンメトリー（電圧電流測定法）

ボルタンメトリーとは，溶液中のある溶質が酸化または還元される場合の電圧と，そのときに流れる電流を同時に測定する方法である．

4.4.1　ボルタンメトリーの装置

酸化または還元性の溶質を含む試料溶液に電極を入れ，その両極間に電圧を印加し徐々に変化させると，ある電圧から急に電流が流れ出す．これは溶質が電気分解されたためで，電流が流れ出す電圧は溶質によって異なる．また，電流の大きさは反応する電解物の濃度に依存する．このときの電圧と電流を同時に測定するため，電極に一定の電圧を印加し，そのときに流れる電流を記録する方法がボルタンメトリーである．また特に，作用電極に滴下水銀電極を用いる方法をポーラログラフィーといい，再現性のよい方法であったが，現在は環境影響を考慮して用いられなくなってきている．

4.1.2 で示した水の電気分解を例に説明する．このときは正極，負極とも白金電極などの不活性電極を用いて電気分解する．一方の極に対する他方の極の電圧が 1.5 V 付近を越えると電気分解が始まるが，この電圧は一方の極の他方の極に対する電圧である．例えば水が電気分解されるよりも小さな電圧で酸化や還元反応が起こる場合，一方の電極の電位の絶対値を知ることはできない．そこでボルタンメトリーでは電気分解が起こる作用電極（WE）の電位の絶対値を参照電極（RE）に対して一定値に設定し電気分解し，このときに流れる電流値を同時に測定する．また参照電極に大きな電流を流すとその電位が変化するため，作用電極で流れた電流と逆の電流を，対電極（CE）を用いて補償する．すなわち作用電極，参照電極，対電極の 3 つの電極で構成される三電極方式を用いて電圧対電流の測定（ボルタンメトリーという）を行う．図 4.16 にボルタンメトリー装置の概略図を示す．

作用電極の電位を参照電極に対して既知の値としながらその電流値を測定する装置をポテンシオスタットといい，図 4.16 の装置に接続される．図 4.16 は 2 室型セルの例で，溶存酸素を除くため不活性ガス（N_2, Ar など）の導入口と排出口をつけてある．対電極では作用電極と逆向きの電子授受が起こるので，電流が大きいときや測定が長時間に及ぶ場合，対電極で生じた物質が作用電極に達して電気化学反応に影響するのを防ぐため，対電極はガラスフィルターで仕切り，電解液が混ざり合うのを防いだ構造になっている．電流が小さく，短時間で測定が終了する場合はこれら 3 本の電極を同じ部屋に置いた 1 室型のものを用いてもよい．

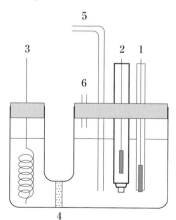

1：作用電極　　2：参照電極
3：対電極　　　4：ガラスフィルター
5：ガス導入口　6：ガス出口

図 4.16　ボルタンメトリー装置の例

4.4.2 サイクリックボルタンメトリー

ボルタモグラム測定装置を用いると，作用電極の電位に対する電流が得られる．ポテンシオスタットの電圧を時間に対して走査し，そのときに流れた電流を測定すると，連続的な電圧対電流の関係が得られる．作用電極の電位をある一定範囲で走査し，このときの電流値を連続的に観測する方法をサイクリックボルタンメトリーという．

サイクリックボルタンメトリーでは，作用電極の電位を一定の掃引速度で初期電位から折り返し電位まで正の方向（あるいは負の方向）へ変化させ，さらに初期電位まで戻す．この手法では，作用電極への印加電圧を時間とともに変化させるために三角波電圧発生装置（波形発生装置により図4.17のような三角波を発生させてもよい）を用いる．通常用いる電圧波形は，時間とともにある一定速度（$\frac{\mathrm{d}V}{\mathrm{d}t}=k$）で電圧が上昇し，ある設定電圧$V_u$になると上昇を停止し，その後ただちに一定速度で電圧が下降する（$\frac{\mathrm{d}V}{\mathrm{d}t}=-k$）ように設定することが多い．このような三角波状の電圧を印加したときに流れる電流をx, yレコーダーに記録する．すなわち，ポテンシオスタットの出力電流をyに，三角波の電圧をxに接続し，電流―電圧曲線を得る．このようにして得た電流・電圧曲線をサイクリックボルタモグラムという（図4.18）．

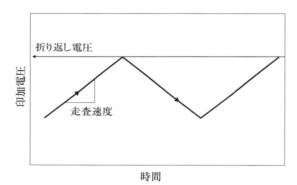

図4.17　サイクリックボルタモグラムの印加電圧

図4.18に示したサイクリックボルタモグラムでは，電圧をE_iからE_rの間で走査しながら作用電極に流れる電流を測定している．E_iを初期電位，E_rを折り返し電位という．還元体（Red）は電位を上昇させるに従って酸化され，このとき酸化電流が流れる．また折り返し電位に到達し，電位を逆方向に走査すると電極表面では逆の反応が起こり，酸化体（Ox）が還元される還元電流が流れる．

サイクリックボルタモグラムの形状は，電極表面近傍の酸化体（Ox）および還元体（Red）の濃度変化と物質移動を考えることで理解できる．酸化還元反応が可逆であるとき，電極表面近傍の酸化体（Ox）と還元体（Red）の濃度比は，次のネルンスト式で表される．

$$\text{Ox} + n e^- \ \rightleftarrows \ \text{Red}$$

$$E = E^{\circ\prime} - \frac{0.059}{n} \log \frac{[\text{Red}]}{[\text{Ox}]} \qquad (25℃)$$

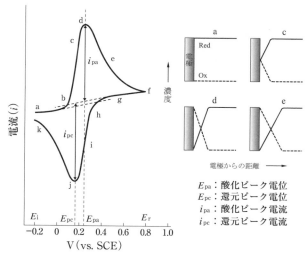

図 4.18　サイクリックボルタモグラム（左）と電極表面の酸化体（Ox）
および還元体（Red）の濃度分布（右）

　ここで，$E^{\circ\prime}$ は条件標準電位（式量電位）であり，溶液の組成（イオン強度や pH など）が一定であれば定数となる（基礎編第 6 章参照）．図 4.18 は可逆反応のサイクリックボルタモグラムであり（$n=1$），$E^{\circ\prime}=0.2$ V(vs SCE) である．

　また，サイクリックボルタモグラムの測定は，対象とする物質が電極表面へ拡散によってのみ移動するようにするために高濃度の無関係な塩（支持電解質という）を加え，溶液が静止した状態で行う．すなわち，対象物質の泳動（静電引力・斥力）と対流（撹拌などによるバルク流体の動き）は無視でき（最小とし），物質移動は濃度勾配による拡散によって支配される．このとき，観測される電流 i は，電極表面での還元体（Red）あるいは酸化体（Ox）の濃度勾配に比例する．

　図 4.18 で，初期電位 E_i（-0.2 V）は $E^{\circ\prime}$（0.2 V）と比べて十分に負であり，反応は起こらないため，電極表面直近から沖合に至るまで還元体（Red）の濃度は一定である．同様に，酸化体（Ox）の濃度もゼロである（図中 a）．電位を正側に走査すると，還元体（Red）が酸化され電流が流れ始める（図中 b）．電位を大きくするに従って電流は大きくなるが，電極表面ではネルンスト式を満足するように還元体（Red）と酸化体（Ox）の濃度比（[Red]/[Ox]）が変化する．図中 c では，[Red]=[Ox] であり，$E=E^{\circ\prime}$ となる．電極表面の還元体（Red）の濃度がほとんどゼロになるまで酸化電流は増加し，酸化ピーク電流（i_{pa}）に達する（図中 d）．このとき，還元体（Red）の濃度勾配は最大となる．さらに電位を上昇させると（$E^{\circ\prime}$ と比べて十分に正），拡散層の沖合への広がりにより濃度勾配が緩やかになるため，電流値は小さくなる（図中 e, f）．

つまり，電極表面の還元体（Red）の濃度はゼロであり，電極表面への還元体（Red）の拡散（速度）によって支配される電流となる（電極表面への補充スピードが遅くなる）．折り返し電圧 E_r に到達し（図中 f）電位を逆方向に走査する場合，電極表面の濃度分布はやや複雑になるが，本質的に同じことが言える．すなわち，電極表面で酸化体（Ox）の還元が起こり始めると（図中 g），ネルンスト式を満足するように濃度比（[Red]/[Ox]）が変化し，酸化体（Ox）の濃度勾配が最大となるとき（酸化体（Ox）の濃度がほとんどゼロになるとき）還元ピーク電流（i_{pc}）に達する（図中 h→i→j）．さらに電位を走査すると，酸化体（Ox）の濃度勾配が緩やかになるため，電流値は減少する（図中 k）．

可逆反応では，酸化ピーク電位（E_{pa}）と還元ピーク電位（E_{pc}）との間に，次のような関係がある．

$$E_{pa} - E_{pc} = \frac{2.22RT}{nF} = \frac{57.0}{n} \ (\text{mV}) \qquad (25℃)$$

また，可逆反応では，最初の電位掃引におけるピーク電流（図 4.18 では i_{pa}）は，測定対象物質の濃度 C（M）に比例する．

$$i_p = (2.69 \times 10^8) n^{3/2} A C D^{1/2} v^{1/2} \qquad (25℃)$$

ここで，A は電極面積（m^2），D は拡散係数（m^2/s），v は電位掃引速度（V/s）である．

第 4 章の章末問題

4.1 ●必須●

次の用語の意味をわかりやすく数行程度で説明しなさい．

標準水素電極　　参照電極　　指示電極　　対極　　支持電解質

4.2 ●必須●

2.0×10^{-2} M の硝酸銀溶液に銀電極と参照電極として SCE を入れて電池を構成し，25℃ で電位を測定した．液間電位を無視し，このときの起電力を求めよ．ただし，$E^\circ_{Ag^+/Ag} = 0.799$ V，金属イオンの活量係数を 1 とする．

4.3 ●必須●

ガラス電極による pH 測定の原理を簡潔に説明しなさい．いま試料溶液の pH が 1.0 だけ異なると，25℃ では何 mV の電位変化があるか．

4.4 ●必須●

イオン選択性電極に関して，次の記述に間違いがあれば訂正せよ．

1) 25℃ における電位勾配は，イオンの種類に関係なく 59.16 mV である．
2) 電位応答には，温度依存性がない．
3) pH 測定に用いられるガラス電極はイオン選択性電極の 1 つである．
4) 液膜型電極では，感応物質として疎水性イオン交換体や抗生物質が用いられている．

4.5 ●必　須●

　　銀イオンと銅イオンがそれぞれ 0.1 M 含まれている溶液について，電流を一定（定電流）にして Ag だけを白金陰極上に析出させたい．電解が進むにつれて電位が変化し，Cu の析出電位と等しくなるとき，溶液中に残っている銀の量（mg/L）を求めよ．

　　ただし，$E^\circ_{Ag^+/Ag}=0.799\ V$，$E^\circ_{Cu^{2+}/Cu}=0.337\ V$ とし，過電圧は無視できるとする．また，各金属イオンの活量係数は 1 とする．

4.6 ●必　須●

　　定電位電解装置を用いて，銅の電解重量分析を行った．いま 0.01 M 溶液について，その 99.9% を陰極に析出させるために必要な電位を求めよ（vs 飽和カロメル電極（SCE））．

　　ただし，$E^\circ_{Cu^{2+}/Cu}=0.337\ V$，標準水素電極（SHE）に対する SCE は 0.241 V，金属イオンの活量係数は 1 とする．

4.7 ●必　須●

　　可逆反応のサイクリックボルタモグラムに関して，次の記述の正誤を示しなさい．

1）　最初の電位掃引におけるピーク電流は溶液中の目的成分の濃度に比例する．
2）　被検成分の拡散係数が大きいとピーク電流は小さくなる．
3）　ピーク電位は酸化還元電位と無関係である．
4）　作用電極に印加する電圧の走査速度を速くするとピーク電流は大きくなる．

第5章　クロマトグラフィーと電気泳動

　多種類の成分を固定相と移動相を用いて分離し，同定・定量分析する方法をクロマトグラフィー（chromatography）と呼ぶ．"chromatography"の用語は着色した帯（バンド）がカラムに分かれて現れたことから着色（color）とそれを記録する（to write）という意味のギリシャ語である"chroma"と"graphy"を組み合わせた造語である．各種成分が分離部（カラム）内の固定相の隙間を移動相とともに通り抜けるとき，移動相中の各成分は固定相との間に吸着，分配などの相互作用を生じる．これらの相互作用の違いにより各成分の通り抜け速度（移動速度）が異なって各種の成分は互いに分離される．クロマトグラフィーはこのように互いに共存する成分を分離することが可能であり，物質を構成している成分が単一であるか，あるいは多種類であるかを決める有力な手法の1つである．今日では物質の構成成分の分離・分析法として広く利用されている方法である．

　一方，電気泳動（electrophoresis）は電荷の正・負と大きさ，粒子の大きさ，電場から受ける作用などによって成分を分離する方法である．荷電粒子（陽イオン，陰イオン）は電荷の違いによって電場（外部から印加した電場）の中で引力あるいは斥力を受けながら移動（泳動）する．この泳動速度は電場の大きさや荷電粒子の種類，大きさや形状などによって異なるために荷電粒子が分離される．分離管として高電圧を印加したキャピラリー（capillary）を使用し，試料成分を分離する方法をキャピラリー電気泳動（capillary electrophoresisis, CE）法という．

《本章で学ぶ重要事項》
（1）　クロマトグラフィーの分類
（2）　クロマトグラフィー装置（クロマトグラフ）の構成と構成要素
（3）　クロマトグラフィーにおける分離過程での分配平衡と保持値
（4）　クロマトグラフィー分離とクロマトグラム
（5）　クロマトグラフィーにおける定性分析と定量分析
（6）　電気泳動の原理，分離機構，装置など

5.1　クロマトグラフィーの分類

　クロマトグラフィーは固定相の形状，移動相の種類（気体，波体，超臨界流体），分離機構および移動相の流れ（加圧下あるいは電気浸透）によって分類することができる．その分類の例を表5.1に示す．

表 5.1　クロマトグラフィーの分類

固定相	
平板上	ペーパークロマトグラフィー（paper chromatography：PC）
	薄層クロマトグラフフィー（thin layer chromatography：TLC）
筒状（カラム）	カラムクロマトグラフィー（column chromatography）
移動相	
気体	ガスクロマトグラフィー（gas chromatography：GC）
固定相が液体	気 – 液ガスクロマトグラフィー（gas-liquid chromatography：GLC）
固定相が固体	気 – 固ガスクロマトグラフィー（gas-solid chromatography：GSC）
液体	液体クロマトグラフィー（Iiquid chromatography：LC）
固定相が液体	液 – 液クロマトグラフィー（liquid-liquid chromatography：LLC）
固定相が固体	液 – 固クロマトグラフィー（liquid-solid chromatography：LSC）
超臨界流体	超臨界流体クロマトグラフィー（supercritical fluid chromatography：SFC）
分離機構	
分配	分配クロマトグラフィー（partition chromatography）
吸着	吸着クロマトグラフィー（adsorption chromatography）
イオン交換	イオン交換クロマトグラフィー（ion exchange chromatography）
サイズ排除	サイズ排除クロマトグラフィー（size exclusion chromatography）[1]
移動相（液体）流れ	
加圧，重力	液体クロマトグラフィー（liquid chromatography：LC）
電気浸透	キャピラリー電気泳動法（capillary electrophoresesis：CE）

[1] ゲル浸透クロマトグラフィー（gel permeation chromatography）とも呼ばれる.

　固定相形状による分類：平板を使用するペーパークロマトグラフィーや薄層クロマトグラフィー，筒状のカラムを使用するカラムクロマトグラフィーに分類される．ペーパークロマトグラフィーには短冊形の均質なろ紙を使用し，薄層クロマトグラフィーにはシリカゲルやアルミナ，珪藻土，セルロースあるいはケイ酸マグネシウムなどを平板の支持体（プラスチック板，ガラス板あるいはアルミユウム板など）に薄く塗布した薄層板（プレート）を使用する．カラムクロマトグラフィーにはシリカ系やポリマー系の微粒子をガラス管やプラスチック管，あるいは金属製の管に詰めた筒状のカラムを用いる.

　移動相の種類による分類：気体を使用するガスクロマトグラフィー，液体を使用する液体クロマトグラフィーと超臨界流体を用いる超臨界流体クロマトグラフィーに分類される.

　分離機構による分類：溶質成分と固定相との相互作用（分配，吸着，イオン交換，サイズ排除など）によって種々の成分が分離される．相互作用に応じて，それぞれ分配，吸着，イオン交換，サイズ排除クロマトグラフィーに分類される，

　移動相流れによる分類：移動相が加圧や重力によって流されるかあるいは電気浸透によって流されるかで分類される.

5.2 装 置

ガスクロマトグラフィー（gas chromatography: GC）の装置および液体クロマトグラフィー（高速液体クロマログラフイー（high performance liquid chromatography: HPLC））の装置はそれぞれガスクロマトグラフ（gas chromatograph）および液体クロマトグラフ（liquid chromatograph）という．各々の装置の主な構成を図5.1と図5.2に示す．

ガスクロマトグラフは，移動相のキャリヤーガス（H_2, He, Ar または N_2 など）の加圧容器（ボンベ），流量調節器，圧力計，試料注入口，試料の気化室，分離カラム，検出器，恒温槽，記録計からなる．試料注入口，試料の気化室，分離カラム，検出器は恒温装置の中で使用する．加圧下での一定な流速のキャリヤーガスにより，試料がカラムに運ばれ，各成分は分離される．各成分はカラムから流出する順番に検出器を通過して検出され，各成分の量に応じた検出器応答を生じ，その応答をピークとして記録計に記録する．記録された図形をクロマトグラム（chromatogram）と呼ぶ．

液体クロマトグラフは移動相ボトル，送液ポンプ，試料注入バルブ，分離カラム，恒温槽，検出器，記録計からなる．試料溶液は試料注入バルブから注入され，分離カラムを通過する過程で成分が分離される．分離された各成分は溶出順に検出器を通過し，成分の量に応じた検出器応答を生じ，その応答（ピーク）を記録計で記録する．

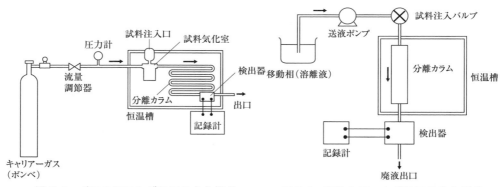

図5.1　ガスクロマトグラフの主な構成　　**図5.2　液体クロマトグラフの主な構成**

5.2.1　カラム

分離カラム（separation column，または column）は微細粒子の充塡剤（固定相）を筒状の管に詰めた（充塡）ものである．

ガスクロマトグラフィーで使用するカラムは，充塡剤を内径 0.5〜4 mm 程度で長さ 0.5〜5 m のステンレス鋼製やガラス製の管に低圧条件下で充塡したものが多い．その他，内

径1mm以下で数〜数十mの長さの溶融シリカキャピラリー管も使用される．この管は内壁に固定相を塗布または化学結合で固定化しているため中空のままで使用される．

　液体クロマトグラフィーで使用するカラムは，充填剤をステンレス鋼製や硬質樹脂製の管に高圧で充填したものである．管の内径は汎用カラムの場合3〜12mm，セミミクロカラム1〜3mm，ミクロカラム1mm以下で，長さ数〜数十cmのものが多い．

5.2.2　検出器

　クロマトグラフィーで用いる検出器では，分離後カラムから溶出してくる成分を連続して測定する．したがって，特定の成分を選択的あるいは高感度に検出することよりも，より多くの成分を測定できる検出器が汎用される．一方，特定の成分に対して高い応答性を有し，選択的に測定できる検出器もあるが，このような検出器の使用は限られていることが多い．表5.2と表5.3にガスクロマトグラフィー（GC）と液体クロマトグラフィー（LC）に広く使用される検出器の種類と測定対象物質などを示す．

表5.2　ガスクロマトグラフィー（GC）用検出器

種　　　類	測定対象物質	備　　　考
熱伝導度検出器（TCD）[1] 水素炎イオン化検出器（FID）[2]	多くの物質 炭化水素	無機ガスを含む試料の分析に用いられる．有機化合物中の炭素数に比例した応答を示すが，酸素やハロゲンと結合した炭素原子の応答は低い．
電子捕獲型検出器（ECD）[3]	ハロゲン化合物，多環芳香族炭化水素	塩素系農薬やPCBなどの微量分析に応用される（pgレベルの測定が可能）．
熱イオン化検出器（TID）[4]	窒素，リンを含む物質	窒素やリンを含む有機化合物の選択的，高感度分析に用いられる．
炎光光度検出器（FPD）[5]	硫黄，リンを含む物質	食品中の残留農薬や硫化水素，メチルメルカプタンなどの大気中の臭気分析に用いられる．
その他の検出器[6]		

1)　TCD : thermal conductivity detector
2)　FID : flame ionization detector
3)　ECD : electron capture detector
4)　TID : thernal ionization detector
5)　FPD : flame photometric detector
6)　その他の検出器としてヘリウムイオン化検出器（HID），光イオン化検出器（PID），電気伝導度検出器（CDD），表面イオン化検出器などがある．

表 5.3　液体クロマトグラフィー（LC）用検出器

種　　類	測定対象物質	備　　考
屈折率検出器（RID）[1]	多くの物質	ほとんどの物質は固有の屈折率を持つため，多くの物質を検出できる．一般に検出感度は高くない．
紫外・可視吸光検出器（UV-VISD）[2]	紫外線または可視部の光吸収性物質	紫外・可視光線を吸収する成分の検出に用いられ，もっとも汎用性が高い．
蛍光検出器（FLD）[3]	蛍光性物質	一般に高感度検出が可能である．
電気化学検出器（ECD）[4]	電気化学的活性物質	電気化学的に活性な化合物の検出に用いられ，還元糖の微量分析に汎用である．
化学発光検出器（CLD）[5]	化学発光関連物質	化学反応によって生じる発光を検出するため，一般的な光源を必要としない．
光散乱検出器（LSD）[6]	高分子量物質	
電気伝導度検出器（CDD）[7]	イオン性物質	イオンが電気伝導度性を持つため，種々のイオンの検出が可能である．

1)　RID：reflactive index detector
2)　UV-VISD：ultraviolet-visible light absorption detector
3)　FLD：fluorescence detector
4)　ECD：electrochemical detector
5)　CLD：chemiluminescence detector
6)　LSD：light scattering detector
7)　CDD：conductivity detector

1)　質量分析計

　質量分析計は，クロマトグラフと接続して検出器としても使用できる．分離した試料成分の定性・定量分析を行うだけでなく，分子量や分子構造に関する情報を得ることができる．近年，有機化合物の分離分析に広く利用されている検出器の1つである．

　GC-MS 装置：ガスクロマトグラフィー（GC）の検出器として質量分析計（MS）を用いたものがガスクロマトグラフ質量分析（GC/MS）装置である．カラム出口に MS を接続し，試料成分の定性分析や定量分析だけでなく，質量スペクトルから分子構造を推定することができる．現在では環境分析などに使用されている．

　LC-MS 装置：液体クロマトグラフ（LC）に検出器として質量分析計（MS）を備えた液体クロマトグラフ質量分析（LC-MS）装置が開発されている．試料成分の定性分析と定量分析を行うことができ，さらに GC-MS と同様に質量スペクトルから分子構造の推定が可能となる．しかし，移動相が揮発性の低い溶液であることや移動相量が試料成分に対して多量であることから，分離カラムからの溶出波を質量分析計に直接導入することができない．この LC-MS 装置では，LC と MS の間に移動相をできるだけ除去する前処理が必要である．種々の前処理方式が検討されている．

　その他，詳細については第6章質量分析法を参照されたい．

5.3 分離過程での分配平衡と保持値

5.3.1 分配平衡

移動相中の試料成分は固定相と種々の相互作用を行い，この相互作用の強弱によってカラム内を移動する速度が異なる．この移動速度の違いにより分離が起こる．この相互作用には一般に吸着，分配，イオン交換，サイズ排除が考えられるが，実際にはこれらの作用が複合的に起こっている場合が多い．試料成分はカラム内を移動するとき，カラムの入り口の微小領域でまず移動相と固定相の両相に一定の割合で分配する．このとき移動相に分配している試料成分は次の微小領域に流れて同様に両相に分配する試料成分がカラム内を移動する間このような分配が繰り返し起こる．

試料成分 _(移動相)   ⇌   試料成分 _(固定相)

この分配の平衡定数 K は，

$$K = \frac{\text{固定相の単位体積当たりの試料成分の物質量}}{\text{移動相の単位体積当たりの試料成分の物質量}}$$

で表すことができ，分配係数（distribution coefficient）という．

図 5.3 は試料成分がカラム内を移動するとき，移動相と固定相に分配している様子を模式的に示す．

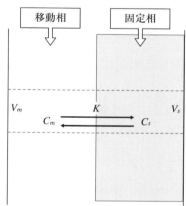

図 5.3 カラム中における試料成分の分配
C_m：移動相中の試料成分の濃度，V_m：移動相の体積
C_s：固定相中の試料成分の濃度，V_s：固定相の体積

点線で囲んだ移動相と固定相のそれぞれの体積を v_m, v_s とすると，分配係数の式（5.1）は移動相と固定相中の試料成分の濃度 C_m と C_s を用いて式（5.2）のように表すことができる．

$$K = \frac{\text{固定相中の試料成分濃度 }(C_s)}{\text{移動相中の試料成分濃度 }(C_m)} \tag{5.2}$$

128

また，試料成分について全物質量に対する移動相中に存在する物質量の割合は式（5.3）のように表すことができる.

$$\frac{\text{移動相中の試料成分量}}{\text{移動相中の試料成分量＋固定相中の試料成分量}} = \frac{C_m v_m}{C_m v_m + C_s v_s} \quad (5.3)$$

カラムは全体が均質であると仮定し，均質な場所では v_m, v_s の比 β（相比，$\beta = v_m/v_s$, phase ratio）が一定であるとする．カラム内の移動相および固定相体積を V_m, V_s とすると，v_m/v_s が V_m/V_s に等しいとみなし，式（5.3）を整理すると式（5.4）となる.

$$\frac{C_m V_m}{C_m V_m + C_s V_s} = \frac{1}{1 + \frac{C_s}{C_m} \cdot \frac{V_s}{V_m}} = \frac{1}{1 + \frac{K}{\beta}} \quad (5.4)$$

分配係数 K は各試料成分にとって固有の値であることから，K/β も固有値となる．この固有値を k とすると，式（5.3）と式（5.4）から式（5.5）を得る.

$$\frac{\text{移動相中の試料成分量}}{\text{移動相中の試料成分量＋固定相中の試料成分量}} = \frac{1}{1+k} \quad (5.5)$$

ここで k は保持係数（retention factor，キャパシティーファクター）といい，移動中の試料成分量に対する固定相の試料成分量の比を示す．β が一定な値であることから，保持係数 k は分配係数 K に比例する．式（5.2）は大きな値の K あるいは k を有する試料成分は固定相により保持しやすいことを示す.

5.3.2 保持値

試料成分はカラム内において移動相に存在する間に移動する．その移動速度は試料成分の移動相への存在割合（$1/(1+k)$）に関係する．そこで式（5.5）を用いて移動速度を保持係数 k との関係式で表すと式（5.6）となる．ここでは，移動相の流速を u_0[cm/min]，試料成分の移動速度を u[cm/min] で示す.

$$u = u_0 \times \frac{1}{1+k} \quad (5.6)$$

式（5.6）から試料成分のカラムへの保持時間を見積もることが可能である．カラムの長さを L[cm] とすると，試料成分が固定相との間で相互作用を受けながらカラム内を移動し，溶出されるまでに要する時間 t_R[min]（保持時間，retention time）は L/u[min] である．一方，カラムと相互作用をしない物質がカラムを通過（素通り）する時間 t_0[min]（ホールドアップタイム，holdup time）は L/u_0[min] で示すことができ，式（5.7）が得られる.

$$t_R = \frac{L}{u} = \frac{L}{u_0}(1+k) = t_0(1+k) \quad (5.7)$$

すなわち，保持時間 t_R[min] が大きな値の試料成分は固定相との間で強い相互作用を生じ，強く保持されて溶出に時間がかかることを意味する．また，保持時間 t_R はカラム内

で試料成分が固定相と移動相に存在する時間の和と考えられる．ホールドアップタイム t_0 はカラム内で試料成分が移動相のみに存在する時間であるので，$t_R - t_0$（調整保持時間 t_R', adjusted retention time）は試料成分がカラム内で固定相に存在する時間と理解できる．式 (5.7) を変形すると $k = (t_R - t_0)/t_0 = t_R'/t_0$ となり，k は試料成分の移動相と固定相の存在時間比であることがわかる．ガスクロマトグラフィーや液体クロマトグラフィーなど t と t_0 を実測するクロマトグラフィーではこの式から k を算出する．また，式 (5.5) と式 (5.6) から全物質量に対する移動相中に存在する物質量の割合は u/u_0 となり，一定時間で考えれば移動相の移動距離に対する試料成分の移動距離となる．移動距離を実測する薄層クロマトグラフィーでは R_f 値として試料成分の定性情報となる．一方，移動相が一定の流速で流れるとき，保持時間を移動相容量に置き換えて表すことができる．この場合，保持時間 (t_R) でカラム内を通過した移動相容量を保持容量 V（retention volume）として表す．移動相の流量を F [mL/min] とすると，式 (5.6) から保持容量 V [mL] は式 (5.8) となる．

$$V = t_R \cdot F = t_0 \cdot F(1+k) = V_M(1+k) \tag{5.8}$$

ここで V_M はカラム内で移動相が通過できる隙間の容積を示しており，ホールドアップボリューム（holdup volume）と呼ぶ．カラム内の固定相容積を V_s とすると，相比 β は，$\beta = V_m/V_s$ で $K/\beta = k = K \cdot V_s/V_m$ となることから，式 (5.8) は式 (5.9) となる．

$$V = V_m(1+k) = V\left(1 + K\frac{V_s}{V_m}\right) = V_m + K \cdot V_s$$
$$V - V_m + K \cdot V_s = V' \tag{5.9}$$

ここで，V' は保持容量 V からホールドアップボリューム V_M を差し引いたもので，試料成分の真の保持時間（調整保持時間，t_R'）内に流れる移動相の容量であり，試料成分の真の保持容量（調整保持容量，adjusted retention volume）という．これは分配係数に比例する．個々の試料成分はそれぞれ固有の分配係数を持つことから，保持時間 t_R (t_R') や保持容量 V (V') が溶出した各試料成分の定性分析に利用される．

5.3.3　その他の分離過程での平衡

試料成分が固定相へ分配する割合（分配係数）の大きさによって分離されることは 5.3.1 で述べた．試料成分が固定相へ吸着することによって分配される場合，吸着剤の単位面積あたりに吸着された試料成分量 (C_m) と移動相中の濃度 (C_s) の比 (C_s/C_m) を分配係数とし，式 (5.10) のように表すことができる．

$$K = \frac{C_s}{C_m} = \frac{\text{固定相（吸着剤）の単位体積当たりの試料成分の吸着量}}{\text{移動相中の試料成分濃度}} \tag{5.10}$$

すなわち，この比の大きさによって試料成分の分離を考えることができる．その他の分離過程（イオン交換およびサイズ排除）の場合については以下に説明する．

1) イオン交換平衡と分布係数

イオン性化合物が溶液中で解離して陽イオンと陰イオンを生成する反応では，その生成の程度を電離定数（解離定数）で表すことができる．また，イオン交換樹脂のイオン交換基は，その対イオン（counter ion）が溶液中のイオンと等しい電荷でイオン交換反応する．樹脂粒子を "Resin" で示すと，Resin—$SO_3^-H^+$ や Resin—COO^-H^+ などの H 形陽イオン交換樹脂はスルホン基（—$SO_3^-H^+$）とカルボキシル基（—COO^-H^+）の H^+ が Na^+，K^+，Ca^{2+} などの陽イオンとイオン交換する．また，Resin—$NR_3^+OH^-$ や Resin—$NH_3^+OH^-$ などの OH 形陰イオン交換樹脂は第四級アンモニウム（—$NR_3^+OH^-$）やアミノ基（—$NH_3^+OH^-$）の OH^- が Cl^- などの陰イオンとイオン交換する．イオン交換反応は陽イオンと陰イオンをそれぞれ M^{n+} と A^{n-} で示すと，以下の反応式で表すことができる．

強酸性陽イオン交換樹脂
$$n\text{Resin}—SO_3^-H^+ + M^{n+} \rightleftharpoons (\text{Resin}—SO_3^-)_nM^{n+} + nH^+$$

弱酸性陽イオン交換樹脂
$$n\text{Resin}—COO^-H^+ + M^{n+} \rightleftharpoons (\text{Resin}—COO^-)_nM^{n+} + nH^+$$

強塩基性陰イオン交換樹脂
$$n\text{Resin}—NR_3^+OH^- + A^{n-} \rightleftharpoons (\text{Resin}—NR_3^+)_nA^{n-} + nOH^-$$

弱塩基性陰イオン交換樹脂
$$n\text{Resin}—NH_3^+OH^- + A^{n-} \rightleftharpoons (\text{Resin}—NH_3^+)_nA^{n-} + nOH^-$$

これらのイオン交換反応は可逆反応であり，右方向への反応が M^{n+} と A^{n-} のイオン交換吸着反応，左方向への反応が M^{n+} と A^{n-} のイオン交換脱離反応である．代表的なイオン交換樹脂，イオン交換容量，およびそれらの用途などを表5.4に示す．

反応を簡単に示すために，H^+ と C^+ とのイオン交換反応を次のように表す．r は樹脂相を示す．

$$(R^-—H^+)_r + C^+ \rightleftharpoons (R^-—C^+)_r + H^+$$

平衡定数は，質量作用の法則によって式（5.11）で表すことができる．

$$K_C^0 = \frac{\alpha_{RC}\cdot\alpha_H}{\alpha_{RH}\cdot\alpha_C} = \frac{[RC]_r f_{RC}\cdot[H^+]f_H}{[RH]_r f_{RH}\cdot[C^+]f_C} = \frac{[RC]_r\cdot[H^+]}{[RH]_r\cdot[C^+]} \times \frac{f_{RC}\cdot f_H}{f_{RH}\cdot f_C} \tag{5.11}$$

ここで，α は各成分の活量，添え字 r は樹脂相，f は活量係数を表す．イオン交換樹脂の周囲を微視的に見ると，イオン交換樹脂のまわりにはイオン交換基の解離によって高濃度の電解質溶液が存在している（樹脂内の電解質濃度は 2〜8 M 程度）と考えられる．このような高濃度電解質の活量を扱うことは一般に難しいので，ここではそれぞれの成分についての活量係数 f を1と仮定して扱うことにし，平衡定数を式（5.12）のように近似する．

$$K_C = \frac{[RC]_r\cdot[H^+]}{[RH]_r\cdot[C^+]} \tag{5.12}$$

表 5.4　イオン交換樹脂の種類と特性

種類		構造式	総交換容量 meq mL^{-1}	耐用温度 ℃	有効 pH 範囲	用途
陽イオン交換樹脂	スチレン系強酸性陽イオン交換樹脂(ゲル型とポーラス型がある)	$-CH-CH_2-CH-CH_2-$ / SO_3Na $-CH-CH_2-$ SO_3Na	1.7～1.9	120 以下 (Na, H 形)	0～14	硬水, 軟水, 純水製造, 金属回収分離, 薬液精製, 糖液精製, 触媒, アミノ酸分離精製, 有機溶媒の脱水, その他
	メタクリル酸系弱酸性陽イオン交換樹脂	$-CH-CH_2-C-$ / CH_3 $COOH$ $-CH-CH_2-C-CH_2-$ CH_3 $COOH$	2.5 以下	150 以下 (Na, H 形)	5～14	金属回収, 脱アルカリ, 除鉄, ショ糖の精製, 抗生物質, 医薬品, 酵素, アミノ酸の製造, その他
	アクリル酸系弱酸性陽イオン交換樹脂	$-CH-CH_2-CH-CH_2-$ $COOH$ $-CH-CH_2-CH-CH_2-$ $COOH$	3.5 以上	120 以下 (Na, H 形)	4～14	水処理, 金属回収, 脱アルカリ, 除鉄, ショ糖の精製, 抗生物質, 医薬品, 酵素, アミノ酸等の製造, その他
陰イオン交換樹脂	スチレン系強塩基性陰イオン交換樹脂, II 型(ジメチルアミン型)この種類にもゲル型とポーラス型の樹脂がある	$-CH-CH_2-CH-CH_2-CH-$ $CH_2N^+(CH_3)_2(C_2H_4OH)Cl^-$ $CH_2N^+(CH_3)_2(C_2H_4OH)Cl^-$	1.3 以上	40 以下 (OH 形) 60 以下 (Cl 形)	0～14	純水製造, 触媒, アミノ酸分離精製, 金属回収, ヨウ素回収, その他
	I 型(メチルアミン型)	$-CH-CH_2-CH-CH_2-CH-$ $CH_2N^+(CH_3)_3Cl^-$ $Cl^-(CH_3)_3NCH_2$	1.3 以上	60 以下 (OH 形) 80 以下 (Cl 形)	0～14	純水製造, 触媒, アミノ酸分離精製, 金属回収, ヨウ素回収, その他
	スチレン系弱塩基性陰イオン交換樹脂	$-CH-CH_2-CH-$ $-CH-$ $CH_2N(CH_3)_2$	1.5 以上	100 以下 (OH 形)	0～9	水飴, ブドウ糖, テンサイ糖の精製, 水処理, ホルマリン, グリセリン, 酵素の精製, 触媒, その他
	アクリル系弱塩基性陰イオン	$-CH-CH_2-CH-CH_2-$ $CONH(CH_2)_nN(CH_2)_2$ $-CH-$	1.2 以上	60 以下 (OH 形)	0～9	水飴, ブドウ糖, テンサイ糖の精製, ホルマリンの精製, 有機物を含んだ液の精製, その他
キレート樹脂	キレート樹脂	$-CH-CH_2-CH-CH_2-$ $-CH-CH_2-$ CH_2N CH_2COONa CH_2COONa	Cu^{2+} 0.5 以上	80 以下 (H 形) 120 以下 (Na 形)	1～5	重金属イオン捕集・濃縮, 脱水処理, 薬液精製, その他
	キレート樹脂	$-CH-CH_2-CH-CH_2-$ $-CH-CH_2-$ $CH_2NH(C_2H_4NH)_nH$	Cu^{2+} 0.4 以上	100 以下 (OH 形)	4～6	重金属イオン捕集・濃縮, 脱水処理, 薬液精製, その他

イオン交換反応における式 (5.12) の K_C は選択係数と呼ばれる．K_C が大きいほどイオン交換樹脂の H^+ は C^+ によってイオン交換されやすく，小さいほどイオン交換されにくいことを示す．したがって，K_C はイオンの交換吸着反応の起こりやすさの尺度といえる．C^+ を含む溶液に一定量のイオン交換樹脂 $(R-H^+)$ を加えて溶液中の C^+ と H^+ の濃度を測定し，K_C を実験的に決めることが可能である．K_C は一定の条件下ではほぼ一定な値を示す．

イオン交換樹脂を詰めたカラムでイオンを分離しようとする場合，イオン交換吸着反応の起こりやすさはイオンごとに異なることが必要である．一方，イオン交換吸着反応の起こりやすさの尺度に分布係数を用いることができ，選択係数の式 (5.12) と同様に取り扱うこともできる．分布係数には樹脂の質量を用いる質量分布係数 D 式 (5.13) と体積を用いる体積分布係数 D_V 式 (5.14) がある．

$$D = \frac{[\text{吸着したイオン量 (mmol)/乾燥樹脂量 (g)}]}{[\text{溶液中のイオン量 (mmol)/溶液量 (mL)}]} \qquad (5.13)$$

$$D_V = \frac{[\text{吸着したイオン量 (mmol)/樹脂相の体積 (mL)}]}{[\text{溶液中のイオン量 (mmol)/溶液量 (mL)}]} \qquad (5.14)$$

樹脂相の密度を ρ とすると $D \times \rho = D_V$ となる．分布係数は液—液間の分配平衡における分配係数（式 (5.2)）に相当するもので，試料イオンの量が樹脂相のイオン交換容量（樹脂が交換可能なイオンの量）の 5〜10% 以下であればほぼ一定な値になる．

樹脂相の体積を V_r とすると，式 (5.9) の $V - V_M = KV_S = V'$ は

$$V - V_M + D_V \cdot V_r = V'$$

で表される．試料イオンの固定相へのイオン交換吸着（保持）を保持時間に流れる移動相容量 $(V-V_M)$ で表すことができる．このことは分配平衡の場合と同様で，試料イオンの真の保持容量は $(V-V_M) = V'$ となり，体積分布係数 D_V に比例する．

質量分布係数 D を表す式 (5.13) と体積分布係数 D_V を表す式 (5.14) では，分母が溶液中のイオンの濃度を表していることから，イオン交換吸着には水素イオンや水酸化物イオンの濃度が影響を及ぼすことがわかる．すなわち，陽イオンおよび陰イオンのイオン交換吸着（保持）に溶液の pH が影響する．

2種類のイオン，A と B に対する選択係数をそれぞれ K_A と K_B，分布係数を D_A と D_B とすると，それらの比である $\alpha_K = K_A/K_B$ および $\alpha_D = D_A/D_B$ によって両イオンの分離の度合いが決まる．ここで，α を分離係数（separation factor）と呼ぶ．分離係数 α が 2 以上であれば 2 種類のイオンは比較的容易に分離できる．

一般に，イオンのイオン交換樹脂への交換吸着反応の起こりやすさは次のような傾向にある．

① イオンの電荷が大きいほど交換吸着反応が起こりやすい．

（例） $Cl < SO_4^{2-}$，$Na^+ < Ca^{2+} < Al^{3+} < Th^{4+}$

② 電荷の等しいイオンでは水和したイオン半径（水和イオン半径）が小さいほど交換吸

着反応が起こりやすい.

（例）　$Li^+ < H^+ < Na^+ < NH_4^+ < K^+ < Rb^+ < Cs^+ < Ag^+ < Tl^+$

　　　　$Be^{2+} < Mn^{2+} < Mg^{2+} < Zn^{2+} < Co^{2+} < Cu^{2+} < Cd^{2+} < Ni^{2+} < Ca^{2+} < Sr^{2+}$

　　　　　　$< Pb^{2+} < Ba^{2+} < Ra^{2+}$

　　　　$F^-, OH^- < CH_3COO^- < HCOO^- < H_2PO_4^- < HCO_3^- < Cl^- < NO_2^- < HSO_3^-$

　　　　　　$< CN^- < Br^- < NO_3^- < HSO_4^- < I^-$

2)　サイズ排除（ゲル浸透）クロマトグラフィーにおける平衡

　固定相（ゲル）には多孔質のシリカ系ゲル，有機ポリマー系ゲルなどの微粒子が用いられる．多孔質ゲルによる微粒子の分離を図 5.4 に模式的に示す.

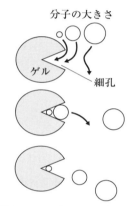

小さい分子は細孔の奥深くまで侵入でき，強く保持され，溶出が遅れて大きな分子から溶出される.

図 5.4　固定相（ゲル）の細孔と保持される分子の大きさの関係

　この場合，試料成分の分子は多孔質ゲルの細孔内への入りやすさの違いによって分離される．固定相ゲルの細孔径より小さい試料分子は細孔の奥へ入り，細孔から出て溶出されるのに時間がかかる．大きな分子は細孔に浅く入るかあるいはほとんど入らないので，溶出には時間がかからない．すなわち，小さい分子は大きな分子に比べて溶出が遅い．この溶出順序は試料成分の分子量の大きさとよく一致し，分子量の異なる種々の成分をこのサイズ排除（ゲル浸透）クロマトグラフィーによって分離することが可能である．分離過程では，細孔内の試料成分濃度とゲルの外側の移動相中の試料成分濃度との間で平衡が成り立つ．このときの平衡定数 K は分配係数の特殊な場合と考えることができ，式（5.1）の分配係数と同様に扱うことができる．固定相量をゲルの孔内体積 V_p とすると，分子のゲルへの保持値は式（5.15）で表すことができる.

$$V' = V - V_s + KV_p \tag{5.15}$$

　K は 0 と 1 の間の値をとる．$K = 0$ を示す試料成分分子は細孔内に入ることができない大きさであり，その分子量を排除限界（exclusion limit）という．$K = 1$ の試料成分は無機イオンなどが考えられる.

5.4 分離とクロマトグラム

試料成分は移動相に分配しているときカラム内を移動するが，固定相に分配して保持されると移動が止まる．移動の度合いは保持が弱いほど速く，強いほど遅い．この移動速度（保持の強弱）の違いによって各試料成分は分離される．

試料成分はカラムで分離した後にカラムから溶出し，検出器で検出される．検出器での応答を時間に対して記録したものがクロマトグラム（chromatogram）である．クロマトグラムの例を図5.5に示す．

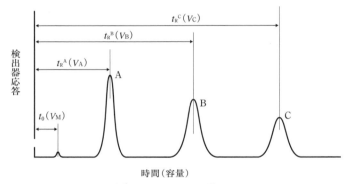

図5.5　クロマトグラム
A, B, C は各成分のピークを示す．$t_0(V_M)$ は移動相がカラムを通過（素通り）するのに要した時間（カラム内で移動相が通過できる隙間の容積（ホールドアップボリューム）である．$t_R^A(V_A)$, $t_R^B(V_B)$ および $t_R^C(V_C)$ は各成分が溶出して各ピーク頂点までに要した時間（保持時間内に流れた移動相体積）を示し，各成分の保持時間（保持容量）である．

5.4.1　理想的な分離と実際の分離

通常，クロマトグラムで得られる試料成分のピークは図5.5に見られるようにある程度の幅を有する．速く溶出する成分のピーク幅は狭く，遅く溶出する成分のピーク幅は広い．これはカラム内で試料成分が移動方向へ拡散するためで，拡散の度合いが小さいほどピーク幅は狭くなる．

理想的な分離：試料成分がカラム内を移動する際に下記の①～④を満たすことができると仮定すれば，拡散のない分離が起こる．

① 　固定相と移動相の間で試料成分の分配平衡が瞬時に起こる．

② 　試料成分は移動相と固定相のいずれの側でも流れ方向への拡散が抑制され，移動相の流れと一緒にカラム内を出口に向かって常に一定の速度で流れる．

③ 　充塡剤がカラムに均質に充塡され，どの微小部分でも相比が同じである．

④ 　試料成分の固定相と移動相への分配係数が一定である．すなわち，分配等温線が直線（C_m と C_S が比例関係）である．

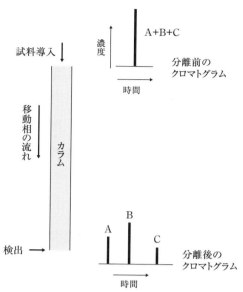

図 5.6　仮想的なクロマトグラム

　①〜④を仮定して得られるクロマトグラム（仮想的なクロマトグラム）を図 5.6 に示す.
　分離前では A, B, C の各成分が同じ位置の溶液中に存在しているため, 前述の理想的な状態ではクロマトグラムのピークは互いに重なり合った 1 本の線として現れる. その溶液の各成分の拡散を完全に抑制して分離したとすると, 各成分のピークはそれぞれ分離された一本の線を示すことになる. しかし, 実際には拡散が起こり, ピークは幅のある形状を示すことになる.

　実際の分離：実際には試料成分がカラム内を移動するとき, 上記の理想的な分離①〜④の条件を満たすことはない. すなわち,

① 固定相と移動相の間での分配は瞬時に平衡状態に達することはない.
② 移動相流速はカラム内で一定でなく, 流れに乱れが生じて流れ方向への拡散が起こる.
③ 相比は厳密に同じ（均質）ではない.
④ 固定相と移動相への分配係数が一定（分配等温線が直線）になることが難しい.

　このようなことから, 図 5.6 での A, B, C の 3 成分はカラム内で流れ方向への拡散が起こり, ある程度の幅を持つピーク形状のクロマトグラムとなる. また, 図 5.7 に示すように最も早く溶出した A 成分のピーク幅は狭く, 遅く溶出した C 成分のピーク幅は広くなる.

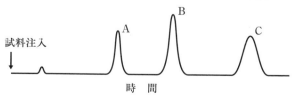

図 5.7　実際のクロマトグラム例

5.4.2 分離の評価

1) 段理論

　カラムは互いに等しい微小な領域（同じ容積の固定相と移動相からなる領域）が数多く繋がっているものと仮定することができる．その微小領域では平衡状態には達していないが，試料成分の両相への分配が起こっている．カラム全体の平衡状態（見掛けの分配平衡状態）は微小領域での分配の"平均"の状態と見なす．この微小な領域の1つひとつを"段"とし，全体を理論段という．試料成分が移動相と固定相に分配し，この分配を繰り返しながらカラム内を移動する．その様子のイメージを図5.8に示す．図では"段"の微小領域を拡大して表している．

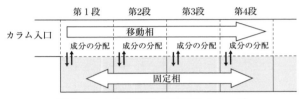

図5.8　カラムの微小領域のイメージ

　試料成分が移動相によってカラムの入口からカラム内に運ばれると，最初の微小領域（第1段）には試料成分の全てが収容され，各成分は第1段の中で移動相と固定相に分配する．ここで移動相に分配している試料成分は移動相とともに次の微小領域（第2段）に運ばれ，第2段で移動相と固定相に分配する．第2段での移動相に分配している試料成分は，さらに次の微小領域（第3段）に通ばれて同様に両相に分配する．このように，移動相の成分はカラム内の微小領域を移動する一方，第1段で固定相に分配している試料成分は新たに流れ込んでくる移動相に分配して移動相側に移り，第2段に運ばれる．第2段の固定相側の試料成分についても第1段と同様に分配して移動相側に移り，第3段へと移動する．このような分配と移動が各段で起こり，繰り返されて試料成分は次へ次へと微小領域を移動し，分配の度合いの違いによって分離が起こる．カラム内での試料成分の分配の繰り返し（段数）は任意の移動相流量で得られたクロマトグラムのピークから推測することができる．

　実験で得られたクロマトグラム（図5.9）のピークをガウス曲線（正規分布曲線）と近似し，図に示すような処理を行い，式（5.16）および式（5.17）によってカラム内の段数（理論段数）を求めることができる．

　溶出成分のピークについて保持時間 t_R とピーク幅 w，ピーク半値幅 $w_{1/2}$，理論段数 N の関係は式（5.16）あるいは式（5.17）で表すことができる．

$$N = 16\left(\frac{t_R}{w}\right)^2 \tag{5.16}$$

$$N = 5.545\left(\frac{t_R}{w_{1/2}}\right)^2 \tag{5.17}$$

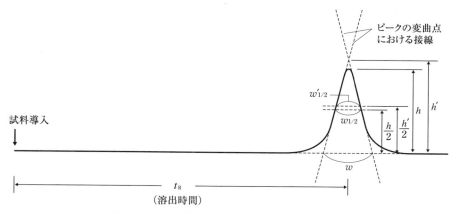

図 5. 9　理論段数を求めるときのピークの測定

h はピークの高さ，w はピークの幅を示す．$w_{1/2}$ は $h/2$ のときのピークの幅で，半値幅である．$w'_{1/2}$ は $h'/2$ のときのピーク幅で，$w'_{1/2}=2\sigma=\dfrac{1}{2}w,\ w_{1/2}=2.354\sigma$（$\sigma$：標準偏差）である．

　N は試料成分が保持時間 t_{R} 内（カラム導入から溶出までの間）に繰り返した分配平衡（見掛けの分配平衡状態）の回数に相当する．理論段数 N が大きいカラムは混合物中の各成分をよく分離できることになり，理論段数 N はカラムの分離性能を評価する指標の 1 つである．また，カラムを長く（理論段数 N を大きく）すれば成分の分離を改善することが可能であるが，この場合，分離が改善されてもカラムの 1 理論段当たりの試料成分に対する分離効率（カラムの分離性能）は変わらない．

例題 5. 1

　ある成分のクロマトグラムを調べたところ，ピーク幅（半値幅）が 0.700 分（0.412 分）で保持時間（t_{R}）が 10.50 分であった．この測定条件での分離カラムの理論段数を計算しなさい．

解　答

　理論段数はピーク幅（半値幅）と保持時間に関係し，式（5.16）あるいは式（5.17）を用いて計算することができる．式（5.16）を使用すると $N=16(10.50/0.70)^2=3600$ 段である．

　一般に使用されている GC 用カラムでは 2000 段/m 程度，LC 用カラムでは数万段/m 程度である．LC では移動相がカラムを流れる際に圧力が高くなりすぎるので長さが数〜25 cm のカラムがよく使用される．

2）理論段相当高さ

　試料成分の分離に対するカラムの分離性能を高くするためには 1 理論段当たりの分離効率を高くすることが必要である．試料成分を一定の長さのカラムでどの程度よく分離するかという分離効率を評価するのには理論段相当高さ HETP（height equivalent to a theoretical plate）を利用する．HETP は次式（5.18）で表される．

$$\mathrm{HETP} = \frac{L}{N} \tag{5.18}$$

ここで L はカラムの長さ（cm）である．HETP は 1 回の分配平衡が起こる微小領域の幅（移動相の流れ方向の幅）に相当し，長さとのカラムでは HETP が小さいほど理論段数 N が大きくなってカラムの分離効率は増大する．HETP が小さいことは試料成分の拡散が小さくかつ微小領域の幅が狭く，5.4.1 で述べた理想的な分離により近いことを示す．

ピーク幅の広がり：ピークの幅が狭くてシャープであれば N が大きくなり，式（5.18）から理論段相当高さ HETP が小さくなってカラムの分離効率は高くなる．しかしながら，どうしたら理論段相当高さ HETP を小さくして分離効率を高くできるかはクロマトグラムの観測だけでは推測できない．

1950 年代にピーク幅の広がりに対して多くの理論的な研究が行われ，ファン・デイムタ（van Deemter）らは HETP を表すのに次のような関係式（van Deemter equation, 式 5.19）を導き出した．これは試料成分がカラム内を移動する際に起こる現象を完全に説明するものではないが，HETP を説明するのにしばしば用いられている．

$$\mathrm{HETP} = 2\lambda d_{\mathrm{p}} + \frac{2\gamma D_{\mathrm{g}}}{u} + \frac{8}{\pi^2} \times \frac{k}{(1+k)^2} \times \frac{d_{\mathrm{f}}^2}{D_t} \times u \tag{5.19}$$

ここで，式（5.19）中の各項目は次のとおりである．

記　号	内　　　　容
λ	移動相流路のカラム内での不規則性を示す係数
D_{g}	移動相中の相互拡散係数
γ	移動相流路の曲がりを補正する係数
u	移動相の流れ方向への線速度
d_{p}	充填剤粒子径の平均直径
D_t	固定相中での拡散係数
d_{f}	拡散可能な固定層の厚さ*
k	キャパシティーファクター

*固定相表面をコーティングしている液体の層の厚さ．

式（5.19）を簡単にまとめると式（5.20）で表すことができる．

$$\mathrm{HETP} = A + \frac{B}{u} + C \times u \tag{5.20}$$

ここで A はカラム内の充填剤が不規則に詰まっているために生じる移動相の渦巻き流れや流路の長短に関する項である（図 5.10）．B は移動相流れ方向に平行な向きへの試料成分の拡散に関する項である．C は分配平衡が瞬時に起きないために生じる試料成分の移動の乱れに関する項である．HETP を移動相の線速度 u に対してプロットしたグラフは図 5.11 のように双曲線になる．

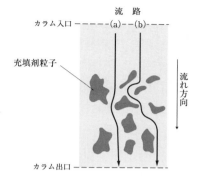

図 5.10　カラム内での流路長の違い
（Skoog W. Holler「Fundamentals of Analytical Chemistry」（1996）より一部改変引用）

HETP はピークの広がりを表すことからできるだけ小さいほうがよく，移動相の線速度（u）が

$$u = \sqrt{\frac{B}{C}}$$

のとき最小値を示す．また，式（5.20）で A, B, C が上記のように小さくなれば HETP が小さくなり，ピークの広がりが抑えられて分離効率を増大させることが可能になる．したがって，HETP を小さくするには次のことを考慮することが重要である．

A 項：粒径が小さくてそろった充填剤を均一に詰め，移動相流路の長短を抑えて流れの渦巻きによる分散を小さくする．

B 項：移動相の種類，移動相を流す圧力，温度を適切に選択することで移動相の流れ方向への分散を抑える．

C 項：固定相と移動相への分配は両相の界面で起き，しかも瞬時に平衡に到達することが望ましい．実際には試料成分が固定相表面をコーティングしている液体層内で拡散するので，分配平衡は固定相液体の厚さ，また温度や分配係数に関係する．したがって，この項を小さくするように条件を整えることが必要である．

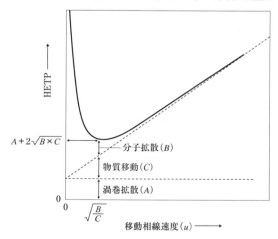

図 5.11　HETP と移動相線速度（u）との関係

3) ピークの分離

　隣り合う2つのピーク（A, B）の分離は，それらのピークの調整保持時間（$t_A' = t_A - t_0$, $t_B' = t_B - t_0$）の差とピークの幅によって判断できる．式（5.21）で示される分離係数（保持比）α がピークの相互分離の目安に用いられる．

$$\alpha = \frac{t_A'}{t_B'} \qquad (a > 1, \ t_A' > t_B') \tag{5.21}$$

　α が大きな値になれば2つのピークは大きな保持時間の差によって溶出される．しかし，ピーク幅は式（5.16）に示すようにカラムの理論段数 N にも関係しているので，実際の2つのピークの分離は α と同様に理論段数 N にも関係する．α と N の大きさがピークの分離にどのように影響するか，模式的に図5.12に示す．

　理論段数 N が小さいカラムでは得られるピークの幅は広く，完全な分離には大きな保持時間差が必要で（a），保持時間の差が小さいと分離は達成されにくい（b）．逆に，理論段数 N が大きいカラムは得られるピークの幅が狭く［(c) と (d)］，2つのピークの保持時間にあまり差がなくても良好な分離が達成されることがある（d）．そこで，ピークが完全に分離しているかどうかを定量的に扱うには次式（5.22）に示す分離度 R（resolution）を用いるのがよい．

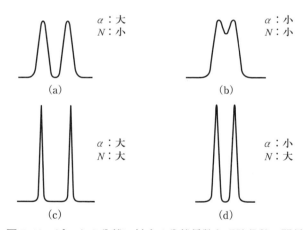

図5.12　ピークの分離に対する分離係数と理論段数の関係

$$R = \frac{2\Delta t_R'}{(w_A + w_B)} \quad (\Delta t_R' = t_B' - t_A', \ t_B' > t_A', \ w_A \ \text{と} \ w_B \ \text{は} \ A \ \text{と} \ B \ \text{のピーク幅}) \tag{5.22}$$

　ここで，R が小さい値であればピークの重なりは大きい．例えば図5.13に示すように，$R = 0.75$ のときはピークのほとんどが重なっている．$R = 1.0$ のときは成分 A のピーク面積の4%と成分 B のピーク面積の4%が重なっている．$R = 1.5$ ではそれぞれのピーク面積の0.3%が重なっているだけで分離はほぼ達成されている．以上のことから，一般的には2つのピークの完全分離には $R \geqq 1.5$ が要求される．

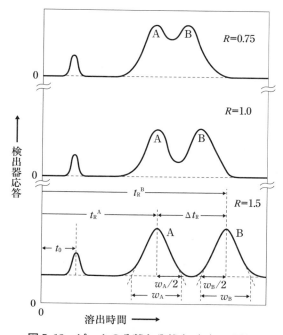

図 5.13　ピークの分離と分離度（R）の関係
（Skoog W. Holler「Fundamentals of Analytical Chemistry」(1996) より一部改変引用）

例題 5.2

　A, B の 2 つのピークは互いの隣り合ったピークである．調整保持時間（t_R'）は A＝12.42 分と B＝12.97 分であった．また，ピーク幅は A が 0.50 分と B が 0.52 分であった．A と B のピークは完全に分離できているといえるか．

解　答

　ピークの分離に対する評価は分離度 R を計算し，完全な分離に対しては R 値が 1.5 以上であることが判断材料となる．

　式（5.22）を用いて計算すると

$$R = \frac{2(12.97 - 12.42)}{(0.50 + 0.52)} = 1.08$$

である．したがって完全な分離は達成されていないと判断される．

5.5　定性分析と定量分析

　定性分析は物質中にどのような種類の元素または原子団（分子，化合物，イオンなど）が存在しているかを明らかにし，物質中の化学成分を知ることを目的として行う化学分析である．これに対して，物質中の化学成分の量的関係を明らかにすることを目的に行う分析を定量分析という．クロマトグラフィーは定性分析と定量分析の両方を同時に行うことが可能な分析法である．

5.5.1 定性分析

クロマトグラフィーにおいて通常使用されている定性分析法は次の通りである.

まず，固定相の種類，カラムの長さ，移動相の組成と流量，温度などの操作条件を一定にする．ある試料成分に対するピークの保持値（保持時間，保持容量）を測定し，既知成分の保持値と照合する．保持値については5.3.2節で述べた通り，保持時間と保持容量がある．保持時間は試料成分を注入してから溶出する（クロマトグラムのピークの頂点）までに要する時間であり，保持容量は保持時間内に流れた移動相の容積である．保持値の一致によって，ある試料成分が既知成分と同じであると推定して定性分析を行う．この場合，クロマトグラフィーの条件は物質中の分析対象成分ができるだけ良好に分離されるように設定する．保持値が互いに一致する成分は他にも存在する可能性があることから，定性分析をより確実にするには複数の実験により多くの情報を得て総合的に判断する必要がある．方法例を以下に示す.

① クロマトグラフィー条件を変えてもピークの保持値が既知成分と整合することを確認する.

特定のクロマトグラフィー条件（カラムと移動相の1種類の組み合わせ）で得られた保持値の比較だけでなく，固定相の種類や移動相の組成あるいは濃度を変えて得られたピークの保持値の変化を調べ，試料成分と既知成分の保持値が一致するかどうかを確かめる.

② 複数の検出特性の異なる検出器を用いて応答を比較する.

複数の検出器で得られたクロマトグラムについて，試料成分と既知成分のピークの保持値およびピークの形状を比較する．例えば，ある種の元素や化学構造に選択的な応答を示す検出器と選択性のない検出器，あるいは異なった選択性を持つ検出器を組み合わせて使用する.

③ 試料の前処理を行う.

試料成分だけを吸着する選択性の高いカラム（例えばイオン交換カラム）を利用したイオンの捕集，塩基溶液や酸溶液による酸や塩基の捕集，あるいは選択的な反応試薬を用いて特定の成分に対する誘導体化反応などを行う．これらの前処理を行った場合と行わなかった場合でのクロマトグラムを比較する.

④ 成分のスペクトルを利用する.

分離した成分を質量分析計や赤外線分析計などで得られたスペクトルを比較する．この手法は信頼性が最も高い定性分析法である．この種のスペクトル測定機器を接続したクロマトグラフィー装置が市販されており，ガスクロマトグラフ質量分析装置（GC‒MS装置），赤外線分析計を装備した装置（GC‒IR装置）がある．また，液体クロマトグラフに質量分析計を装備した液体クロマトグラフ質量分析装置（LC‒MS装置）も市販されている．最近，GC‒MS装置およびLC‒MS装置の使用は多くなっている.

5.5.2　定量分析

　一定のクロマトグラフィー条件下で得られるピーク面積はその成分の量に対応する．試料成分のピーク面積あるいは高さを既知成分の面積あるいは高さと比較することによって定量分析を行う．

1)　ピーク面積の測り方

　検出器応答の信号を記録装置として用いるインテグレータに導くとクロマトグラムが記録され，さらにピークの頂点位置までの保持時間，ピーク面積，ピーク高さなどのデータも自動的に記録される．記録されたクロマトグラム例のピークを図5.14に示す．

　ピークを図5.14のように三角形と見なし，ピークの高さを h としてピークの半値幅を $w_{1/2}$ とすると面積は $(h \cdot w_{1/2})$ で表すことができる．ピーク幅が狭くシャープな場合は便宜的に $h \cdot w'/2$ で表してもよい．また，保持値（保持容量あるいは保持時間）が同じ成分であれば成分濃度を変えてもピークの幅はほとんど変化しないことから，定量分析ではピーク面積の代わりにピークの高さ h を使用することもある．感度あるいは補正係数を用いる方法や内標準法による定量分析ではピーク面積を使用する．最近では，クロマトグラムに関するデータをクロマトグラムの解析ソフトを用いてコンピュータに取り込み，ピーク面積やピーク高さなどを容易に得ることができる．

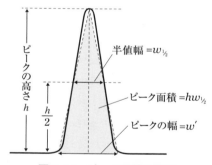

半値幅 $=w_{1/2}$

ピーク面積 $=hw_{1/2}$

ピークの幅 $=w'$

ピークの高さ h

$\dfrac{h}{2}$

図5.14　ピーク面積の測定

　ピークを三角形と見直す際の二辺の引き方は図4.9と多少違っており，ピーク幅 w と本図のピークの幅 w' は異なる．この図の二辺は $\dfrac{h}{2}$ の点と頂点を結んだ線にすぎない．従って w' は w とは違う．この作図は単に面積を求めるためのものである．

2)　成分量とピーク面積の関係

　クロマトグラムのピーク面積と成分量の関係を利用して定量分析を行う．まず，成分の既知量に対して検出信号強度（ピーク面積）をプロットしたグラフ（検量線）を作成する．検量線は必ずしも直線関係でなくてもよいが，信号強度のバラツキに対して成分量のバラツキが一定である直線関係を示す条件で行うことが好ましい．また，クロマトグラフィー条件や検出器の種類および検出条件が異なると検出器応答のピーク面積や検量線の傾き

（感度）が変わる．実際の定量分析では検量線の作成条件と同じ条件下で試料成分を測定する．検量線が直線を示す場合，直線の範囲内で感度あるいは補正係数を用い，測定した信号強度（ピーク面積）から試料成分（分析対象成分）量を換算することが行われている．

$$感度 = \frac{信号強度（ピーク面積）}{分析対象成分量} \qquad 補正係数 = \frac{分析対象成分量}{信号強度（ピーク面積）}$$

感度および補正係数は，まず基準とする成分を決めてその成分に対する感度と補正係数を求め，これらに対する相対値として表すことが多い．感度および補正係数の表し方は，成分量を物質量で表すときは相対モル感度および相対モル補正係数となり，重量で表すときは相対重量感度および相対重量補正係数となる．

3) 絶対検量線法

まず，定性分析で試料成分を特定し，その成分と同じ成分の既知濃度を用いて検量線を作成する（図5.15）．検量線の条件と同じクロマトグラフィー条件で試料成分のピークの面積あるいは高さを測定した後，検量線から濃度を読み取る．このとき，試料の導入量など全ての操作条件を検量線作成時の条件と正確に同じにしなければならない．

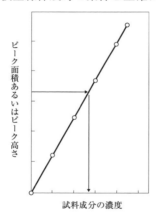

図 5.15　検量線

4) 感度あるいは補正係数を用いる方法

試料成分に対する検出器の感度（ピークの大きさ）あるいは各ピークの補正係数をあらかじめ求めることによって，試料に含まれる全成分に対する各成分の含有百分率（あるいは試料に対する各成分の含有率）をピーク面積により求めることができる．この方法は試料中の成分が全てクロマトグラム上にピークとして現れるときに利用できる．一部の成分がピークとして検出できない場合や溶出しない成分を含んでいる場合の個々の成分の含有率は式（5.23）で求める．

$$含有率（\%） = \frac{信号強度（ピーク面積）\times 補正係数}{試料量} \times 100 \qquad (5.23)$$

ガスクロマトグラフィーにおいては，多くの成分に対して種々の検出器を用いたときの感度，あるいは補正係数がすでに報告されているので，これらの値を使用した定量分析を行うことがしばしばある．ピークの面積と補正係数を使用した含有率の求め方の例を図5.16に示す．

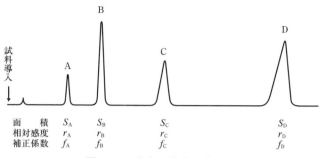

図5.16　含有百分率の求め方

（例）成分Cの含有百分率

ピーク面積と相対感度から求める　(1)：$(S_C/r_C)\times100/\{(S_A/r_A)+(S_B/r_B)+(S_C/r_C)+(S_D/r_D)\}$

ピーク面積と補正係数から求める　(2)：$S_C f_C\times100/(S_A f_A+S_B f_B+S_C f_C+S_D f_D)\}$

5)　内標準法

試料を同一条件で測定しても，共存物質が異なるとピーク面積が変わって絶対検量線法が適用できない場合がある．内標準法は試料の違いや実験条件の変化から生じる誤差を小さくして定量分析する方法である．

検量線：試料中に存在しない成分で，しかも試料中の各成分とピークが重ならない成分を内標準物質に選ぶ．その内標準物質の既知量に試料中の分析目的成分と同じ成分を含む試料の既知量（段階的に異なる量）を加え，均一に混合した溶液を用いて検量線を作成する．この場合，混合試料を内標準物質のピークがほぼ一定の大きさになるように採取し，クロマトグラムとして記録してピーク面積を測定する．横軸に濃度比（分析目的成分と同じ成分量／内標準物質量），縦軸にピーク面積比（分析目的成分と同じ成分のピーク面積／内標準物質のピーク面積）をそれぞれプロットして検量線を作成する．なお，内標準物質は次のような条件を満たすことが望ましい．

① 純粋あるいは純度が高い．

② 化学的に安定で試料成分や溶媒と反応しない．

③ 試料成分と同じクロマトグラフィー条件下で溶出，検出できる．

④ 試料成分から完全に分離され，試料成分と近い保持時間で溶出される．

試料成分の定量：試料の一定量を量り取り，これに内標準物質の既知量を検量線の範囲内に入るように加えて溶液とする．次に，内標準物質のピークが検量線を作成したときとほぼ同じになるように混合物の適量を選んで用いる．最後に同じ実験条件下でクロマトグラムを記録し，得られた試料中の分析目的成分と内標準物質のピークの面積比を求め，検

量線からピーク面積比に対応する濃度比（試料成分量／内標準物質量）を読み取り，試料成分を定量する．この方法は内標準物質量を基準にして定量するため，クロマトグラフィーに使用する試料の量を正確に調節する必要がなく，試料の使用量を多く用いることも可能で，微量の成分を定量する場合にも利用できる方法である．

例題 5.3

酢酸エステル（酢酸エチル，酢酸 n-プロピル，酢酸 n-ブチルおよび酢酸 n-アミル）の混合試料をガスクロマトグラフィーで分離して TCD で検出したところ，下表に示すような結果が得られた．酢酸 n-アミルを 100 として他の 3 種の酢酸エチルの相対モル感度を計算しなさい．

化　合　物	物質量（mol）	面　積（mm²）	相対モル感度
酢酸エチル	10.35×10^{-4}	692	
酢酸 n-プロピル	8.66×10^{-4}	615	
酢酸 n-ブチル	7.85×10^{-4}	599	
酢酸 n-アミル	6.69×10^{-4}	553	100

解　答

各成分のモル感度を 1 mol 当たりの面積で表すと，酢酸 n-アミルでは

$$\frac{553}{6.69 \times 10^{-4}} \ \mathrm{mm^2\,mol^{-1}}$$

である．これに対する相対モル感度であるから，酢酸エチルについては

$$\frac{692}{10.35 \times 10^{-4}} \times 100 \Big/ \frac{553}{6.69 \times 10^{-4}} = 81$$

である．同様に計算すると酢酸 n-プロピルの相対モル感度は 86，酢酸 n-ブチルは 92 である．

例題 5.4

4 種の既知成分（A, B, C, D）の試料について，クロマトグラムから得られた相対モル感度，ピークの高さ，半値幅はそれぞれ下表のとおりであった．各成分の含有モル％を計算しなさい．

成　分	相対モル感度	ピークの高さ（mm）	半値幅（mm）
A	71	125.6	4.2
B	111	76.9	8.5
C	114	85.5	16.6
D	124	36.5	20.3

解　答

A 成分の面積は $125.6 \times 4.2 = 528$ mm² を計算して相対モル感度当たりの面積を求める．同様に，B, C, D について計算する．試料中の各成分のモル％は相対モル感度当たりの全面積に対する各成分の相対モル感度当たりの面積の割合である．結果を表にまとめた．

成分	面積（mm²）	面積（mm²）／相対モル感度	モル％
A	528	7.44	23.4
B	654	5.89	18.5
C	1424	12.49	39.3
D	741	5.98	18.8
合計		31.80	100.0

5.6　電気泳動

5.6.1　原理と分離機構

　荷電粒子（例えば陽イオン，陰イオン）を外部から印加した電場の中に置いたとき，粒子が電荷の違いと電場からの作用を受けて移動（泳動）する現象を電気泳動（electrophoresis）という．泳動速度は電場の大きさ，荷電粒子の種類や大きさなどによって異なるので荷電粒子を分離することが可能である．電気泳動を分析化学的に利用する場合，自由溶液中で測定対象物質を泳動させる場合とゲルなどの高分子中で泳動させる場合があり，ゲルを使用する電気泳動をゲル電気泳動（gel electrophoresis, GE）法と呼ぶ．ゲル電気泳動における分離機構はサイズ排除（ゲル浸透）クロマトグラフィーと同じ分子ふるい効果であるが，その効果は異なる．サイズ排除（ゲル浸透）クロマトグラフィーの場合，細孔内に侵入しやすい小さな試料分子は移動相の影響を受けにくくなるので移動しにくくなるが，ゲル電気泳動の場合は細孔内に侵入した試料分子も電場により移動できる．むしろ，小さい分子のほうがゲルの網目構造との衝突頻度が低くなるので移動しやすくなる．一方，分離場として外部から高電圧を印加したキャピラリー（capllary）を使用し，その中で電荷をもった試料成分を泳動させて分離する方法をキャピラリー電気泳動（capillary electrophoresis, CE）法という．CE 法は自由溶液中での電気泳動現象を分析化学的に利用でき，次の点で他の機器分析法に比べて優れている．

① 試料量が数十 nL 程度というきわめて微量で分析できる．
② HPLC と分離機構が異なり，HPLC では困難な成分の分離分析が期待できる．
③ 一般的に高い理論段数を得ることができ，高い分離性能を持っている．
④ 試料の前処理はほとんど必要としないか，あるいは簡易である．

　CE の分離モードは表5.5に示すような分離機構の違いによって5つに分類することができる．キャピラリーゲル電気泳動（capillary gel electrophoresis）以外は自由溶液中での電気泳動現象を利用した方法である．

　その中で，キャピラリーゾーン電気泳動（capillary zone electrophoresis CZE）法はHPLC などに比べて溶液の移動速度がキャピラリー内でほぼ均一に起こる（図5.17）．このため，移動方向の試料ゾーンの広がりが比較的小さく，極めて高い分離効率（キャピラリー1 m 当たりで数十万の理論段数）を有し，分離法として特に優れている方法である．近年，タンパク質や核酸などの生体高分子の分離・定量に広く使用されている．

　CZE 法では，一般に溶融シリカ製キャピラリー（内径 10～100 μm の中空管）を使用し，これに泳動液（電解質溶液）を満たして両端に高電圧を印加することにより試料成分の分離を行う．図5.18にCZE の装置の略図を，図5.19にキャピラリー内での電気浸透流の発生と試料成分の泳動の様子をそれぞれ示す．

表 5.5　分離機構による分類

名　　　称	分　離　機　構
キャピラリーゾーン電気泳動 （capillary zone electrophoresis：CZE）	荷電量と平均粒子径に基づく分離
ミセル動電クロマトグラフィー （micellar electrokinetic capillary chromatography：MEKC）	泳動電解質溶液でミセルや添加剤との相互作用を 利用した分離
キャピラリーゲル電気泳動 （capillary gel electrophoresis：CGE）	ゲルによる分子ふるい効果を利用する分離
等速電気泳動 （capillary isotachophoresis：CITP）	先行イオン液と終末イオン液の2種類の電解質溶 液の間に挟み込んで分離
等電点電気泳動 （capillary isoelectric focusing）	試料成分の等電点に応じて分離

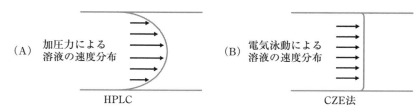

図 5.17　チューブ内の溶液の速度分布
（A）管中心の線速度は平均流速の2倍となる（層流）
（B）ほぼ平面状で流れる（プラグ流れ）

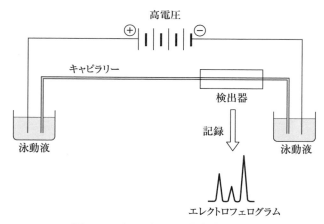

図 5.18　キャピラリー電気泳動装置

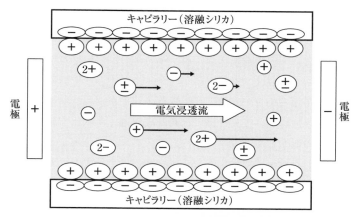

図 5.19　キャピラリー内の電気浸透流と電気泳動

　キャピラリーとして用いられる溶融シリカでは，その内側壁の表面にシラノール基（-Si-OH）が存在し，泳動液中の H^+ の解離によってイオン化（-Si-O⁻）して表面は負に帯電している．その負電荷に泳動中の陽イオンが対向するように並んで正電荷の壁を形成することにより，キャピラリーの内壁側と溶液側の間で電気二重層が形成される．この状態でキャピラリーの両端に直流高電圧（10～30 kV）を印加すると，泳動液側の陽イオンは負極に向かって泳動しようとする．このとき，陽イオンの泳動に伴って溶波全体が引っ張られて負極に向かって移動する．この溶液全体の流れを電気浸透流（electroosmotic now）と呼び，流れの速度を電気浸透流速度（v_{eo}）と呼ぶ．一方，試料の陽・陰イオン（正・負電荷成分）は各成分の電荷，イオン（成分粒子）半径などの違いによって泳動液のイオンの影響を受けて溶液内を電気泳動する．この速度を電気泳動速度（v_{ep}）と呼ぶ．キャピラリー内で試料の陽イオン（正電荷成分）は負極に，陰イオン（負電荷成分）は正極に向かって泳動しようとするが，実際に電気浸透流速度が大きい場合には，試料成分は電気泳動速度に従って分離しながら全体として負極に移動することになる．

1）　泳動速度と検出順序

　個々の成分の泳動速度（見かけの速度：検出器に向う速度）は，電気浸透流速度（v_{eo}）と電気泳動速度（v_{ep}）の和として考えることができる．

$$成分の見かけの泳動速度 = v_{eo} + v_{ep}$$

　ある印加電圧の下でのキャピラリー内では，泳動液は一定の電気浸透流速度で正極から負極に向かって流れる．試料の陰イオン（負電荷成分）は正極に向かって泳動しようとするが，その泳動速度（v_{ep}）は泳動波の電気浸透流速度（v_{eo}）に比べて小さいために，試料イオン（電荷成分）は陽・陰（正・負）の電荷の違いがあっても負極に向かって移動することになる（ある種の陰イオンは $v_{ep} > v_{eo}$ となって負極に移動しないこともある）．

陽イオン（正電荷成分）はそれ自身が負極に向かって泳動し，正電荷の試料イオンの移動速度は試料イオン（成分）自身の電気泳動速度と泳動液の電気浸透流速度の和となって電気浸透流速度よりも速く検出器に到達する．電荷を持たない成分は電気浸透流とほぼ同じ速度で検出器の方向へ進む．一般に，ストークス半径の大きい成分は泳動液との抵抗が大きく，ストークス半径の小さい成分に比べて移動速度が遅い．陰イオン（負電荷成分）は正電荷成分，中性成分に比べて見かけの泳動速度が遅く，検出器に到達するのも遅い．

試料イオンは正極の端からキャピラリー内に導入され，浸透流により負極に向かって移動して負極側に設置した検出器で検出される．一般には，泳動を開始して最初に検出される成分は正電荷で小さなストークス半径の分子であり，ストークス半径が大きい分子になるに従って遅く検出される．次に電荷を持たない成分が泳動液の電気浸透流によって移動して検出される．その後，陰イオン（負電荷成分）が検出される．この陰イオン（負電荷成分）の中では大きなストークス半径の分子のほうが正極に向かう泳動速度が小さく，泳動液の電気浸透流が比較的大きいために速く移動して検出される．

2) 試料の導入法

試料溶液のキャピラリーへの導入量は数十 nL 程度ときわめて微量であり，再現性よく導入することが重要である．導入方法はいろいろと検討されているが，以下に代表的な 4 種の方法について述べる．

重量（落差）法：キャピラリーの一端を試料溶液の容器（バイアル）に，他端を泳動液の容器（バイアル）にそれぞれ挿入する．キャピラリー両端の間に高低差をつけて圧力差を生じさせ，この圧力差によって試料溶液を吸い込ませる．導入量は高低差の大きさと導入時間で調節する．

加圧法：試料溶液の入ったバイアルにキャピラリーの一端を挿入し，そのバイアルに窒素などを吹き込むことによりバイアル内を加圧して試料溶液をキャピラリーに導入する．導入量は圧力の大きさと加圧時間で調節する．

減圧法：キャピラリーの一端を試料溶液の入ったバイアルに，他端を泳動液の入ったバイアルにそれぞれ挿入し，泳動液側のバイアルを減圧することにより試料溶液をキャピラリーに導入する．導入量は減圧の程度と時間で調節する．

電気泳動法：キャピラリーの一端を試料溶液の入ったバイアルに，他端を泳動液の入ったバイアルにそれぞれ挿入し，両端に電圧を印加して電気泳動により試料溶液をキャピラリーに導入する．導入量は印加する電圧と時間で調節する．

3)　検出法

　紫外・可視吸光検出器（UV-VISD）が広く使用されている．試料成分検出の原理は HPLC での検出と同じである．泳動液の検出信号がバックグラウンド信号（ベースライン）であり，試料成分の検出信号の差がピークとして現れる．検出信号を泳動時間に対して表したものをエレクトロフェログラム（electropherogram）と呼ぶ．これは HPLC 法でのクロマトグラムに相当し，HPLC 法と同様に解析を行うことができる．検出セルとしてキャピラリーをそのまま使用する場合，外側を樹脂（ポリイミド）で被覆されているときには検出セルとして使用する部分をガスライターなどの炎で焼いたり，酸処理したりして樹脂を除去して使用する．紫外光が比較的透過しやすい樹脂で被覆されたキャピラリーを用いる場合にはそのまま検出器に挿入する．光路長がキャピラリーの内径となる検出器は検出感度（濃度感度）の低さが問題になる場合がある．近年では，光路を長くするためにセルの部分を膨らませたバブル型キャピラリーや，キャピラリーが接続できる Z 型フローセルなどを搭載した装置が市販されている．

5.6.2　定性分析・定量分析

　エレクトロフェログラム（図5.18）は HPLC でのクロマトグラムとほぼ同じと考えることができる．各試料成分に相当する検出信号はピークとして表れるので，泳動時間で定性分析，ピーク面積（あるいは高さ）で定量分析をそれぞれ行う．試料成分は泳動する際に泳動方向への拡散が少ないために幅の狭いシャープなピークを示す．

　一方，CZE 法では試料の使用量が数十 nL という極微量であり，導入量の再現性やキャピラリーをそのまま検出セルとして使用する装置では，光路長がきわめて短いということから十分な感度が得られにくいという問題がある．現在，レーザー蛍光検出法などを利用した高感度検出法に関する今後の改善・改良が待たれるところである．

参考文献

（1）　奥谷忠雄，河蒿拓治，保母敏行，本水昌二，「基礎教育　分析化学」東京教学社（2003）.

（2）　保母敏行　監修「高純度化技術大系 第1巻分析技術」フジ・テクノシステム（1996）.

（3）　J. S. Fritz, G. H. Schenk「Quantitative Analytical Chemistry」5th edition, Allyn and Bacon Inc. (1987).

（4）　S. W. Holler「Fundattlentals of Analytical Chemistry」7th editon, Saunders college publishing (1996).

第 5 章の章末問題

5.1 ●必　須●

次の語句を説明しなさい.

（1）保持係数，（2）ホールドアップタイム，（3）ホールドアップボリューム，

（4）保持時間，（5）調整保持時間，（6）調整保持容量，（7）分離係数，（8）分離度，

（9）理論段数，（10）理論段相当高さ

5.2 ●必　須●

ある分離カラム（長さ 180 cm）の理論段数は 3000 段であった. このカラムの理論段相当高さを計算しなさい.

5.3 ［推　奨］

理論段数が 1,000 段のカラムを用いて成分 a をある保持時間 t_R で溶出させてクロマトグラムを得た. 一方，成分 b については 10,000 段のカラムを用いて同じ t_R で溶出するように条件を整えて別のクロマトグラムを得た. このとき，時間軸が同じであればクロマトグラム上の成分 b のピークは成分 a のピークに比べて幅が狭い. この理由を説明しなさい.

5.4 ●必　須●

あるカラムを用いて成分 A と B を分離したところ，調整保持時間 t_R' は A が 7.42 分，B が 8.92 分であった. クロマトグラム上の成分 A と B に相当するピークの幅はそれぞれ 0.87 分と 0.91 分であった. このときの分離係数 α と分離度 R を計算し，A と B のピークは完全に分離しているかどうかを判断しなさい.

5.5 ［推　奨］

イオン性成分 A, B および C はそれぞれ保持容量が 1.5, 15.5 および 23.0 mL であった. 成分 A の選択係数が $K_A = 0$ であるとき，B と C の分離係数を計算しなさい. また成分 B と C の保持係数 k を計算しなさい.

5.6 ◀チャレンジ▶

次のデータは HPLC カラムで得たものである.

化　合　物	調整保持時間（分）
バニリンマンデル酸	3.50
ノルメタンフリン	3.95
メタンフリン	5.91
3-メトキシチラミン	7.41
ホモバニリン酸	11.83

（1）　3-メトキシチラミンに対する各成分の分離係数 α をそれぞれ求めなさい.

（2）　ホールドアップタイム t_0 が 30 秒だったとすると，メタンフリン分子がカラム内で移動相中に存在する平均的な時間はカラムから溶出するまでの平均的な時間に対してどれくらいの割合か計算しなさい. ただし，各化合物は理想的な段理論に従って保持しているとする.

5.7 ◀チャレンジ▶

4 種のアルコールの混合試料をガスクロマトグラフィーで分離して TCD で検出した．各成分のピーク高さと半値幅は表のとおりであった．各成分の含有モル % を計算しなさい．

成　　　分	相対モル感度	ピークの高さ（mm）	半値幅（mm）
エタノール	72	128.0	4.1
プロパノール	83	69.7	8.4
2-プロパノール	85	85.8	16.7
ブタノール	95	65.3	21.3

5.8 ◀チャレンジ▶

長さ 25.0 cm の分離カラムを使用して成分 A, B, C, D をクロマトグラフィーにより分離したところ，クロマトグラム上で下表に示すような結果が得られた．ホールドアップタイム t_0 が 1.27 分のとき，（1）〜（6）に答えなさい．

成分	保持時間 t_R（分）	ピークの幅（分）
A	3.53	0.37
B	6.47	0.68
C	7.53	0.80
D	15.11	1.65

（1）　各ピークの理論段数 H を計算しなさい．

（2）　各ピークの理論段相当高さ HETP を計算しなさい．

（3）　各ピークの保持係数 k を計算しなさい．

（4）　成分 B と C の分離係数 α を計算しなさい．

（5）　成分 B と C の分離度 R を計算しなさい．

（6）　成分 B と C が完全に分離する（分離度 $R=1.5$）にはカラムを長くすることが効果的である．その理由を説明しなさい．

5.9 ［推 奨］

内標準法に用いられる標準物質として必要な条件を示しなさい．

5.10 ［推 奨］

a 成分を標準物質として用いたとき，得られた内標準法での b 成分の結果を下表に示す．

なお，a 成分の濃度は 2.0 ppm とした．

（1）　内標準法での検量線を作成しなさい．

（2）　a 成分のピーク面積が 1720，b 成分のピーク面積が 703 のとき，b 成分の濃度（ppm）を計算しなさい．

濃度比（b/a）	0.20	0.40	0.60	0.80
a のピーク面積	1640	1690	1700	1750
b のピーク面積	213	443	666	935

154

5.11 ［推 奨］

ガスクロマトグラフィー，吸着平衡を利用する液体クロマトグラフィーおよびキャピラリーゾーン電気泳動のうち，次の混合物を分離する場合はどの方法がふさわしいか．それぞれ理由も含めて答えなさい．

　　　混合物　（1）　エタン，ブタン，ペンタン
　　　　　　　（2）　酢酸，プロピオン酸，フェノール
　　　　　　　（3）　ナフタレン，アントラセン，フェナントレン

5.12 ●必 須●

次の語句を説明しなさい．
（1）電気泳動　　（2）電気浸透流　　（3）エレクトロフェログラム

5.13 ［推 奨］

CZE が HPLC に比べて分離効率の高い結果が得られるのはなぜか．

課 題

5.1 クロマトグラフィーにおける次の語句を説明しなさい．
（1）選択係数　　（2）体積分布係数　　（3）分配係数　　（4）保持容量

5.2 クロマトグラム上でのピーク幅の広がりと理論段相当高さおよび分離効率の関係をまとめなさい．

5.3 クロマトグラフィーにおいて複数の成分がカラム内で分離される過程を説明しなさい．

5.4 クロマトグラム上で分離された成分ピークがなぜガウス曲線を示すかを述べなさい．

5.5 クロマトグラフィーにおいて各成分はカラム内での移動速度の違いによって分離されるが，移動速度の違いはどのような要因によって生じるかを説明しなさい．

5.6 良好な成分分離の達成とクロマトグラム上においてシャープなピークを得るにはどのような分離カラム（固定相）や移動相を選ぶことが必要か．

5.7 得られたクロマトグラム上のピークがただ1つの成分だけを含むものか，あるいは他の成分を含んでいないことをより確実にするためにはどのような実験が必要か．

5.8 クロマトグラフィーを用いて定性分析する場合，各成分の保持時間（保持容量）を既知成分の保持時間（保持容量）と比較する方法がある．しかし，異なる成分でも類似の保持時間（保持容量）を有する場合もある．定性分析をより確かにするにはどのような実験が必要か．

5.9 クロマトグラフィーを用いて定量分析する場合，クロマトグラム上の未知濃度と既知濃度のピーク面積を比較することによって行う方法がある．この場合，ピーク面積が成分の量に対応（比例することが望ましい）することが必要である．
（1）　成分量がなぜピーク面積に対応（比例することが望ましい）するかを説明しなさい．
（2）　保持時間が変わらないピークでの定量分析では，ピーク面積の代わりにピーク高さを用いることもある．なぜピーク高さを用いることができるか．

5.10　クロマトグラフィーとキャピラリーゾーン電気泳動の成分分離に対するそれぞれの特徴を
まとめなさい.

第6章 質量分析法

　田中耕一，フェン（J. B. Fenn）およびウスリッチ（K. Wuthrich）3氏が2002年に受賞したノーベル化学賞「生体高分子の同定および構造解析のための手法開発」を契機として，質量分析法は周辺技術とともに著しい進歩を遂げ，いまや生命科学研究には必須の研究手法となっている．測定精度，分解能も向上したことから，混合物の解析にも威力を発揮し，各種オミクス研究にも応用されている．ガスクロマトグラフィー（GC），液体クロマトグラフィー（LC），イメージング技術などと接続され，分析対象にできる物質（試料）の種類が格段に増え，バイオ，医・薬学，地球・環境科学，原子物理学など広範な分野において汎用の非常に有用な分析手段である．

《本章で学ぶ重要事項》
（1）　質量分析装置の構成
（2）　イオン化部のおもな種類と原理
（3）　質量分析部のおもな種類と原理
（4）　GC-MS, LC-MS
（5）　MS-MS の原理と解析技術

6.1　原　理

　質量分析法（mass spectrometry：MS）とは，原子や分子の質量を測定する手法である．原子・分子をイオン化し，質量荷電比（m/z, m：イオンの質量，z：電荷数）に応じて各イオンを分離した後，それぞれのイオン量を測定する方法で，測定対象物質の分子量，分子構造などに関する情報が得られる．

6.2　装　置

　質量分析計は，試料導入部，イオン化部（イオン源），質量分離部，および検出部などで構成される（図6.1）．検出部はコンピュータなどの情報処理部に接続し，マススペクトル（m/zスペクトル）として分子量情報を与える．

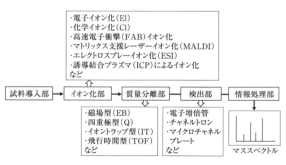

図6.1　質量分析計の構成

6.2.1　試料導入部

　試料導入部では，測定対象物質を速やかにイオン化できるような形態で装置内に保持することが重要である．したがって，後述のイオン化法によってその試料導入法は異なる．多くの場合，測定対象物質は溶媒などの媒体（マトリックス）中に極微量存在した状態にある．したがって，これらのマトリックスを測定対象物質から分離できる状態にすることが必要である．また，マトリックス支援レーザー脱離イオン化法（MALDI）のようにマトリックス自体がイオン化を補助するイオン化法もあり，この方法の場合には測定対象物質をマトリックス内に適切に存在させる必要がある．

　気体試料の場合はマトリックスも気体であることから，イオン化の過程でマトリックスを取り除くのは比較的容易であり，そのままイオン化部に導入する方法とガスクロマトグラフ（GC）と結合してあらかじめ測定対象成分を分離してからイオン化部に導入する方法の 2 つがある．

　液体試料の場合には溶媒がマトリックスとなる．測定対象物質が揮発性有機化合物の場合は，試料液体を加熱したり，ガスを流通させてマトリックス溶媒から追い出して濃縮後，直接イオン化部に導入したり，GC を介して分離，導入する方法（ヘッドスペースあるいはパージ・トラップ GC/MS[*1]）がある．測定対象物質が難揮発性化合物の場合は，試料液体を噴霧して微小な液滴としてイオン化部に導入するエレクトロスプレーイオン化法（ESI）があり，高速液体クロマトグラフ（HPLC）と結合してあらかじめ測定対象成分を分離した後に，各成分を連続的に分析することができる．

　固体試料で測定対象物質が揮発性有機化合物の場合は，真空容器内で加熱昇温時に発生する気体を分析する．固体試料が適当な溶媒に溶解すれば，液体試料と同等に取り扱うことができるが，高感度測定が困難になる場合がある．また，溶媒に不溶な成分や，不揮発性高分子，高分子中の添加剤などの場合は，成分を不活性雰囲気下で瞬時に加熱気化または熱分解した成分を直接，あるいは GC を介して MS に導入する方法（熱分解 MS あるいは GC/MS）が有効である．

　熱重量測定（thermogravimetry：TG）装置と MS を結合して，加熱過程において発生する気体の定性や発生量の変化を測定する TG/MS という手法もある．

6.2.2　イオン化部

　イオン化部では，原子または分子状態の測定対象物質を何らかの方法でイオン化する．イオン化の種類によって，生成するイオンの種類や量が異なる．

---

　*1　GC-MS, LC-MS, または GC/MS, LC/MS の表記におけるハイフン（-）とスラッシュ（/）の明確な使い分けのルールはないが，日本質量分析学会（MSSJ）は，装置の結合を指す場合にはハイフン，技法の組み合わせを指す場合にはスラッシュを使うことを推奨している．例えば LC の場合，LC-MS＝liquid chromatograph-mass spectrometer, LC/MS＝liquid chromatography/mass spectrometry

　分子をイオン化する場合，分子イオンとフラグメントイオンに大別される．図6.2に電子イオン化（electron ionization：EI）で得られたマススペクトルの例を示す．分子イオンは分子が開裂することなくイオン化したものであり，分子量に関する情報が得られる．一方，フラグメントイオンは分子の開裂によって生じたイオンである．フラグメントイオンは分子が開裂した各々の部位の質量数を示すので，どの部位で分解しやすいのか，フラグメントそれぞれがどのような原子，官能基で構成されているかを推定する重要な情報となる．

　分子イオンは，分子のラジカル化，プロトン化，脱プロトン化，金属イオンなどのカチオンの結合などさまざまな様式で生成する．フラグメントイオンは，ラジカル化（ラジカルカチオン），イオン化（正，負）に続く分子の開裂，転移を経て生成する．イオン化の様式は，イオン化法，および前処理の方法に依存するので，可能なイオン化後の構造を考慮して質量を解析する必要がある．その際，Cl, Br や一部の遷移金属イオンなどは，特徴的な同位体存在比を持つので，それらの元素を含む化合物の同定に非常に有用である．これらの特徴的な元素を含んでいなくても，近年の精密質量*2を与える MS に付属する解析ソフトウェアでは，同位体由来のイオンピークパターンを解析することで，その元素組成を決定する（可能性を絞り込んで候補となる化学構造をスコアとともに提示）ことも可能である．

　イオン化法は，質量分析法に必須の部分であり，現在でも盛んに研究されている重要な分野の１つである．ここでは代表的なイオン化法，すなわち，電子イオン化，化学イオン化，高速電子衝撃，マトリックス支援レーザーイオン化，エレクトロスプレーイオン化，および誘導結合プラズマを用いたイオン化法について解説する．

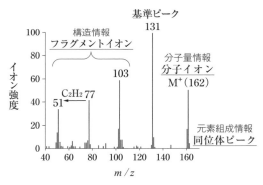

図6.2　ケイ皮酸メチルエステルの EI スペクトル
（大橋，「ぶんせき」，1, 6（2003））

---

*2　測定精密質量と計算精密質量がある．測定精密質量は，実際の測定の結果得られた化学種の質量の精密な値．計算精密質量は，対象分子の同位体組成式と各元素の同位体質量に基づいて計算される値．いずれも，通常はミリ原子質量単位（10^{-3} u）以下の精度で表せるものをいう．特に各元素の最も存在度の大きい同位体のみから構成される化学種を想定した値は，モノアイソトピック質量という．

1)　電子イオン化（electron ionization, EI）法

　加速した電子によって試料分子をイオン化する方法である．このイオン化法ではマトリックスがなるべく測定対象物質周囲にないことが必要であり，おもに気体試料を直接導入する系に用いられる．したがって，大気試料のイオン化やGC/MS用イオン化に用いられる．生じるイオンの多くは1つの電子が叩き出されたラジカルカチオンである．EIでは70 eV付近でイオン化効率が高いので，市販装置の電子加速電圧は通常70 eVに設定してある．代表的なEI部を図6.3に示す．比較的単純な装置構成であり，小型である．しかしながら，イオン化効率を制御するのが比較的困難であり，化合物によっては多くのフラグメントイオンを生じるので，分子オンを用いた分子量測定や高感度定量が困難な場合がある．

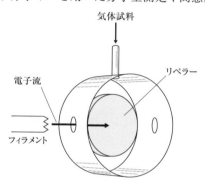

図6.3　電子イオン化（EI）法の模式図
（梅澤，澤田，寺部監修，「先端の分析法」，p124（2004））

2)　化学イオン化（chemical ionization, CI）法

　イオン化部にあらかじめ反応ガスを導入して電子線によりイオン化しておき，この雰囲気下に試料ガスを導入して測定対象物質をイオン化する方法を化学イオン化（CI）という．EIと同様，気体状態でイオン化する方法である．反応ガスの圧力が高くなるほど反応ガス由来のイオンと測定対象物質分子が衝突する確率が高くなるので，検出感度が高くなる．CIは大気圧下でも可能であり，大気圧化学イオン化（atmospheric pressure chemical ionization, APCI）と呼ばれている．気体試料のイオン化やGC, LC/MSにおけるイオン化などに用いられている．

　EIの装置構成とほぼ同じであり，ほとんどの市販装置では反応ガスの有無によってEI，CIのどちらのイオン化も可能となっている（図6.4）．しかしながら，CIではEIと異なり，反応ガスのイオン化エネルギーを変えることによって，生成するイオンに与えるエネルギーを調節することができる．小さい反応エネルギーを与える反応ガスを使用すれば，分子イオンを多く生成させることができるので分子量情報が得られる．一方，大きい反応エネルギーを有する反応ガス下では生じるフラグメントイオンにより分子構造に関する情報が得られる．

160

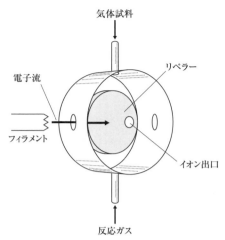

図6.4 化学イオン化（CI）法におけるイオン化の模式図
（梅澤，澤田，寺部監修，「先端の分析法」，p124（2004））

3）　高速原子衝撃（fast atomic bombard, FAB）法

　電子衝撃やグロー放電で生成し，6 keV 前後に加速した Ar$^+$ や Xe$^+$ などの一次イオンが同種の中性ガスとの電荷交換反応により中性化すると，運動エネルギーを保持した高速中性原子ビームが得られる．あらかじめ，測定対象物質を含む試料をイオンとして液体マトリックスに溶解させておき，このマトリックスに高速中性原子ビームを照射すると，照射部に衝撃波が発生して瞬時に加熱されて測定対象物質がマトリックスとともにイオンのまま気化する．このイオン化法を高速原子衝撃イオン化（FAB）という．模式図を図6.5 に示す．難揮発性化合物もイオン化することができ，かつマトリックス中でイオンでない場合にも一次イオンによる衝撃でイオン化することもあるので，より大きな分子量を有する測定対象物質の測定に用いられる．

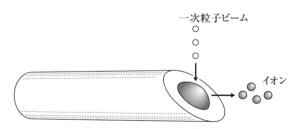

図6.5　FAB 法の模式図
（梅澤，澤田，寺部監修，「先端の分析法」，p124（2004））

4)　マトリックス支援レーザー脱離イオン化（matrix-assisted laser desorption ionization, MALDI）**法**

　ノーベル賞を受賞した田中らにより報告されたソフトなイオン化法（試料分子を分解することなく気体状のイオンにしやすい方法）を発展させた手法である．適当なマトリックスに試料を溶解させ，これにパルスレーザー光を照射することによりイオンを発生させる．難揮発性物質を導電性の金属基板に直接塗布してレーザー光を照射すると，分子イオンはほとんど現れず，分子が分解したフラグメントしか観測されない．ところが，レーザー光を吸収するマトリックスを用い，これに5000分の1程度になるように希釈溶解した試料を調製し，これを基板に塗布してレーザー光を照射すると大きなシグナル強度で，かつ再現性のよい分子イオンを測定することができる．

　イオン化の原理を図6.6に示す．レーザー光を吸収するマトリックスにレーザー光が照射されると，表面近傍のマトリックス分子が光を吸収して励起される．この励起エネルギーは瞬時に緩和して分子が集団的に振動する状態となり，高温かつ高密度なプラズマが局所的に発生する．このプラズマにより，真空側に衝撃波が発生し，マトリックス分子は試料分子とともに真空側に飛び出してくる．試料分子がイオンとして存在すればそのまま分離部側に移動して検出される．中性分子であっても，プラズマ内に存在するアルカリイオンなどで化学イオン化が起こりうる．試料を効果的にイオン化するには，試料をマトリックスに均一に分散させることが必要である．したがって，レーザー光を吸収し，かつ試料の分散性が良好なマトリックスを選択する必要がある．測定対象分子とマトリックスの組み合わせには相性があり，低分子有機化合物，ペプチド，タンパク質，核酸などさまざまな分子の測定に使われる幾つかの典型的なマトリックス分子が知られている．

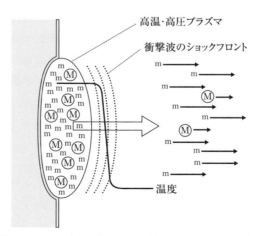

図6.6　レーザー照射された試料において起こる現象
m：マトリックス分子，M：試料分子
（保母，小熊編著，「機器分析の基礎」，p110（2001））

金属プレート上に塗布されたサンプルの一点をレーザー照射によってイオン化するという MALDI の特性を利用して，二次元マススペクトルを取得することも可能である．例えば，生体組織等の凍結切片に適当なマトリックスを塗布し，乾燥後，規則的に多点の MS 測定を行う．それぞれのスポットでマススペクトルを取得するので，測定後に標的とする生体関連分子，例えば特定のタンパク質の m/z を用いてその局在画像を出力することができる．解像度はマトリックスの結晶（測定対象との混晶）の大きさが限界になるので通常は 20〜50 μm 程度以上である．

5) エレクトロスプレーイオン化（electrospray ionization, ESI）**法**

　ノーベル賞を受賞したフェン（Fenn）らにより実用化されたソフトなイオン化法である．対向電極に対して高電圧を印加した金属キャピラリーに試料溶液を導入すると，粒径が均一，微小でかつ高度に帯電した液滴が噴霧（エレクトロスプレー）される（図 6.7）．対向電極側から加熱した乾燥気体を流すと，液滴から溶媒が気化して液滴はさらに微小化し，液滴内の静電的反発により液滴はさらに細分化される．この微小化と細分化が繰り返されて，試料分子がプロトンを付加した（あるいは，失った）多価イオンとなって気相中に放出される．

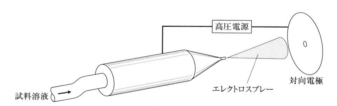

図 6.7　エレクトロスプレーイオン化（ESI）法の模式図
（梅澤，澤田，寺部監修，「先端の分析法」，p124 (2004)）

　図 6.8 には，ESI のポジティブモードにおけるイオンの生成過程の模式図を示す．試料溶液出口に数 kV の高電圧を印加しておき，溶液の蒸発を促進するためのガスとともに試料溶液を大気圧下のイオン源中に噴霧すると，正または負に帯電した微小液滴が生成する．液滴中の溶媒は飛行しながら蒸発して液滴自体は小さくなり，静電的反発によりさらに小さい液滴に分裂する．この分裂の繰り返しにより試料 1 分子を含む粒子が生成してイオン化する．

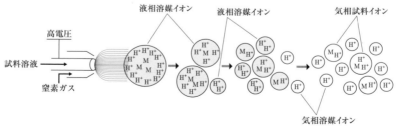

図 6.8　ESI 法のイオン生成過程（正イオンモードの場合）
（梅澤，澤田，寺部監修，「先端の分析法」(2004)）

　ESI では，試料分子が液滴中でイオンであることが必要であるが，余剰エネルギーがほとんどないマイルドなイオン化なのでフラグメンテーションがほとんど起こらない．高極性化合物のイオン化に適しており，分子量が大きいタンパク質などのイオン化に利用されている．試料の形態は異なるが，一般に MALDI よりもさらにソフトなイオン化法であり，フラグメンテーションはおろか，共有結合以外の分子間力で結合した，例えばタンパク質 – リガンド，タンパク質の 4 次構造，オリゴ核酸の二本鎖構造などの分子複合体がそのまま分子（複合体）イオンとして検出される．このとき，たとえ LC 分離後の単一成分であっても，ESI による分子イオンはいろんな価数の多価イオンの混合物として複数のピークを与える．通常は LC-MS 付属の解析ソフトウェアのデコンボリューション機能により 1 価の質量としてスペクトルを出力することも可能であるし，また感度の高い低 m/z 領域で検出することができるので，ESI のこの特性は高分子の測定にはたいへん有利である．

6)　誘導結合プラズマ（inductively coupled plasma, ICP）**によるイオン化法**

　おもに無機イオン測定に用いられている方法である．プラズマ発生部（プラズマトーチ）を図 6.9 に示す．試料溶液をネブライザーにより霧状にし，キャリヤーガスによりトーチに導入する．トーチは同心三重管構造のものが多く，試料を搬送するキャリヤーガス，プラズマ形成に使用する外部ガスおよびプラズマとトーチをある程度離す役割の中間ガスを流す．通常はアルゴンガスを用いる．トーチに流れ込むアルゴンに誘導コイルを通じて高周波（27.12 MHz が多い）電力を導き，ドーナツ状のプラズマを発生させる．プラズマ内の気体イオンや電子によって試料分子が分解，原子化あるいはイオン化される．通常，プラズマは大気圧化で発生させるため，真空計の質量分離部にイオンを導入する際には多段の作動排気系を用いる．アルゴンや試料の溶液成分由来のイオンが測定を妨害することがある．

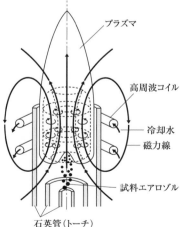

プラズマ

高周波コイル

冷却水

磁力線

試料エアロゾル

石英管（トーチ）

図 6.9　誘導結合プラズマの生成
（千葉，「ぶんせき」，3, 126 (2003)）

6.2.3 質量分離部

MS の質量分離部では，イオンを質量荷電比（m/z）で区別する．現在，市販されている MS において，おもに用いられている質量分離部は分離原理（横）と分離方式（縦）によって表 6.1 のように大別される．以下，それぞれの手法について概説する．

表 6.1 質量分離部の分類

分離方式 / 分離原理	非トラップ方式		トラップ方式	
	走　査　形	非走査形	イオントラップ形	フーリエ変換形
磁場との相互作用	EB	—	—	FT-ICR
電場との相互作用	Q	—	QIT, LIT	Orbitrap*3
運動速度の差	—	TOF	—	—

1) 磁場形（EB）

磁場中で運動するイオンはローレンツ力を受け，円運動をする．この半径が m/z 比によって異なることを利用してイオンを分離する．

磁場中で磁場と垂直方向に速度 v で運動するイオンは，磁場および速度に対して垂直方向にローレンツ力（F）を受ける．磁場の強度を $B[\mathrm{T}]$，イオンの電荷を q とすると F は

$$F = qvB$$

と表せる．磁場中でイオンが円運動したとき，円運動による遠心力と F は等しい．イオンの質量を m（原子質量単位 u），円運動の半径を $r[\mathrm{m}]$ とすれば

$$qvB = \frac{mv^2}{r}$$

イオンの価数を z，イオン加速電圧を $U[\mathrm{eV}]$ とすると以下のようになる．

$$Br = 1.44 \times 10^{-4} \left(U\frac{m}{z} \right)^{\frac{1}{2}}$$

$$\frac{m}{z} = 4.83 \times 10^7 \frac{B^2 r^2}{U}$$

同じ磁場内において，同じ運動エネルギーを有し，m/z が異なるイオンは異なる半径で円運動をする．この性質を利用して異なるイオンを分離する．最も簡単な装置は半径 r を固定して磁場 B を掃引する．この磁場だけで質量分離する装置を単収束質量分析装置（図 6.10）という．イオン源から飛び出したイオンの運動エネルギーは一定ではなく，ある程度の広がりを持っている．そのため，磁場上での軌跡にもある程度の広がり（エネルギー収差）があり，質量分解能が低下する原因になる．そこで，いったんイオンに電場を

---

*3 Orbitrap の名称が浸透しているが，一般名は Kingdon trap. Orbitrap™ はその代表であり Thermo Fisher 社の商標.

通過させてエネルギーを収束させた後に磁場に送り込む二重収束質量分析装置（図
6.11）がより高精度な分離が必要な場合に用いられている.

　EBの特徴として比較的質量分解能が高いことがあげられる. 質量（原子質量単位）を
小数点3桁まで測定することも可能であり, このような測定はミリマス測定, または精密
質量測定と呼ばれる. 磁場を用いるので装置が大型で重くなること, 磁場の掃引速度が比
較的遅く, 測定に時間がかかることなどが問題点としてあげられていたが, 最近では卓上
型装置も市販されている.

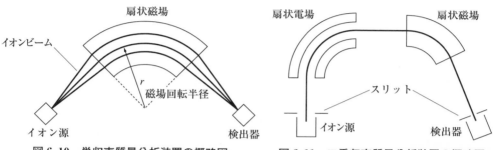

図6.10　単収束質量分析装置の概略図
（石原,「ぶんせき」, 2, 65（2003））

図6.11　二重収束質量分析装置の概略図
（石原,「ぶんせき」, 2, 65（2003））

2)　四重極形（quadrupole, Q）

　4本の棒状電極を束にした形状であり, 対局面は高精度な双極面である. 対向電極を一
対にしてそれぞれに位相が180度異なる高周波を印加し, かつ, それぞれに極性が異なる
直流を重ねる. 印加電圧を一定にしたとき, ある特定のm/z比を有するイオンのみ電極
間を通過できる. したがって, 高周波と直流の電圧比を一定に保って電圧を変化させると
m/z比に従ってイオンを取り出すことができる.

　質量分解能は他の分離法と比較して高くないが, 小型・軽量化が容易であり, 比較的高
い圧力（10^{-4} Torr）でも動作可能なので, GCやLC用の検出器として汎用されている.

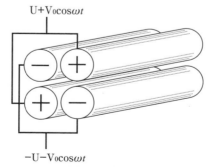

図6.12　四重極型質量分離部の模式図
（梅澤, 澤田, 寺部監修,「先端の分析法」,（2004））

166

3) イオントラップ形 (ion-trap type, IT)

四重極イオントラップ形 (quadrupole ion trap：QIT) と四重極リニアイオントラップ形 (linear ion trap：LIT) に大別される．QIT は四重極形のロッドを輪にして出口と入口をつないだような構造をしており，ドーナツ型のリング電極と皿状の 2 枚のエンドキャップ電極で構成される．外部から導入されたイオンを電極内に閉じ込め，高周波電圧を掃引することにより，m/z 比の異なるイオンを順次エンドキャップ電極の細孔から引き出すことができる．QIT は小型化が容易であり，多段の MS (MS^n) が可能なことが特徴である．しかし，イオンをトラップする空間が比較的小さいのでトラップできるイオン量が限られ，ダイナミックレンジも比較的狭い．LIT は四重極ロッドの前後にイオンを反射させるトラップ電極を設けることにより，イオンを四重極内に閉じ込めることができるようにしたものである．QIT と同様，MS^n が可能である．QIT と比較してトラップできるイオン量も多く，ダイナミックレンジも広い．

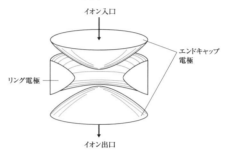

図 6.13　四重極イオントラップ型 (QIT) 質量分離部の模式図
(梅澤，澤田，寺部監修，「先端の分析法」，(2004))

4) 飛行時間形 (time-of-flight, TOF)

イオンは一定の電場で加速するとイオンの電荷量に比例した運動エネルギーを持つようになる．同じ価数のイオンであれば飛行時間は質量の平方根に比例するので，質量の小さなイオンから検出器に到達する．この飛行時間を測定することにより，イオンの m/z 比を求めることができる．近年，時間分解能の高い検出器に使用により，質量分解能が飛躍的に向上した．イオン導入においてもなるべく瞬時に導入する必要があり，例えばパルスレーザーを使った MALDI との組み合わせは相性がよい．原理的に測定できる質量範囲に制限がなく，また短時間で測定が終了する．例えば 1 ミリ秒 (ms) で質量 1,000,000 Da[*4] 程度の測定が可能である．測定法としては直線的にイオンを飛行させるリニアーモードと，ある地点でイオンを反射させるリフレクションモードがある．前者は検出するイオンの損失が少ないため高感度であり，後者はイオンを反転させることで，同イオンの初速の広がりを収束させ，さらにより長い距離を飛行するため分子量分解能が高くなる．

[*4]　ダルトン，Da：^{12}C 1 個の質量を 12 Da とする．生物学や生化学において，分子量を用いるのが適当でないウィルス，リボソームなどの大きなタンパク質複合体などの質量を表すのに用いられる．

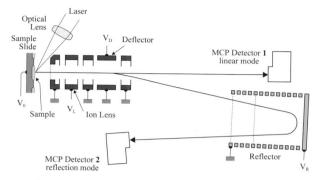

図 6.14　市販の TOF フライトチューブの模式図

6.2.4　検出部

　代表的な検出部に電子増倍管（EM，二次電子増倍管，またはイオンマルチプライヤー）がある．原理は光電子増倍管（PMP）と類似している．多数の電極（ダイノード）で構成されており，それぞれのダイノード間に電位差を持たせてある．イオンが最初のダイノードに衝突すると二次電子が放出する．この二次電子は加速されて，第二のダイノードに衝突し，再び電子を放出する．放出される電子は衝突する電子よりも多いので，この衝突 − 放出を繰り返すことにより，最終的には $10^6 \sim 10^7$ 程度増幅されたイオン電流を取り出すことができる．開口部が 1 cm 程度のホーン型のガラスまたはセラミック製管の内表面に高電気抵抗物質を塗布し，入口と出口に電圧を印加して連続した電子増倍管として機能するようにしたものをチャネルトロン（セラトロン）という．最近では，特に TOFの検出器として，開口部が 10 μm 以下の微小な「チャネルトロン」を円盤に形成させたマイクロチャネルプレート（MCP）も使用されている．

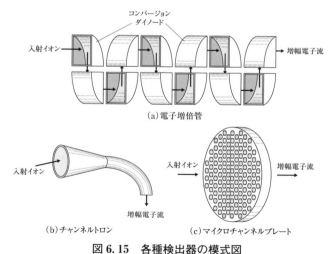

図 6.15　各種検出器の模式図
（梅澤，澤田，寺部監修，「先端の分析法」，(2004)）

168

6.3 他の分析機器との結合

　GC や LC のような分離装置と MS とを組み合わせることにより，さらに高機能な分析手段となる．特に多成分から成る試料を，複数の多価イオンが発生するイオン化法，またはフラグメントイオンが生じる，あるいは発生させる MS/MS 法で分析したい場合には，イオン化の前に試料を分離しておく必要がある．特に最近の LC-MS の進化は著しく，ソフトなイオン化法である ESI の普及により核酸，タンパク質を分析することが可能になっているので生命科学分野に多大に貢献している．以下にその概略を説明する．

6.3.1　ガスクロマトグラフ‐質量分析装置（GC-MS）
　揮発性有機化合物に対して高い分解能を有する GC と，高感度，高選択的な MS とを組み合わせた分析手段である．GC カラムから溶出される試料分子はすでに気体であり，MS への導入は比較的容易である．
　キャピラリー GC は，高い分離能が得られるだけでなく，キャリアーガス流量が小さいために MS の真空度が比較的維持しやすく，装置化も容易である．充填カラムやワイドボアキャピラリーカラムを用いる場合には，真空度を保ち，かつ過剰の物質が MS に導入されないように GC と MS の接続にインターフェース（セパレータ）を用いる．GC-MS 用インターフェースにはジェット型セパレーター（図 6.16）が汎用されている．

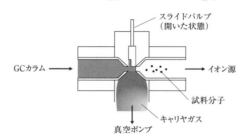

図 6.16　ジェット型セパレータ
（梅澤，澤田，寺部監修，「先端の分析法」，（2004））

　試料分子とキャリヤーガス（おもにヘリウムが用いられる）の混合気体をノズルから高速度で噴出させると比較的「軽い分子」であるヘリウムは真空中に拡散して真空ポンプによって排気されるが，「重い分子」で拡散が小さい試料分子は直進して MS に導入される．カラム効率を維持するためにカラム出口に補助ガスとしてヘリウムを添加する．また，溶媒を含めた過剰の試料が MS に導入されるとイオン源の真空度が保てなくなり，フィラメントの寿命が短くなったり，イオン源が汚染されたりする．そこで，カラムとインターフェース間にスライドバルブを設け，溶媒や過剰の試料を真空ポンプ側に逃した後でバルブを開けて測定対象物質を MS に導入するようにする．通常のキャピラリーカラムを使

用する場合にはダイレクトカップリング法が用いられる．すなわち，カラム先端を MS
のイオン源近傍まで導入し，キャリヤーガスも直接 MS に導入する．インターフェース
は溶出成分が凝縮しないように適切な温度に加熱する必要がある．ダイレクトカップリン
グ法の場合には，溶媒の全量がイオン源に導入されるので，溶媒が溶出し終わるまでイオ
ン源のフィラメントの電源を切っておく必要がある．

　イオン化法としては，EI や CI が汎用される．GC/MS でも，これらの目的に加えて，
分子量を高質量側にシフトさせて S/N 比を向上させる，分子イオンのイオン強度を増大
させる，官能基選択的反応を利用して分子量変化から定性的情報を得る，などの目的で誘
導体化を行うことが有効である．t-ブチルジメチルシリル（TBDMS）誘導体化は t-ブチ
ル基が脱離した $[M-57]^+$ に顕著なイオンを与えることから EI 検出において有用である．
フルオロアシル誘導体化やペンタフルオロベンジル化は，電子捕捉能が大きいことから，
負イオン化学イオン化法（negative ion chemical ionization：NICI）での高感度検出に有
効である．

6.3.2　液体クロマトグラフ–質量分析装置（LC-MS）

　LC/MS はおもに難揮発性化合物，高極性化合物，熱分解性化合物，従来の LC では検
出困難であった化合物が分析対象であり，環境，食品あるいは医薬品分析などの分野で汎
用されている．HPLC 技術の進展は著しく，最近では，これをさらに高性能化した
UHPLC（超高性能液体クロマトグラフィー，ultra-high performance liquid chromatogra-
phy）と連結した LC-MS が市販されている．タンパク質や核酸などの難揮発性の生体高
分子の精密分析が可能になり，生命科学研究には必須の分析手段となっている．LC-MS は，
HPLC か UHPLC の装置（移動相供給部，ポンプ，インジェクター，オートサンプラーな
どの試料導入部，カラムおよびカラムオーブンなど）と MS 装置，およびこれらを接続
するインターフェースで構成される．従来の紫外・可視吸光（UV-Vis）検出器，蛍光あ
るいはフォトダイオードアレイ検出器などの光学検出器を MS の上流に接続して双方の
データ収集を行う場合が多い．LC の分離モードはカラムにオクタデシルシリル化シリカ
ゲル（ODS, C18），移動相に水・メタノールや水・アセトニトリル混合溶媒（イソクラテ
ィック，またはリニアグラジェント）が一般的である．移動相の pH を制御する必要があ
る場合には緩衝溶液を使いたいが，ESI，APCI ともに移動相を気化させる必要があるため，
リン酸やトリスなどの不揮発性の塩を使用することができない．そのため，揮発性の緩衝
液，例えば，ポジティブモードではプロトンドナーとなるギ酸，酢酸およびこれらのアン
モニウム塩，ネガティブモードではアンモニアや炭酸水素ナトリウムなどが用いられる．

　MS のイオン化法としては LC との相性から ESI や APCI がよく用いられる．質量分離
部には，Q, QIT, LIT, TOF に加え，2 つの質量分離部をタンデムに連結したさまざまな
MS-MS が市販されている．

6.3.3 タンデム質量分析装置 (MS-MS)

タンデム質量分析法 MS/MS では，一般に 2 つの質量分析計（MS1 と MS2）の間に衝突誘起解離（CID：collision-induced dissociation）を行うコリジョンセルを配置した装置を使用する．一般的には，試料をイオン化させた後，特定のイオン（プリカーサーイオン）のみを選択してコリジョンセルに導く必要があるので，前段の MS1 は走査形かイオントラップ形が用いられる．コリジョンセルでは，プリカーサーイオンにヘリウム，窒素，アルゴンなどの不活性ガス（コリジョンガス）を衝突させて二次的なイオン（プロダクトイオン）を発生させ，これを後段の MS2 で検出する（図 6.17）．表 6.1 に示したとおり，さまざまなタイプの質量分離部があるが，それぞれの特性に合わせてこれら複数の MS をタンデムに連結させて，種々の特色ある MS-MS が設計されている．代表的なものとしてタンデム四重極質量分析計（TQ：tandem quadrupole spectrometer）がある．原理がシンプルで操作性に優れた方法であるが，Q の質量選択性は 0.7 Da 程度と高くない．生体試料などは分離不能な質量の多くのマトリックスを含む可能性があるが，後述するプリカーサーイオン分析や，選択反応モニタリングなどの手法で高い選択性を確保することができる．近年では，Q-TOF，Q-Orbitrap など，基本性能である質量分離精度を格段に向上させたハイブリッド形の MS-MS が開発され，その非常に優れた性能により急速に普及しつつある．

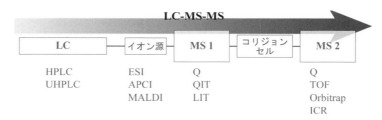

図 6.17　LC-MS-MS の構成

以下，MS/MS の特性を利用した分析法のいくつかを紹介する．

1)　スクリーニング

プリカーサーイオン分析　MS1 をスキャンモードでスキャンして，続くコリジョンセルで CID によりプロダクトイオンを生成させる．MS2 では特定のイオンを選択して検出する．クロマトグラムにおいて，同じ質量のプロダクトイオンを与えるプリカーサーイオンをモニタすることが可能であり，共通構造を持つ物質のスクリーニングに利用することができる．

コンスタントニュートラルロス分析（CNL）　MS1 をスキャンモードでスキャンして，続くコリジョンセルで CID によりプロダクトイオンを生成させる．それぞれのプリカーサーイオンの質量から失われる共通する特定の質量に着目する分析法．TQ においては，MS2 の設定を MS1 よりも脱離するフラグメントの質量分だけ小さくして，両 MS を同期

させてスキャンする．この手法により，クロマトグラムにおいては，CID によって失われる特定の質量の中性フラグメントを生成するプリカーサーイオンのみを選択的にモニターすることができる．

2）定量分析

　選択反応モニタリング（SRM：selected reaction monitoring，または，MRM：multiple reaction monitoring）　MS1 でプリカーサーイオンを選択し，CID で解離（開裂）した後，MS2 で特定のプロダクトイオンを選択する．特定のプリカーサーイオンとプロダクトイオンの両方の質量の組み合わせで（AND 検索で）検出するので非常に選択性が高い．さらに，精密な定量性が必要な場合には内部標準を使用する．

　同位体希釈法（IDMS：isotope dilution mass spectrometry）　分析対象分子を構成する元素の一部を安定同位体で置き換えた安定同位体標識化合物を内部標準として利用することで高い定量性を確保することができる．一般に，^{15}N，^{13}C，^{2}H などのような天然存在比の低い元素の安定同位体が使われる．同位体標識化合物はその化学的，物理的性質が対象分子とほとんど一致するので，そのイオン化効率，LC における保持時間，および酵素処理など種々の前処理における反応性も同じであり，MS を用いた定量分析においてその特長を活かした理想的な内部標準となる．測定試料に対して既知の量の標識化合物を添加して，シグナル強度の相対比から対象分子を正確に定量することができる．

3）構造解析

　プロダクトイオン分析　MS1 で特定のプリカーサーイオンを選択し，CID を経て得られたプロダクトイオンを MS2 で分析する．特に MS2 には高い分解能が要求されるので Q-TOF や Q-Orbitrap などハイブリッド形のタンデム MS が使われることが多い．ペプチド，短鎖核酸のシークエンシング（アミノ酸配列，および塩基配列解析）に利用することもできる．

　MS^n（多段階 MS）　Q-TOF のようなタンデム形 MS 装置では，二段階の質量分離を空間的にタンデムに配置された 2 つの MS で行うが，QIT，LIT，Orbitrap など，トラップ方式の MS を採用する装置では，時間差をもって多段階の質量分離を（イオンが続く限り）何度でも行うことができるので，より詳細な構造解析が可能になる．

参考文献

（1）　クリスチャン分析化学（Analytical Chemistry, G. D. Christian, P. K. Dasgupta, K. A. Schug）

（2）　今任稔彦・角田欣一監訳，丸善出版

（3）　LC/MS, LC/MS/MS の基礎と応用，中村洋監修，日本分析化学会編

6-1 ● 必 須 ●

（イオン化法）質量分析法では分析対象物質のイオン化が必須である．イオン化法について，それぞれの原理，特徴，利点と欠点，実際の分析への応用例 3〜5 例を調べてまとめなさい．

6-2 ● 必 須 ●

（質量分離部）質量分析法で用いられる質量分離部について，それぞれの原理，特徴，利点と欠点，実際の分析への応用例 3〜5 例を調べてまとめなさい．

6-3 ● 必 須 ●

（MALDI）MALDI 法では，対象分子に適したマトリックスを使う必要がある．以下はMALDI に使用される典型的なマトリックスである．正式名と，どのような化合物，測定条件に適しているか調べなさい．

（1）CHCA　（2）HPA　（3）THAP　（4）DHP　（5）1,5-DAN　（6）MSA　（7）9-AA

6-4 ［推 奨］

（MALDI）MALDI 法では，リニアーモードに比べて，リフレクションモードでの測定で精度が格段に向上する．その理由を説明しなさい．

6-5 ◀チャレンジ▶

（ESI）ESI-TOF MS を用いて分子間相互作用を測定した実例を調べて何を明らかにしたかを説明しなさい．

6-6 ［推 奨］

（ESI）ESI-TOF MS では多くの多価イオンが検出される．それぞれのイオンの価数はスペクトルのどのような特徴から判定することができるか説明しなさい．

6-7 ［推 奨］

（ESI）同位体由来のイオンピークパターンを解析することで，化合物の元素分析が可能である．解析の原理を説明しなさい．

6-8 ◀チャレンジ▶

（GC/MS）GC/MS による実際の分析への応用例（例えば，ダイオキシンの分析例）を調べ，数例の分析条件および結果の概略を調べなさい．

6-9 ◀チャレンジ▶

（LC/MS）プリカーサーイオン分析，CNL 分析について説明し，その実際の分析例を調べなさい．

6-10 ◀チャレンジ▶

（LC/MS）SRM，および IDMS について説明し，その実際の分析例を調べなさい．

6-11 ◀チャレンジ▶

（LC/MS）MS-MS によりペプチドのシークエンシングが可能である．その概略を説明しなさい．

第7章　化学分析システムと自動化測定

　現代の化学分析システムは，操作が簡便であり分析結果も迅速に得られることから，医療分野においては疾病判断や治療効果の検証，また環境分野では自然環境に影響を与える物質のオンサイト分析など，社会において重要な役割を果たしている．こうしたシステムのほとんどは測定の自動化も進んでおり，今後もさらなる簡便化，高精度化および高感度化が期待できる．本章では自動化に適したいわゆる「流れ分析法」を中心に以下の事項について紹介する．

《本章で学ぶ重要事項》
（1）　バッチ分析と化学分析システム
（2）　フローインジェクション分析（FIA）と液体流れ分析
（3）　シーケンシャルインジェクション分析（SIA）
（4）　マイクロチャネル分析

7.1　はじめに

　バッチ分析とはビーカー，メスフラスコ，ピペットあるいはビュレットなどを用いた非連続的な操作により行われる従来の化学分析のことであり，絶対定量法として重要な重量分析，容量分析などの化学的分析法や吸光，蛍光光度法などの物理的分析法を用いて測定し，分析する手法である．一方，1970年代からはバッチ分析法の簡便化，迅速化，省力（人）化，試料・試薬・廃液などの少量化を志向した新しい分析技術・装置が注目され，現在ではJISなどにも採用されている方法がある．これらの新技術・装置を組み込んだ化学分析システムは，細管やマイクロチャネルを用いる流れ分析法に代表される自動化分析法である．こうした技術的展開には1980年代から急速に発展したPC（パーソナルコンピュータ）の役割（装置制御，データ処理など）が大きい．

　次項からは化学分析システムのなかでも，比較的新しい流れを利用した分析技術について，フローインジェクション分析（flow injection analysis：FIA）および関連技術とマイクロ空間を利用した分析技術について概説する．

7.2　流れを利用した分析システム

　メスフラスコなどの容器内で試料と試薬を混合し，その溶液を採取，あるいはそのまま分析成分を検出して定量するバッチ法では，測定試料毎にメスフラスコなどを用いて溶液

174

を調製し，さらに測定ごとに測定用容器（例えば吸光度測定用キュベットなど）内の試料，試薬を入れ替えなければならず，操作も煩雑で測定に時間がかかり，コンタミネーション（汚染）などが起こることもあり，正確さや精度も低下する．ルチカ（J. Ruzicka）とハンセン（E. H. Hansen）は 1975 年に，流れを利用した新しい分析法である FIA を提案した．従来のバッチ法では試料と検出試薬の混合による反応が完全に終了（平衡に到達）した均一溶液，すなわち定常状態で検出を行う．一方，FIA では内径 0.5 mm 程度の細管内を流れている試薬（あるいは試料）の流れの中に試料（あるいは試薬）を導入し，細管中を流れている間にさまざまな反応や溶媒抽出，相分離，固相抽出などの前処理操作を行った後，下流に設けた検出部で分析成分（あるいは反応物など）を検出・測定し定量する方法である．バッチ法とは異なり，細管内で混合された溶液は平衡状態に至る手前の過渡的な状態でも測定されるが，細管内での拡散・分散状態や濃度勾配が正確に制御されるため，FIA では精度のよい結果を迅速に得ることができる．また流れの中で一連の操作を行うために測定の自動化が容易であることや，比較的簡単な装置で分析できるといった特長がある．

さらにルチカからは1990 年，FIA のように溶液を連続的に流し続ける手法ではなく，吸引・吐出可能で容量，流量も正確に制御できるシリンジポンプを使用し，コンピュータ制御のもとで試薬および試料を逐次保持コイル（holding coil）に吸引し，下流の細管（反応コイル）内に向けて吐出し，分散混合・反応を行い，その後下流に設置した検出部に導き測定する流れ分析法の 1 つであるシーケンシャルインジェクション分析（sequential injection analysis：SIA）を提案し，さまざまな分野で利用されている．FIA, SIA 両法は JIS（Japanese Industrial Standards：日本産業規格 K0126：2019 流れ分析通則）に取り入れられている．

7.2.1 フローインジェクション分析（FIA）
図 7.1 に FIA 装置の流路構成例を示す．本装置は送液部，試料導入部，反応部（各種前処理操作部を含む），および検出部で構成される．

図 7.1 FIA 分析装置の流路構成例

1)　送液部

　液体流れを用いる流れ分析で，特に溶液内でおこる検出反応に基づく分析法の FIA 法や SIA 法では，再現性の良い安定した流れが必要であり，このような流れを生み出すポンプは装置の心臓部にあたるもので，その性能は極めて重要である．長い反応コイル（たとえば内径 0.5 mm，長さ 10 m など）が必要な場合には高圧送液が可能なプランジャー型ポンプが必要である．しかも分散・混合を促進するためには 1 回の吐出量が小さいほど速く混合するので，2〜10 μL 程度の吐出が可能なプランジャーポンプが使用される．FIA では，ポンプの流量精度が分散や反応などの再現性に影響するため，送液部は定流量精度が高く，脈流が小さく，かつ接液部の材質が耐薬品性に優れていることなどが必要である．通常は送液圧力が HPLC ほど高い必要がないため，プランジャーポンプに加え，ペリスタ（しごき）ポンプ，ガラスシリンジポンプなども用いることができる．こうした圧力駆動による細管内の流体流れの状態では，流体力学的には図 7.2 のように各部分が流れの方向に沿って平行に直進する層流と，流体が乱れて進む乱流がある（キャピラリー電気泳動装置の熔融シリカキャピラリー管内では栓流が発生する）．この流れの状態を規定する無次元項として式（7.1）で示されるレイノルズ数 Re がある．

$$Re = \frac{D\bar{u}\rho}{\mu} \qquad (7.1)$$

　ここで，D は管の内径（m），$\bar{u}$ は平均流速（m/s），ρ は密度（kg/m³），μ は粘度（Pa・s）を示す．例えば内径が 1 mm 以下のキャピラリーの場合，流速 0.1 mL min^{-1} 程度の溶液（非圧縮性液体）を流入させると定常的な流れが発生する．この流れは管の中心を貫く軸方向に走り，Re は 1 よりも小さくなる．また管径方向および円周方向への流れはないものと見なせる．こうした低レイノルズ数領域における管内流れが層流である．なお層流における流体の速度は細管内で一定ではなく，中心部が最も速く，管内壁に近づくにつれて遅くなる．このときの平均流速は管中心部での最大速度の半分の値となる．

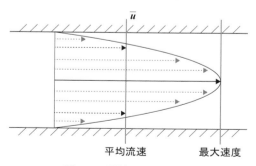

図 7.2　層流における速度分布

176

　例えば，細管内を流れる試薬溶液（層流）に，ある一定量の試料溶液をプラグ（栓）状に導入した場合を考えてみる．図7.2で示されるように，管中心部は平均流速の倍の速さで流れているので，プラグ状で導入された試料溶液の領域（試料ゾーンという）は時間とともに細管内で広がりが大きくなっていく（図7.3）．結果的に，狭い領域にプラグ状で導入された試料ゾーンは広がり（図7.3 (a)），試薬溶液で希釈されたことになる．このゾーンの広がりに加え，流れの軸方向（図7.3 (b)）と半径方向（図7.3 (c)）への試料，試薬成分の拡散も同時に進行し，混合が促進されることになる．このような，層流と拡散による物質移動を分散（dispersion）という．同一の流路を流れている場合には，このゾーンの分散およびゾーン中の濃度勾配の再現性は高いことが実験的にも証明されている．

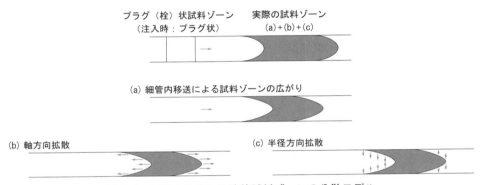

図7.3　細管内を流れる液体試料ゾーンの分散モデル
（本水，小熊，酒井著，日本分析化学会編「フローインジェクション分析」，共立出版（2014））

　分散度 D（dispersion coefficient）は，試料が何倍に希釈されているかを示す尺度で，初濃度 C_0 とピークのある点における濃度 C を用いて，次式（7.2）で示される．またピークトップにおける分散度を $D_{\max}$ とすれば，ピークトップにおける濃度 $C_{\max}$ を用いて，式（7.3）で示される．

$$D = \frac{C_0}{C} \tag{7.2}$$

$$D_{\max} = \frac{C_0}{C_{\max}} \tag{7.3}$$

　$D_{\max}$ と細管半径（r），軸方向拡散係数（D_f），管内平均滞留時間（T），試料導入量（S_V）との関係として，次式（7.4）が提案されている．

$$D_{\max} = \frac{C_0}{C_{\max}} = \frac{2\pi^{3/2} r^2 D_f^{1/2} T^{1/2}}{S_V} \tag{7.4}$$

　式（7.4）において，軸方向拡散係数 D_f と細管の長さ（L），平均線流速（F）の間には次式の関係がある．

$$D_f = \delta L F \tag{7.5}$$

式（7.4）と（7.5）から，次式（7.6）が導かれる．

$$D_{\max} = \frac{2\pi^{3/2}r^2\delta^{1/2}L^{1/2}F^{1/2}T^{1/2}}{S_V} \tag{7.6}$$

式（7.5），（7.6）において，δ は分散数（dispersion number）といわれるもので，FIAでみられるような非ガウス型曲線では分散帯幅の尺度である．$F = L/T$ の関係から，次式が導かれる．

$$D_{\max} = \frac{2\pi^{3/2}r^2\delta^{1/2}L}{S_V} \tag{7.7}$$

式（7.7）は，必ずしも分散度を正確に示す式ではないが，分散に及ぼす因子として，細管の半径 r，長さ L，試料量 S_V の影響を予測することができる．例えば，$D_{\max}$ は細管の半径の2乗に比例し，その長さに比例して大きくなる（より分散し，希釈が進む）．また，試料導入量を増せば，分散度は小さくなることもわかる．

分散度 $D_{\max}$ は，初濃度 C_0 に影響されないことから，フローシグナルのピーク高さ H，ピーク面積 A と初濃度の関係は次式（7.8），（7.9）で示され，それぞれの検量線は直線となる．

$$H = k_H \times C_0 \tag{7.8}$$
$$A = k_A \times C_0 \tag{7.9}$$

分散と濃度勾配の再現性が優れていることにより，反応の過渡状態での測定も可能となり，測定されたフローシグナルの再現性も良好である（通常であれば，相対標準偏差は1%以下となる）．

2）　試料導入部

試料導入部は，再現性の良い導入を行うために，流れをなるべく乱すことなく，ある一定量の試料や試薬を流れに導入する必要がある．このための試料導入器としては，HPLC用の高圧用だけではなく，低圧の試料用ループ付きバルブが使用できる（ループ内の容量により，導入量が決まる）．一例として，図7.4に六方バルブを使用した試料導入部の概略を示す．キャリヤー流れの出口側細管と反応部およびフローセル付き検出器を接続し，既知の内容量を有する試料溜め用のループに試料溶液をあらかじめ充填する（図左）．流路を切り替えることによってキャリヤーがループの中を通過し，試料溶液を反応部，検出器へ送る（図右）．

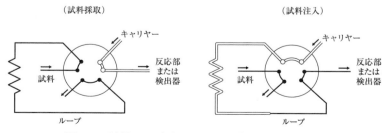

図7.4　試料ループ付き六方バルブによる試料注入

3) 反応部

反応部（前処理操作部も含む）は，試料と試薬の混合，反応に加え，溶媒抽出や固相抽出，気液分離，濃縮などの前処理操作を行う部分である．反応部では反応試薬と試料溶液の効率の良い混合を必要とするため，キャリヤーと試薬溶液の2流路（または多流路）を用い，合流させる系（図7.5）を用い，さらに細管をコイル状にしたり，細管内に化学的に不活性なビーズを充填したりして使用することが多い．

4) 検出部

検出部には紫外可視吸光（UV-VIS）検出器，蛍光検出器，電気化学検出器，原子吸光検出器あるいは化学発光検出器などが用いられる．HPLC用検出器が代用できるが，接液部が耐薬品性，耐食性に優れているものが好ましい．

5) FIA システム

送液部，試料導入部，反応部，および検出部の他に，必要に応じて自動試料導入装置（オートサンプラー），ダンパー（ポンプの脈流抑制），脱ガス装置あるいは反応恒温槽などを用いる．FIA の反応システムにはいくつかの方法がある．図7.5にそれらのフロー流路図の例を示した．

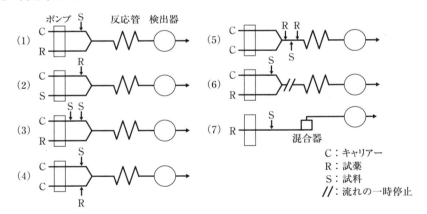

図7.5　FIA のフロー流路図の例

FIA では試薬溶液を流してこの流れに試料を導入する1流路方式も利用できるが，通常はキャリヤー流れに試料を導入し，試薬溶液流れと合流させる2流路（または多流路）方式がしばしば用いられる（図7.5（1）など）．逆に試料溶液を流して少量の試薬溶液を導入する方法も用いられ，逆FIA（reverse FIA：r-FIA，図7.5（2））と呼ばれている．r-FIA は試料が比較的大量にあり，かつ高価な反応試薬を用いる場合や，数種類の検出反応試薬を導入して複数の成分測定を行う場合に適用される．例えば水質監視などの長時間にわたる，複数成分の連続測定などに適する．

ダブルインジェクション法（図7.5（3））はキャリヤー流れの2箇所で注入量の異なる試料導入を行う方法であり，分析成分の濃度範囲が広い場合に濃度範囲の大幅に異なる2種類の検量線に当てはめて定量するときなどに用いられる．マージングゾーン法（図7.5（4））では，試薬溶液と試料溶液をそれぞれ別の流れの中に導入し，これらの流れを合流させ，反応部で反応させ測定する手法である．試薬，試料とも少量しか入手できない場合に効果的である．サンドイッチインジェクション法（図7.5（5））は試料溶液を挟むように試薬溶液を導入する方法であり，少量の試薬溶液で効率の良い混合を行うことができる．

以上の例の他にも FIA の特徴を生かしたさまざまな手法が利用できる．FIA では，比較的測定ごとの履歴が起こりにくいことから異なる反応を同じ流路の中で行うことも可能である．ストップトフロー法（図7.5（6））では（試料＋試薬）ゾーンが反応部あるいは検出部に到達した時点でいったん流れを止めて測定を開始する方法であり，反応速度の遅い場合に有効である．

試料を試薬の流れに導入し，混合器で十分に分散，反応させた後に得られる応答曲線の幅から濃度を求める方法をフローインジェクション滴定法（図7.5（7））と呼び，高濃度の酸―塩基中和滴定などに利用されている．

7.2.2　シーケンシャルインジェクション分析（SIA）

SIA は FIA と比較して，試料，試薬消費量がより少なく，廃液も少ない，異なる反応系を同じシステム内に組み込むことができるなどの特徴がある．SIA の一般的な装置構成を図7.6に示す．

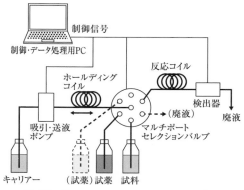

試薬液の数，セレクションバルブのポート等は，分析法に必要なものを選択する．

図7.6　SIA に用いられる一般的装置構成
（高柳，本水，「ぶんせき」，1, 31（2007））

180

　システムは吸引・送液部，ホールディング（保持）部，流路切替部，反応部，検出部，および制御部で構成する．吸引・送液部には吸引と吐出双方が可能で流量と容量を正確にコンピュータ制御できるポンプを用いる．流路切替部はマルチポートセレクションバルブ（選択バルブ；4〜12ポートなどを使用）を用い，ともにコンピュータで制御できる．

　図7.7にシーケンシャルインジェクション（SI：逐次注入）の概念図を示す．まず，マルチポートセレクションバルブにより流路を切替え測定用試料溶液および試薬溶液などを順次ホールディングコイル（保持コイル）に吸引する．このあと送液ポンプにキャリヤー（通常は水）を吸い込み，これをホールディングコイル側に吐出して，試料・試薬ゾーンを反応部へ送り込む．必要であれば，流れを反転させて混合・反応を促進する．場合によっては反転を数回繰り返す．あるいは，反応コイルに一定時間滞溜させて反応を促進してもよい．反応後，検出部に送り込んで検出を行う．これら一連の操作は，あらかじめプログラムされた操作手順（sequence：シーケンス）に従って自動的に行われる．

　SIAはFIAと比較して測定に用いられる試料，試薬溶液量がより少なくてすみ，1台のSIAシステムで複数の異なる反応系を用いて多成分測定も可能であり，コンピュータ制御による拡張性が高いなどの利点があげられる．その反面，流路切替部と送液部の精密な制御を必要とするため，制御ソフトの確実・信頼性とともに制御機器（ポンプ，バルブなど）の忠実な作動性，およびPCと制御機器間の精確かつ迅速な相互通信が保証され，誤動作が発生しないシステムでなければならない．また，図7.4（1）のFIAに対し，SIAではベースラインは通常キャリヤーの水となるため試薬ブランクのピークが出現する．このためにFIAに比べ高感度測定（微小吸光度の拡大測定）が行いにくいという短所がある．

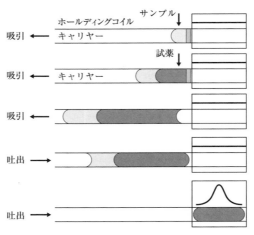

図7.7　SIモードの流れの概念図とシグナル
（酒井，手嶋，「ぶんせき」，6, 291（2001））

7.3　マイクロ空間を利用した分析システム

　バッチ法による反応，例えばビーカー内の化学反応では，機械的に溶液を撹拌することにより反応効率を高め，反応時間を短縮する．あるいは，抽出管を用いた抽出操作では，機械的に振とうし，静置して分相した後に目的成分を含んだ相を分離する．一方，マイクロ空間を使って反応や抽出を行った場合には，以下に述べるような理由により溶液を撹拌，振とうすることなしに目的を達成できる可能性がある．

① 　空間内での拡散時間は拡散距離の 2 乗に比例する．マイクロ空間では分子の拡散移動距離が短くなり，物質移動が律速となる混合，反応に要する時間が大幅に短くなる．

② 　空間体積に対してその周囲の面積の割合（比表面積）が大きい．したがって，界面での物質移動に基づく抽出では抽出効率が高い．

　この他にも，マイクロ空間を使った化学プロセスの特徴としては，溶液反応では溶液量が少ないので熱容量が小さく，急速な温度変化が実現できること，分析に要する試料量，試薬量，消費エネルギーや発生する廃棄物量などを大幅に低減できること，システム自体も小型化できることなどがあげられる．

　MEMS（microelectro-mechanical systems）に代表される微細加工技術の発展により，分析システムに利用できるマイクロ空間の実現が容易になってきた．このような小型の化学反応・分析デバイスをマイクロタス（μ-TAS：micro total analysis systems）あるいはラボ・オン・ナ・チップ（lab-on-a-chip）などと呼ばれている．μ-TAS ではガラスやシリコンなどのポリマーを単独あるいは組み合わせた基板（マイクロチップ）が汎用されている．マイクロチップでは，その中に内径 100 μm 程度の微細流路（マイクロチャネル）を形成し，その微小空間内で輸送（送液），混合，化学反応，抽出，検出などを行う（図 7.8）．これらの単位操作をマイクロチャネルで結合することにより，複雑な化学プロセスをチップ上に構築することが可能である．以下に，代表的な例として電気泳動チップとイムノアッセイマイクロチップを取りあげる．

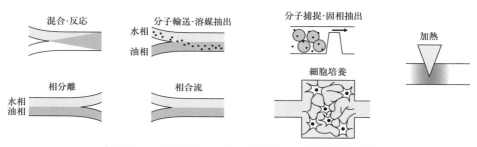

図 7.8　マイクロチップにおけるミクロ単位操作の例
（梅澤，澤田，寺部監修，「先端の分析法」，エヌ・ティー・エス（2004））

182

7.3.1 電気泳動チップ

電気泳動チップは，マイクロチップを利用して最初に実用化された例である．最も一般的なクロス型電気泳動チップによる分析法の一例を図7.9に示す．

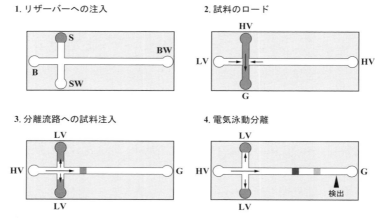

図7.9　クロス型電気泳動チップによる分析法の一例
S：試料，B：泳動液，SW：試料廃液，BW：廃液リザーバー，
HV：高電圧，LV：低電圧，G：グラウンド
（北川，大塚著，日本分析化学会編「電気泳動分析」，共立出版（2010））

原理自体はキャピラリー電気泳動（CE）と同じである．試料，試薬溶液等の輸送には電気浸透流（EOF）を用いる．図7.9は挟み込み試料導入法による電気泳動分離の概略図である．最も単純な電気泳動チップは図7.9のとおり，試料導入用チャネルと分離用チャネルで構成される十字型マイクロチャネルで構成できる．圧力あるいはEOFで試料導入用チャネルに試料溶液を充塡し，分離用チャネルの両端に電場を印加することによりEOFを発生させて，十字部分に存在する試料溶液を切り取り，分離用チャネルに移動させる．具体的には図7.9のとおり，まずSWをG（基準電位を意味する）として試料を短チャネル全体にロードした後，Bに高電圧を印可してBWをGにすることで分離チャネルに試料を導入する．その後，移動の過程で電場により試料溶液中の成分が電気移動度の差により分離が達成される．なお試料ロードの際，BおよびBWにも電圧を印可することで試料の分離チャネルへの不要な流れ込みを防止できる．検出には微小空間での高感度検出が要求される．共焦点顕微鏡などを利用したレーザー誘起蛍光（LIF）検出が一般的であるが，蛍光物質，あるいは蛍光標識化した物質の検出に限られる．非蛍光物質の検出法として熱レンズ顕微鏡を用いた検出，電気化学的検出や表面プラズモン共鳴による検出法などがある．最近では質量分析法（MS）との結合（チップCE-MS）が盛んに行われている．

7.3.2　イノムアッセイマイクロチップ

　イムノアッセイは抗体の高い分子認識能を利用した分析法で，医療診断から環境分析まで幅広く用いられている．従来のイムノアッセイでは，マイクロプレートと呼ばれるプラスチック容器の内壁表面に抗体を吸着させ，溶液中の抗原（測定対象物質）との固液界面反応に基づき測定している．このとき，反応を平衡に到達させるために溶液を振とうするが，反応に長時間を要することが欠点であった．マイクロチャネル内壁を使った界面反応では物質移動距離が短く，かつ比表面積が大きいために反応時間を大幅に短縮でき，かつ極微少量の試薬，試料溶液で目的が達成できるという利点がある．イムノアッセイマイクロチップの一例を図 7.10 に示す．

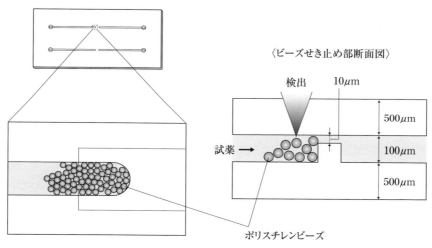

図 7.10　イムノアッセイマイクロチップ

参考文献

（1）　黒田六郎，小熊幸一，中村洋，「フローインジェクション分析法」共立出版 (1990)

（2）　本水昌二，小熊幸一，酒井忠雄，「フローインジェクション分析」共立出版 (2014)

第 7 章の章末問題

7.1 ● 必 須 ●

下記の 3 項目におけるバッチ法とフローインジェクション分析法の基本的概念の違いについてまとめよ.

（1） 濃度勾配と試料の分散制御

（2） 反応の過渡状態と反応時間制御

（3） オンライン検出

7.2 ● 必 須 ●

レイノルズ数（*Re*）について説明しなさい.

7.3 ［推 奨］

層流と栓流について説明しなさい.

7.4 ［推 奨］

拡散と分散について説明しなさい.

7.5 ◀ チャレンジ ▶

試料ゾーンが細管内を流れている間に試料は分散する. その程度を示すのに"分散度"が用いられる. 分散度に影響する主な因子について述べよ. また, 分散度を大きくするためにはどのようにすればよいか.

課 題

7.1 フローインジェククョン分析法は連続流れ分析法である. 環境分析への応用例について主要な分析法をまとめなさい（参考 日本産業規格 JIS K 0170：2011 流れ分析法による水質試験法; JIS K 0102：2013 工場排水試験方法）.

7.2 最近の *μ*-TAS, Lab-on-a-chip の実例をまとめなさい.

7.3 マイクロチップ分析法について, 利点と欠点をまとめなさい.

第8章　社会生活との関わり

　20世紀は，化学や物理など自然科学分野を基盤としたさまざまな科学技術が進展した世紀である．中でも化学反応によって新たな製品を作り出すことを任務とした化学工業の発展は，あらゆる生活環境を豊かなものにしてきた．しかし，その一方で，日本国内においては人の健康に影響をもたらした公害という環境問題が大きな社会問題になった．そのような20世紀から21世紀へ突入してから早や20年以上が経過した現代において，これからの科学技術の進展を後押しする社会的要求に対し科学的な知識を深めながら資源や地球環境にも配慮していくことが求められる．

　本章では，分析化学を基盤とした科学技術に関わる学問を学ぶ者にとって，単に専門知識の修得のみならず，企業活動や日常生活を過ごす中で幅広い見識から社会生活との関わりについて学ぶ．

《本章で学ぶ重要事項》
（1）　大気汚染物質：汚染物質の測定法，エアロゾル粒子，PM2.5
（2）　水質汚濁物質：汚染物質の測定法，公共用水域と上水
（3）　土壌汚染物質：測定項目，検水の調製法，放射性物質による汚染
（4）　食品分析：耐容一日摂取量，一日摂取許容量，放射性物質による影響

8.1　環境分析

> 政府は，大気の汚染，水質の汚濁，土壌の汚染及び騒音に係る環境上の条件について，それぞれ，人の健康を保護し，及び生活環境を保全する上で維持されることが望ましい基準を定めるものとする．
> （環境基本法「第3節　環境基準」　第16条より抜粋）

　上記は，日本国内で1993年に制定された，環境政策に関する基本的な法律である環境基本法の一部である．環境基本法は，人の健康の保護および生活環境を保全するうえで維持されることが望ましい基準として，大気汚染，水質汚濁，土壌汚染，騒音，そしてダイオキシン類による大気，水質，および土壌の汚染，以上の5項目に区分し具体的な内容を定めている．また，環境基本法第13条には，放射性物質による大気，水質，土壌の汚染についても明記されている．環境基本法が制定される以前は，公害病*1といわれた水俣

---

*1　日本国内において，明治維新後の産業活動の中で環境中に排出された有害物質により引き起こされた健康被害を指す．特に，1950年代半ばからの高度経済成長期において，水俣病，新潟水俣病，四日市ぜんそく，イタイイタイ病をまとめて4大公害病という．水俣病と新潟水俣病，四日市ぜんそく，そして

病，新潟水俣病，四日市ぜんそく，イタイイタイ病などの発生を受けて，1967年に制定された公害対策基本法がある．環境基本法で制定された環境基準は，「維持されることが望ましい基準」であり，人が普段の生活をしている中で単に健康を維持するためにだけでなく，その基準をいかに確保するかまで踏み込んだ目標となっている．ただし，環境基準は，少なくとも現在までに得られている科学的知見，特に人への影響を基礎としているため，新たな科学的知見が得られた場合には，環境評価を改めて行かなくてはならないことはいうまでもない．

8.1.1 大　気

1) 環境基準

　大気汚染に係る環境基準は，表8.1に示されるように物質ごとに定められており，測定値も物質ごと指定された方法で測定することになっている．大気汚染に係る環境基準を達成することを目標に，1968年に制定された大気汚染防止法に基づいて，工場や事業所などから排出あるいは飛散する大気汚染物質の排出について規制している．

表8.1　大気汚染に係る環境基準（一部抜粋）

	汚 染 物 質	環境上の上限	測　定　法
大気汚染	二酸化硫黄 （SO_2）	1時間値の1日平均値が0.04 ppm以下であり，かつ，1時間値が0.1 ppm以下	溶液導電率法，又は，紫外線蛍光法
	一酸化炭素 （CO）	1時間値の1日平均値が10 ppm以下であり，かつ，1時間値の8時間平均値が20 ppm以下	非分散型赤外分析法
	浮遊粒子状物質 （SPM）	1時間値の1日平均値が0.10 mg/m³以下であり，かつ，1時間値が0.20 mg/m³以下	濾過捕集による重量濃度測定方法，又は，光散乱法，圧電天びん法，若しくはベータ線吸収法
	二酸化窒素 （NO_2）	1時間値の1日平均値が0.04 ppmから0.06 ppmまでのゾーン内又はそれ以下	ザルツマン試薬を用いる吸光光度法，又は，オゾンを用いる化学発光法
	光化学オキシダント （O_x）	1時間値が0.06 ppm以下	中性ヨウ化カリウム溶液を用いる吸光光度法，電量法，紫外線吸収法，又は，化学発光法
有害大気汚染	ベンゼン	1年平均値が0.003 mg/m³以下	キャニスター，又は，捕集管により採取した試料をガスクロマトグラフ質量分析計により測定
	トリクロロエチレン	1年平均値が0.13 mg/m³以下	
	テトラクロロエチレン	1年平均値が0.2 mg/m³以下	
	ジクロロメタン	1年平均値が0.15 mg/m³以下	
ダイオキシン類		1年平均値が0.6 pg-TEQ/m³以下	ポリウレタンフォームを取り付けたエアサンプラーにより採取した試料を，高分解能ガスクロマトグラフ質量分析計により測定
微小粒子状物質 （PM2.5）		1年平均値が15 µg/m³以下で，かつ，1日平均値が35 µg/m³以下	濾過捕集による質量濃度測定方法，又は，この方法によって測定された質量濃度と等価値が得られると認められる自動測定機による方法

　　イタイイタイ病の主たる原因物質は，それぞれメチル水銀化合物（有機水銀），亜硫酸ガス（二酸化いおう），カドミウムなど重金属や排気ガスである．

2)　分析操作

　大気の汚染に係る物質の測定法は表8.1に示されたとおりであり，測定法によっては大気試料を液体状態にしなければならない．例えば，二酸化硫黄の場合，大気試料を捕集する際の吸収液に硫酸酸性過酸化水素水を用いるが，二酸化窒素では N-1-ナフチルエチレンジアミン2塩酸塩，スルファニル酸，そして酢酸による混合液が用いられ，測定対象物質によって異なる．その一方，吸収液を用いない乾式測定では操作方法が比較的簡便である．また，光化学オキシダントの測定では，大気汚染物質と太陽からの紫外線による光化学反応よって生成するため，季節を問わず夜間の測定値を除外した午前5時から午後8時までの時間帯についてのみの測定値を評価対象としている．

3)　エアロゾル粒子

　気体，あるいは，大気中に微小な液体や固体粒子が浮遊している分散系（状態）をエアロゾル（aerosol）といい，エアロゾル状態の下で存在している粒子状の物質をエアロゾル粒子（aerosol particles）という．エアロゾル粒子は，表8.1に示した浮遊粒子状物質や微小粒子状物質に限らず，二酸化硫黄や二酸化窒素などの気体も大気中に浮遊する水滴との反応よって酸や塩を生成することからエアロゾル粒子の前駆体といえる．また，これら大気汚染物質に限らず身近な生活圏内においても色々なエアロゾル粒子が存在している．図8.1には，主なエアロゾル粒子とその粒子径，そして，各種電磁波の波長範囲を示している．因みに，霧や雲の粒子径は，可視光線の波長範囲よりも大きく可視領域のどの波長においてもほぼ同程度に散乱（ミー散乱）されるため白く見える．

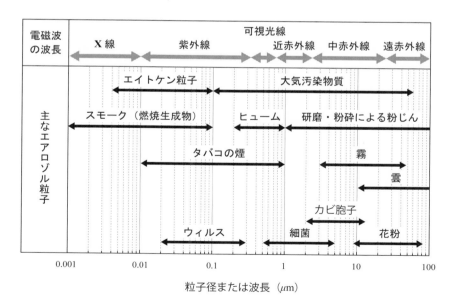

図8.1　主なエアロゾル粒子の粒子径

　大気汚染物質に係るエアロゾル粒子は，粒径が $0.001\,\mu\text{m}\sim100\,\mu\text{m}$ 程度までの粒子を対象とし，その粒子径分布を調べてみると図 8.2 のような分布となっている．粒子径 $10\,\mu\text{m}$ 以下の粒子状物質（図 8.2 中①）を PM10[*2] といい，図 8.2 中②領域の粒子径 $2.5\,\mu\text{m}$ 以下を微小粒子状物質（PM2.5[*2]），そして，図 8.2 中③領域は，粒子径が $0.1\,\mu\text{m}$ 以下の超微小粒子群であり，二酸化硫黄などの排出ガスが大気中で凝縮や凝結によって核形成し粒子化したもので，気象学的な分野においてはエイトケン粒子（aitken particle）といっている．また，エアロゾル粒子は，その生成過程の違いによって発生源から直接微粒子の形で放出される一次粒子と大気中での化学反応よって生成する二次粒子に分類される．人への健康影響が大きいとされる微小粒子状物質 PM2.5 の多くは二次粒子である．

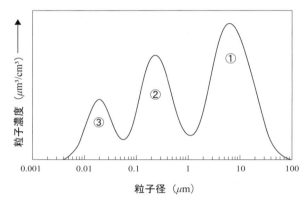

図 8.2　大気汚染に係るエアロゾル粒子の粒子径分布の概略図

8.1.2　水　質

1)　環境基準

　水質汚濁に係る環境基準は，人の健康の保護と生活環境を保全する観点から安全性を十分に考慮し，人の健康に影響が生じないように設けられている．水質汚濁の対象地域は，公共用水域である河川，湖沼，港湾や沿岸海域の他，公共性の高い水域およびこれに接続している水路も含んでいる．表 8.3 には，水質汚濁に係る環境基準の中で人の健康の保護に関する 27 項目の環境基準とその際に使用される測定法を示した．各種の測定法の中で，例えば，原子吸光分析法（AAS）にはフレーム法と電気加熱式があるが，表 8.3 の測定法には AAS のみ記載し測定手法や検出器など具体的な機器分析法を省略した．そのため，詳細な測定法や試料調製法などについては各章の該当箇所，並びに専門書を参照されたい．一方，生活環境を保全するための環境基準は，利用目的に応じて河川，湖沼，海域に分け，これに各都道府県によって指定物質と基準値が設けられている．人の健康の保

[*2]　PM2.5 や PM10 の表記に関して，正式には $\text{PM}_{2.5}$ や PM_{10} のように 2.5 と 10 を添字にして表記することになっている．しかし，本章では各自治体や新聞などマスメディアなどからの情報発信に広く用いられている PM2.5 と PM10 を $\text{PM}_{2.5}$ や PM_{10} の簡略した形で表記した．

護に係る環境基準は，公共用水域に含まれる汚染物質の濃度の上限を規制しており，環境基準が達成するために水質汚濁防止法がある．この法律は，工場や事業場からの排出された汚水・廃液による公共用水域および地下水への汚濁影響を規制することで水質汚濁の防止を図ることを主な目的としている．そのために環境基準に掲げた 27 項目の他，有害物質などの排水規制基準がある．

表 8.3　水質汚濁に係る環境基準（一部抜粋）

項　　　　目	基　準　値	利用される主な測定法
カドミウム	0.003 mg/L 以下	AAS, ICP-OES, ICP-MS
全シアン	検出されないこと．	吸光光度法
鉛	0.01 mg/L 以下	AAS, ICP-OES, ICP-MS
六価クロム	0.05 mg/L 以下	吸光光度法，AAS, ICP-OES, ICP-MS
砒　素	0.01 mg/L 以下	吸光光度法，AAS, ICP-OES, ICP-MS
総水銀	0.0005 mg/L 以下	AAS
アルキル水銀	検出されないこと．	GC
PCB	検出されないこと．	
ジクロロメタン	0.02 mg/L 以下	
四塩化炭素	0.002 mg/L 以下	
1,2-ジクロロエタン	0.004 mg/L 以下	
1,1-ジクロロエチレン	0.1 mg/L 以下	
シス-1,2-ジクロロエチレン	0.04 mg/L 以下	GC, GC-MS
1,1,1-トリクロロエタン	1 mg/L 以下	
1,1,2-トリクロロエタン	0.006 mg/L 以下	
トリクロロエチレン	0.01 mg/L 以下	
テトラクロロエチレン	0.01 mg/L 以下	
1,3-ジクロロプロペン	0.002 mg/L 以下	
チウラム	0.006 mg/L 以下	HPLC
シマジン	0.003 mg/L 以下	GC, GC-MS
チオベンカルブ	0.02 mg/L 以下	
ベンゼン	0.01 mg/L 以下	GC, GC-MS
セレン	0.01 mg/L 以下	吸光光度法，AAS, ICP-OES, ICP-MS
硝酸性窒素及び亜硝酸性窒素	10 mg/L 以下	吸光光度法，IC
ふっ素	0.8 mg/L 以下	
ほう素	1 mg/L 以下	吸光光度法，ICP-OES, ICP-MS
1,4-ジオキサン	0.05 mg/L 以下	GC-MS

AAS：原子吸光分析法　　　　　　　　　　GC：ガスクロマトグラフィー
ICP-OES：高周波誘導結合プラズマ発光分析法　GC-MS：ガスクロマトグラフ質量分析法
　　　　　（または，ICP-AES）　　　　　　HPLC：高速液体クロマトグラフィー
ICP-MS：高周波誘導結合プラズマ質量分析法　IC：イオンクロマトグラフィー

2） 分析操作

　公共用水域に含まれる汚染物質の分析では，表8.3で示されるように分析できる濃度範囲が測定法によって大きく異なる．その中で基準値が「検出されないこと．」と記載されている場合，分析結果が，定められた測定法の定量限界*3を下回ることを意味する．試料を採取する際には，測定項目によってガラス製やポリエチレン製の試薬瓶が用いられる．また，採取後はただちに測定することが大事だが，保存する場合には酸を加え暗所に保存することになっている．

3） 上　水

　上水とは，水道水をはじめ飲用できるような地下水や伏流水などの原水をいう．水道水の水質基準項目は，水道法第4条に基づき安全性を十分に考慮し人の健康に影響が生じない，あるいは，水道水として生活利用上障害が生じるおそれのない水準として一般細菌や大腸菌などを含む51項目について基準値が定められている．また，水道水から検出される可能性があるなど水道管理において留意すべき26項目などに関する基準値が設定されている．これら項目に対する測定法には表8.3に示された各種機器分析法に加えて高速液体クロマトグラフ質量分析法（LC-MS）が利用されている．

　このように日本国内における上水は，水道法よってその安全性を保持されている．水道水と同様に飲料水として飲用されている中にミネラルウォーターなどがあるが，水道法ではなく食品衛生法によって「清涼飲料水」に分類され，そこで成分や製造に関する基準が定められている．

8.1.3　土　壌

1） 環境基準

　土壌の汚染に係る環境基準は，環境基本法に基づき水質汚染に係る環境基準とほぼ同様の項目について定められており，利用される測定法も同じである．しかし，設定された項目と基準値は，あくまでも汚染された土壌から公共用水域や地下水へ溶出することを念頭においたものである．そのため，溶出基準項目として26項目，米や農産物への汚染の影響と汚染されたこれら農産物を摂取し蓄積されることで引き起こされる人への影響を考慮した3項目の計29項目となっている（表8.4）．

---

*3　法令に従い本書でも「定量限界」と記載したが，定量限界には定量可能な最も高い濃度と最小濃度の2つの意味があり，この場合には後者を指すことは自明である．分析化学においては，定量限界よりも「定量下限」が多用され，定量できる最も低い濃度を意味する．これに関連して検出下限とは言わず「検出限界」といい，検出できる最低の濃度（量）を意味する．

表 8.4　土壌の汚染に係る環境基準（一部抜粋）

項　　　目	基　　準　　値
カドミウム	検液 1 L につき 0.01 mg 以下であり，かつ，農用地においては，米 1 kg につき 0.4 mg 以下であること.
全シアン	検液中に検出されないこと.
有機燐（りん）	検液中に検出されないこと.
鉛	検液 1 L につき 0.01 mg 以下であること.
六価クロム	検液 1 L につき 0.05 mg 以下であること.
砒　素	検液 1 L につき 0.01 mg 以下であり，かつ，農用地においては，土壌 1 kg につき 15 mg 未満であること.
総水銀	検液 1 L につき 0.0005 mg 以下であること.
アルキル水銀	検液中に検出されないこと.
PCB	検液中に検出されないこと.
銅	農用地において，土壌 1 kg につき 125 mg 未満であること.
ジクロロメタン	検液 1 L につき 0.02 mg/L 以下であること.
四塩化炭素	検液 1 L につき 0.002 mg/L 以下であること
クロロエチレン	検液 1 L につき 0.002 mg 以下であること.
1,2-ジクロロエタン	検液 1 L につき 0.004 mg 以下であること.
1,1-ジクロロエチレン	検液 1 L につき 0.1 mg 以下であること.
1,2-ジクロロエチレン	検液 1 L につき 0.04 mg 以下であること.
1,1,1-トリクロロエタン	検液 1 L につき 1 mg 以下であること.
1,1,2-トリクロロエタン	検液 1 L につき 0.006 mg 以下であること.
トリクロロエチレン	検液 1 L につき 0.03 mg 以下であること.
テトラクロロエチレン	検液 1 L につき 0.01 mg 以下であること.
1,3-ジクロロプロペン	検液 1 L につき 0.002 mg 以下であること.
チウラム	検液 1 L につき 0.006 mg 以下であること.
シマジン	検液 1 L につき 0.003 mg 以下であること.
チオベンカルブ	検液 1 L につき 0.02 mg 以下であること.
ベンゼン	検液 1 L につき 0.01 mg 以下であること.
セレン	検液 1 L につき 0.01 mg 以下であること.
ふっ素	検液 1 L につき 0.8 mg 以下であること.
ほう素	検液 1 L につき 1 mg 以下であること.
1,4-ジオキサン	検液 1 L につき 0.05 mg 以下であること.

2)　分析操作

　大気試料では，吸収液や捕集管に採取後に所定の測定法により定量し，公共用水試料では測定項目ごとの前処理操作を行った上で定量している．これに対して土壌試料では固体状態であることから，平均的な場所で均一な試料採取が求められている．そのため調査地点における土壌の採取は所定の方法に準じて行うことが重要である．また，測定項目によっても異なり，カドミウムなど金属類，有機リンやチウラムなどの農薬，そしてフッ素と

ホウ素については，採取した土壌試料を風乾後にふるいを用い一定粒度にする．これに対して，揮発性の高いジクロロメタン，四塩化炭素，クロロエチレンなどの有機化合物については，採取した土壌試料から礫や木片などを取り除くのみでふるいは用いない．このようにして得られた土壌試料は，一定の割合で水と水平振とう，あるいはかくはんすることで，汚染物質を水に溶出させ検水とする．

3) 放射性物質による汚染土壌

　2011年3月11日の東日本大震災に伴う東京電力福島第一原子力発電所の事故によって，さまざまな放射性物質が環境中へ大量に放出，そして，福島県および近隣県にわたる広範囲な地域に沈積したことでさまざまな生態系へ影響した．環境基本法では，こうした事態を受けて放射性物質による環境汚染を防止する措置も対象とされた．特に，人体への影響が大きいとされたヨウ素131（^{131}I），セシウム134（^{134}Cs），そしてセシウム137（^{137}Cs）などの放射性同位体（radioisotope，または，radioactive isotope）などについては，土壌の汚染度合いを定量的に評価することが求められた．自然界には，放射線の放出の有無によって安定同位体（stable isotope）と放射性同位体に区別される．セシウム原子は，セシウム133（^{133}Cs）のみが安定同位体（安定核種ともいう）として存在し，セシウム134（^{134}Cs）やセシウム137（^{137}Cs）などの放射性同位体は，核分裂生成物もしくは核反応によって生成する．これら放射性同位体が，β線やγ線などの放射線を放出することで別の核種に変化していく現象を壊変（decay，または，disintegration），あるいは，崩壊ともいう．放射性同位体が壊変している形式には，放射線の種類によって異なり，また，単位時間あたりの壊変数も放射性核種によって異なることから，これら放射性同位体の物理的性質を利用して放射性同位体の濃度を測定する方法が採られている．

① 壊変の法則

　放射性同位体（Radio isotope）の原子数がN個あるとする．この放射性同位体が，t時間後までの壊変を観察して行く中で極めて短い時間（dt）を考えたとき，原子が壊変しN個から減少（$-dN$）して行く速度（$-dN/dt$）は，壊変する原子数（N）に比例し，その関係式は（8.1）で示される．

$$-\frac{dN}{dt} = \lambda N \tag{8.1}$$

　式（8.1）において，λは壊変定数といい単位時間当たりに減少する原子数，すなわち，単位時間の壊変数（壊変率）であり放射性同位元素の種類によって異なる．式（8.1）を積分し，最初（$t=0$）に存在していた原子数をN_0，t時間後に壊変した原子数をNとすると式（8.1）は以下の式となる．

$$N = N_0 e^{-\lambda t} \tag{8.2}$$

　ここで，放射性同位元素の原子数が半分になるまでの時間を半減期（half time）といい $T_{1/2}$ で表すと，式（8.2）は次のように書き換えられ，式（8.3）を（8.2）に代入すると最終的に式（8.4）が得られる.

$$N = \frac{1}{2} N_0$$

$$\frac{1}{2} = e^{-\lambda T_{1/2}} \qquad \lambda = \frac{0.693}{T_{1/2}} \tag{8.3}$$

$$N = N_0 \left(\frac{1}{2} \right)^{\frac{t}{T_{1/2}}} \tag{8.4}$$

　いま，N_0 が半減期 $T_{1/2}$ ごとに原子数は，$N_0/2, N_0/4, N_0/8$……のように半減していく. このような関係を壊変曲線という（図8-3）.

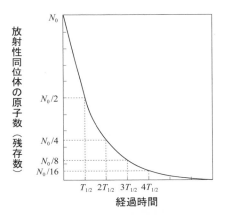

図8-3　放射性物質の壊変曲線
（$T_{1/2}$：半減期）

②　放射線と放射能

　放射性同位体から放出される放射線には，中性子（n）線，アルファ（α）線，ベータ（β）線などの粒子やガンマ（γ）線，エックス（X）線などの電磁波がある. 物質に対して放射線を照射したとき，その物質の単位質量（kg）当たり吸収される放射線のエネルギー量（ジュール：J）を吸収線量（absorbed dose）といい，グレイ（gray：Gy）で表される. しかし，放射線による人体への影響は，放射線の種類や人体の各臓器によって異なることから，人に対する健康影響を評価するための単位としてシーベルト（sievert：Sv）が用いられる. 放射能とは，放射性同位体は不安定で放射線を放出することで別の放射性核種や安定核種に壊変する. この時，単位時間当たりの壊変数を放射能（radioactivity）といい，1秒間当たり1個原子が壊変した場合を1ベクレル（becquerel：Bq）という. したがって，単位質量（kg）当たりのベクレル数が大きければ大きいほど放射能の強さは大きいことになる.

194

例題 8.1

　土壌 1 kg の中に含まれているセシウム 134 (^{134}Cs) とセシウム 137 (^{137}Cs) 濃度は，共に 1000 Bq/kg であったとすると，それぞれ 10 年後の放射能濃度（Bq/kg）を計算しなさい．ただし，^{134}Cs と ^{37}Cs の半減期は，それぞれ 2.06 年，30.2 年とする．

解　答

　壊変曲線の関係式，式（8.4）から，10 年後の放射能濃度が計算できる．

10 年後の ^{134}Cs 濃度

$$1000 \times \left(\frac{1}{2}\right)^{\frac{10}{2.06}} = 34.6 \ (\text{Bq/kg})$$

10 年後の ^{137}Cs 濃度

$$1000 \times \left(\frac{1}{2}\right)^{\frac{10}{30.2}} = 795 \ (\text{Bq/kg})$$

　原子力発電所事故によって放出・沈着した放射性セシウムは，10 年後には ^{134}Cs 量は約 96%，^{137}Cs 量では約 20% 低減することがわかる．しかし，これら低減率は物理的半減期を用い計算した結果であり，除染作業や台風・洪水など自然災害によって変わってくる．

③　空間線量率と放射能濃度の測定法

　大気中を飛び交っている α 線，β 線，γ 線などの放射線を空間放射線といい，その度合いを連続的に測定することで人への影響を評価することができる．この時，1 時間当たりの空間線量を空間線量率，または，空間放射線量率（Sv/h）で表し，測定器には，主に，シンチレーション式サーベイメータが用いられている．一方，放射能濃度には分解能が高く，セシウム 134 とセシウム 137，そして他のガンマ線を放出する放射性核種を同時定量できるゲルマニウム半導体検出器ガンマ線スペクトロメータが用いられている．しかし，福島県原子力発電所の事故のために，測定が必要となる試料数が多いことから，放射性セシウム濃度の基準値を超える食品を判断するスクリーニングのためにシンチレーション検出―ガンマ線スペクトロメータも用いられている．

8.2　食品分析

　1950 年代からの，いわゆる高度経済成長期を経て日本経済は大きく成長を遂げた．しかしその一方で，4 大公害病といわれた水俣病，新潟水俣病，四日市ぜんそく，イタイイタイ病などが発生し，周辺環境ばかりでなく大きな人的被害を受けた．その中で水俣病とイタイイタイ病は水質汚染を原因としたものであるが，魚類や米など食品を通じて有機水銀やカドミウム摂取による人の健康への被害が生じた．その後，食料生産や流通量の増加，そして国外からの食料品の輸入量増加に合わせ食の多様化は現在も進行しているが，食への安全に関して色々な問題が生じている．近年では，冷凍食品中の残留農薬問題や輸入食品による有機リン中毒，そして，放射性物質による食品汚染問題は今なお深刻であり，解

決には至ってない．本節では，食品分析に係る取組みや枠組みや健康への影響評価，そして，食品中の放射性物質の分析と健康への影響評価について概説する．

8.2.1　食品分析に係る枠組み

食品への有害物質の混入，そして有害物質の摂取による人への健康影響は，有機水銀やカドミウムといった化学物質に限らず農薬や O157 などの細菌やウィルスに至るまで幅広い対策と取り組みが必要である．現在，日本国内では，国際連合食糧農業機関（Food and Agriculture Organization of the United Nations：FAO）と世界保健機関（World Health Organization：WHO）が設立したコーデックス委員会（Codex Alimentarius Commission：CAC）による，食の安全に関するリスク分析（Risk Analysis）の考え方を基本としている．具体的には，内閣府に設置された食品安全委員会が，科学的知見に基づいて食品健康影響評価（リスク評価：Risk Assessment）を行い，その結果に基づき厚生労働省，農林水産省，消費者庁が規制などの措置（リスク管理：Risk Management）を実施するものである．そして最終的に，消費者や事業者間などの情報や意見交換（リスクコミュニケーション：Risk Communication）を通してリスクに対する認知を深める対策が取られている．

日常の生活の中で，水や土壌の中の汚染物質を水産物や農作物などを介し摂取する可能性がある．そのため，水質汚濁に係る環境基準（表 8.3）および土壌の汚染に係る環境基準（表 8.4）に記載されている汚染物質とその測定法に基づいて分析している．しかし，食品中に含まれる有害物質，例えば，水銀やメチル水銀は，それぞれ還元気化原子吸光分析法や電子捕獲型検出ガスクロマトグラフィーが使用されているが，水銀の化学形態別分析の必要性とさらに定量下限の低い分析法として，高周波誘導結合プラズマ質量分析法（ICP-MS），ガスクロマトグラフ質量分析法（GC-MS）などが用いられてきている．なお，食品衛生法では食品汚染や腐敗など食品に関する安全性確保のみを対象としているわけではなく，飲食器具や容器包装，おもちゃ，洗浄剤などに含まれる有害物質の有無も対象とし食の安全性を確保している．また，2018 年に改正された食品衛生法により，HACCP（Hazard Analysis and Critical Control Point）が 2021 年より完全制度化され，食品の安全確保に向けた管理強化が行われている．

8.2.2　食品中の有害物質による影響評価

カドミウムや鉛など重金属は，地球上の至る所に不均一に存在し，地域によっては農産物に含まれる可能性がある．また，海産物であれば食物連鎖によって次第に濃縮されたのちに摂取する場合もある．日本国内における飲料水を含めた食品中の有害物質の基準値は，コーデックス委員会によって設定された基準値と食生活や汚染の状況などを踏まえた上で食品衛生法によって設定されている．それら規制値は，科学的な根拠に基づいた耐容一日

摂取量（Tolerable Daily Intake：TDI）や一日摂取許容量（Acceptable Daily Intake：ADI）を踏まえ定められている．TDI は，食品や飲料水に混入してしまった汚染物質や有害物質など化学物質を対象とし，ADI は意図的に食品に使用される食品添加物や生育・防虫のためなど使用されたことで食品に残留する農薬を対象としている．TDI と ADI 共に，一生涯にわたって毎日摂取し続けても健康への有害な影響が無いとされる 1 日当たりの摂取量（mg/kg 体重/日）のことであり，図 8.4 にその概念図を示した．まず，ある化学物質について動物実験などの結果から，人の健康に対する有害性が認められなかった最大の曝露量を無毒性量（No Observed Adverse Effect Level：NOAEL）という．TDI や ADI は，この無毒性量に子どもや大人など個人差を考慮した安全係数を加味し算出している．国内において，市場に流通する食品の中の化学物質や残留農薬の量（基準値）は，TDI や ADI を下回るように設定されており，基準値を超える食品は輸入・販売などが禁止される．

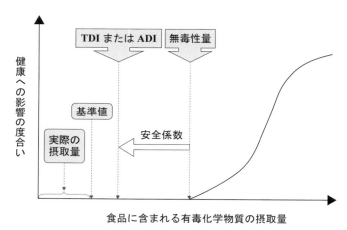

図8.4　有害化学物質に対する TDI と ADI の設定および基準値に関する概念図

8.2.3　食品中の放射性物質と人の健康への影響評価

2011 年 3 月 11 日に発生した東日本大震災によって引き起こされた福島第一原子力発電所事故で，大量の放射性物質が原子炉から大気中に放出し，放射性セシウムによる食品への汚染は大きな社会問題に発展した．厚生労働省では，コーデックス委員会により内部被曝量が年間 1×10^{-3} Sv を超えないとの指標を踏まえ，2012 年 4 月より各種食品 1 kg 当たりの放射性セシウム濃度の基準値を定めた（表 8.5）．外部被曝の場合，シンチレーション式サーベイメータを用い空間放射線量率（Sv/h）を測定すれば人への影響度合いが評価できる．しかし，放射性セシウムに汚染された食品を摂取した場合，放射能濃度（Bq/kg）はゲルマニウム半導体検出器ガンマ線スペクトロメータなどで定量できるが，人体への影響度合いを評価するにはシーベルト（Sv）単位に変換しなければならない．

　放射性物質に汚染された食品を摂取した場合，体内に一定期間留まる放射性物質から内部被曝を受けることになる．この時，内部被曝を受ける期間を大人 50 年，子ども 70 年間に換算したものを預託実効線量（Sv）といい，内部被曝線量の評価に用いられている．預託実効線量は，放射性核種や年齢によって異なる実効線量係数（Sv/Bq）を用い算出することになっている．表 8.6 には，セシウム 134 とセシウム 137 の年齢別実効線量係数を示した．

表 8.5　各種食品 1 kg 当たりの放射性セシウム濃度の基準値

食　品　群	飲 料 水	牛　　乳	一般食品	乳児食品
基準値（Bq/kg）	10	50	100	50

表 8.6　経口摂取の場合の実効線量係数（Sv/Bq）

食　品　群	3 ヶ月児	1 歳児	5 歳児	10 歳児	15 歳児	成　人
セシウム 134	2.6×10^{-8}	1.6×10^{-8}	1.3×10^{-8}	1.4×10^{-8}	1.9×10^{-8}	1.9×10^{-8}
セシウム 137	1.1×10^{-8}	1.2×10^{-8}	9.6×10^{-9}	1.0×10^{-8}	1.3×10^{-8}	1.3×10^{-8}

例題 8.2

　ある食材 500 g を摂取した後，セシウム 134（^{134}Cs）とセシウム 137（^{137}Cs）の放射能濃度が，それぞれ 3.0 Bq/kg と 97 Bq/kg であることが分かった．この食材を摂取したことによる預託実効線量（内部被曝量：Sv）を計算しなさい．ただし，Cs-134 と Cs-137 の実効線量係数を，それぞれ 1.9×10^{-8} Sv/Bq と 1.3×10^{-8} Sv/Bq とする．

解　答

　^{134}Cs の預託実効線量：3.0（Bq/kg）$\times1.9\times10^{-8}$（Sv/Bq）$\times0.50$（kg）$=2.85\times10^{-8}$（Sv）

　^{137}Cs の預託実効線量：97（Bq/kg）$\times1.3\times10^{-8}$（Sv/Bq）$\times0.50$（kg）$=6.31\times10^{-7}$（Sv）

　内部被曝量：2.85×10^{-8}（Sv）$+6.31\times10^{-7}$（Sv）$=6.60\times10^{-7}$（Sv）

　放射性セシウム濃度 100 Bq/kg の食材を摂取した場合の内部被曝量は 6.60×10^{-7}（Sv）となる．コーデックス委員会が指標とする内部被曝量（年間 1×10^{-3} Sv）と比べると，約 2,000 分の 1 程度になる．

参考文献

（1） 本水昌二，磯崎昭徳，井原敏博，櫻川昭雄，善木道雄，寺前紀夫，西澤精一，平山和雄，三浦恭之，森田耕太郎，山口央「基礎教育シリーズ新版分析化学実験」東京教学社（2008）

（2） 土屋正彦，戸田昭三，原口紘 . 監訳「クリスチャン分析化学 II 機器分析」丸善（2000）

（3） 田中稔，船造浩一，庄野利之，角井伸次「環境化学概論」丸善（2008）

（4） 日本分析機器工業会「分析機器の手引き」（2008）

第 8 章の章末問題

8.1 ●必須●

　　環境基本法第 16 条から抜粋した，以下の文章中の（ア）～（ウ）に入る語句の正しい組み合わせを①～④から選びなさい．

（　ア　）は，大気の汚染，水質の汚濁，土壌の汚染及び騒音に係る環境上の条件について，それぞれ，人の健康を保護し，及び生活環境を（　イ　）する上で維持されることが望ましい（　ウ　）を定めるものとする．

	（ア）	（イ）	（ウ）
①	政　府	改　善	上限値
②	政　府	保　全	基　準
③	環境大臣	改　善	上限値
④	環境大臣	保　全	基　準

8.2 ●必須●

　　環境汚染物質の中の二酸化硫黄（SO_2）と光化学オキシダント（O_x）の測定法として正しい組み合わせを①～④から選びなさい．

	二酸化硫黄（SO_2）	光化学オキシダント（O_x）
①	溶液導電率法	紫外線蛍光法
②	吸光光度法	紫外線蛍光法
③	溶液導電率法	紫外線吸収法
④	吸光光度法	紫外線吸収法

8.3 ［推奨］

　　福島第一原子力発電所事故の際，放射性セシウムと共に放出した放射性ヨウ素 −131（^{131}I）の量が，1 ヶ月（30 日）後には，最初の量から何分の 1 になるか計算しなさい．ただし，半減期を 8 日とする．

8.4 ［推奨］

　　カリウムの同位体である放射性カリウム（^{40}K）は天然存在比が 0.01％である．また，人はさまざまな食材を摂取する中で ^{40}K も体内に取り込み，60 kg 体重の成人で常時 4,000 Bq あるといわれている．体内にある ^{40}K から受ける内部被ばく量を計算しなさい．ただし，^{40}K の実効線量係数を 6.2×10^{-9}（Sv/Bq）とする．

8.5 ◀チャレンジ▶

　大気汚染物質の中の1つをあげ，その測定法の原理や操作法，そして特徴などについて記述しなさい．

8.6 ◀チャレンジ▶

　社会生活の中でエアロゾル粒子と見なすことができる具体的な名称をあげて，その物質の化学・物理的性質，そして主な発生源について調査しなさい．

8.7 ◀チャレンジ▶

　これまで食品に混入した化学物質や残留農薬など有害物質について，耐容一日摂取量（TDI）または，一日摂取許容量（ADI）を調査し，それら物質の基準値と比較しなさい．

章末問題の解答

第 2 章

2.1

① $K=\dfrac{x}{(a-mx)^m(b-nx)^n}$　② $\dfrac{a}{c}$

③ 0.5　④ 0.33　⑤ 0.25

2.2

（1）等吸収点

（2）等吸収点が現れる 432 nm での吸光度
(A) は分析濃度 (C) に比例するので Beer
の法則が成立する（$A=\varepsilon_{432}C$, $\varepsilon_{432}=\varepsilon_{HA}=$
ε_{A^-}）．それ以外の波長では Beer の法則は
成立しない（注：HA は弱酸なので濃度が
高くなると pH は低くなり，溶液中では酸
型の存在割合が増える．したがって，ε_{HA}
$>\varepsilon_{A^-}$ である 400 nm では濃度増大とともに
吸光度は $A=\varepsilon_{432}C$ の直線より上にずれ，
$\varepsilon_{HA}<\varepsilon_{A^-}$ である 400 nm では下にずれる）．

（3）432 nm を励起波長とする．理由：吸光
度が小さいとき，蛍光強度は吸光度に比例
するので分析濃度と吸光度が比例関係にあ
る等吸収点の現れる波長を用いる．吸光度
が小さな低濃度領域では蛍光強度は濃度に
比例して大きくなるが，濃度が高くなると
吸光度が大きくなり，蛍光強度は比例関係
よりも小さな値を示す．濃度が極めて高く
なると分子間衝突が起こりやすくなったり
（濃度消光）するので蛍光強度は著しく低下
する（式 (2.21)～(2.24) と図 2.18 を参照）．

2.3

波長は波数と逆数の関係にあることから
$\dfrac{1}{(2143)}=4.666\times10^{-4}$ cm よって 4.666 μm

またエネルギーはアインシュタインの法則より
$E=\dfrac{(6.63\times10^{-34}\text{ J s})(3.0\times10^8\text{ m s}^{-1})}{(4.666\times10^{-6}\text{ cm})}(6.02\times10^{23}\text{ 個})$
$=25.7\times10^3$ J mol^{-1}

よって 25.7 kJ mol^{-1}

2.4

H_2 の場合
$H=1$ とすると

$\mu=\dfrac{(0.001)(0.001)}{(0.001+0.001)(6.02\times10^{23})}=8.31\times10^{-28}$

$\nu=\dfrac{1}{2\pi}\sqrt{\dfrac{k}{\mu}}=\dfrac{1}{2\pi}\sqrt{\dfrac{500}{8.31\times10^{-28}}}$
$=1.23\times10^{14}$ Hz s^{-1}

$\lambda=\dfrac{C}{\nu}=\dfrac{1.23\times10^{14}\text{ s}^{-1}}{3.0\times10^8\text{ m s}^{-1}}=4.1\times10^5$ m^{-1}

よって 4100 cm^{-1} である．同様に
$>C=C<$：1680 cm^{-1}, $-C\equiv N$：2116 cm^{-1}

2.5

上記の値を用いて検量線を作成し，試料のピー
ク面積値から銅濃度を求める．

10.7 ppb

2.6

上記の値から検量線を作成（対ブランク補正）
し，河川水の鉄のピーク面積値は

$0.0402-0.0090=0.0312$

検量線より鉄濃度は 7.7 ppb である．

2.7

問 2.5 と同様に検量線から銅濃度を求める
（ここでは 2 倍希釈したものであることに注意）．

また含有量と濃度の関係は
含有量（μg^{-1}, ppm）
$=\dfrac{\text{測定濃度 (ng mL}^{-1}\text{, ppb)}\times\text{試料溶液量 (mL)}}{\text{試料採取量 (mg)}}$

で求められる．

検量線より銅濃度は 72.4 ppb（36.2 ppb×2）
であり，試料溶液量は 100 mL および試料採取
量は 103.6 mg であるので茶葉中の銅の含有量
は 69.9 ppm である．

第3章

3.1

まず式（3.1）を解くと，

$$N = N_0 e^{-kt}$$

となる．ただし，N_0 は $t=0$ における放射性核種の量である．$t=t_{1/2}$ において $N=\dfrac{N_0}{2}$ であり，これらを上式に代入して整理すると，$t_{1/2}=\dfrac{\ln 2}{k}$ が得られる．

3.2

原子番号の大きな元素の原子核は，より高い陽電荷を持ち，K 殻の電子がより安定化されているから．

3.3

0.30 T の磁束密度では，電子の Zeeman 分裂のエネルギー差は 5.6×10^{-24} J になる．ボルツマン分布を計算すると，N_E/N_G の値は，温度 77 K および 298 K において，それぞれ 0.9947 と 0.9986 になる．ここから N_G-N_E の値を求めると，それぞれ 5.3×10^{-3} と 1.4×10^{-3} になる．したがって，ESR シグナルは 77 K のほうが約 3.8 倍大きくなる。

3.4

原子核の Zeeman 分裂のエネルギーは $\dfrac{\gamma_N B h}{2\pi}$ で表される．^{13}C の γ_N は 6.73×10^7 T^{-1} s^{-1} であるから，20 T における分裂エネルギーは 1.4×10^{-25} J となる．これは 2.1×10^8 Hz の振動数の電磁波に相当する．

3.5

^{1}H の γ_N は 26.75×10^7 T^{-1} s^{-1} であるから，20 T における分裂エネルギーは 5.6×10^{-25} J になる．3.3 と同じように，^{1}H と ^{13}C のそれぞれに対して N_E/N_G を求めて N_G-N_E を計算すると，1.4×10^{-4} と 3.4×10^{-5} になる．さらにそれぞれの同位体存在率を考慮すると ^{13}C-NMR のシグナルは，^{1}H-NMR のシグナルの約 2.7×10^{-3} 倍になる．

第4章

4.1 省略

4.2

SCE は標準水素電極（SHE）に対して 0.241 V の電位を持つので，起電力 E_{cell} は，

$$
\begin{aligned}
E_{cell} &= E_{Ag} - SCE \\
&= (E^\circ_{Ag^+/Ag}+0.059\log[Ag^+]) - 0.241 \\
&= (0.799+0.059\log 0.02) \\
&= (0.799-0.059\times1.699) - 0.241 \\
&= 0.458 \text{ V}
\end{aligned}
$$

4.3

原理：省略

ガラス電極の電位応答は次式で表される．

$$E = E_{cons} + \frac{2.303RT}{F}\log a_{H^+} = E_{cons} - \frac{2.303RT}{F}\text{pH}$$

よって，試料溶液の pH が 1.0 だけ異なると，25℃ では 59 mV（正確には 59.16 mV）の電位変化がある．

4.4

1) 間違いがある．電位勾配（ネルンスト係数）は $2.303RT/nF$ で表される．25℃ では，目的イオンの価数が $n=1$ であれば 59.16 mV であるが，$n=2$ であれば 29.6 mV になる．

2) 間違いがある．電位応答には，$2.303RT/nF$ に従った温度依存性がある．

3) 正しい．

4) 正しい．トリオクチルメチルアンモニウム（Cl$^-$ 電極）やリン酸ジアルキルエステル（Ca^{2+} 電極），バリノマイシン（K$^+$ 電極）が代表的．

4.5

銀イオン溶液と銅イオン溶液の電位は，それぞれ次式で表される．

$$E_{Ag} = E^{\circ}_{Ag^+/Ag} + 0.059 \log [Ag^+]$$

$$E_{Cu} = E^{\circ}_{Cu^{2+}/Cu} + \frac{0.059}{2} \log [Cu^{2+}]$$

いま，過電圧を無視すると，$E_{Ag} > E_{Cu}$ であれば Ag が析出し，$E_{Ag} < E_{Cu}$ となって初めて Cu が析出する．

また，等モル混合溶液では，電解を開始するとまず Ag が析出する．$[Ag^+]$ が減少するため陰極の電位が低下し，$E_{Ag} = E_{Cu}$ になると Cu が析出する．よって，$E_{Ag} = E_{Cu}$ となる $[Ag^+]$ を求めればよい．

$$E^{\circ}_{Ag^+/Ag} + 0.059 \log [Ag^+]$$

$$= E^{\circ}_{Cu^{2+}/Cu} + \frac{0.059}{2} \log [Cu^{2+}]$$

$$0.059 \log [Ag^+]$$

$$= (E^{\circ}_{Cu^{2+}/Cu} - E^{\circ}_{Ag^+/Ag}) + \frac{0.059}{2} \log [Cu^{2+}]$$

$$= (0.337 - 0.779) + \frac{0.059}{2} \log 0.1$$

$$= -0.492$$

$\log [Ag^+] = -8.34$ より $[Ag^+] = 4.57 \times 10^{-9}$ M

よって，0.000493 mg/L

4.6

0.01 M 溶液の銅が 99.9% 陰極に析出するとき，溶液中に残留している銅イオン（0.1%）の濃度 $[Cu^{2+}]$ は，

$$[Cu^{2+}] = 0.01 \text{ M} \times (0.1 \times 10^{-2})$$

$$= 1.0 \times 10^{-5} \text{ M}$$

よって，このときの銅イオン溶液の電位を求めればよい．SHE に対する SCE の電位は 0.241 V なので，必要な電位 E_{app} は，

$$E_{app} = E_{Cu} - \text{SCE}$$

$$= \left(E^{\circ}_{Cu^{2+}/Cu} + \frac{0.059}{2} \log [Cu^{2+}]\right) - \text{SCE}$$

$$= \left(0.337 + \frac{0.059}{2} \log 10^{-5}\right) - 0.241$$

$$= -0.0515 \text{ V}$$

4.7

1) 正　　2) 誤　　3) 誤　　4) 正

第5章

5.1

（1）　カラムの微小領域において，移動相中に存在する試料成分量に対する固定相中に存在する試料成分量の比である．保持係数が大きな値を持つ成分は固定相への分配や吸着が大きく，一般に強く保持される．

（2）　移動相が分離カラムを素通りするために要する時間である．実験では試料注入バルブから検出器までのチューブを素通りする時間も加わって測定される．

（3）　分離カラム内に存在する移動相の容積である．実験ではホールドアップタイムの時間内に流れた移動相の容積を示す．

（4）　試料成分が試料注入後，検出されるまでに要する時間である．実験では試料成分を

注入後，分離カラムを出て検出されるまでの時間であり，チューブ内を素通りする時間も加わって測定される．

（5）　保持時間からホールドアップタイムを差し引いた時間であり，試料成分が真に固定相に保持されている時間である．

（6）　調整保持時間内に流れた移動相の容積である．

（7）　2種類の成分（A と B）に対する保持係数，選択係数あるいは分布係数の比で表され，両者の分離度合いを示す．

（8）　隣り合う2つのピークの分離度合いを，ピークの保持時間の差とピークの幅を考慮して判断する指標である．

（9）　段理論において試料成分がカラム全体の中で見かけの分配平衡状態を繰り返す回数を示す．5.4.2節1）段理論で述べている．高理論段数のカラムは一般に試料成分をよく分離することができる．

（10）　カラムの分離効率を表す指標である．カラム内で試料成分が見かけの分配平衡状態を1回成立させる間での移動相の移動距離で表す．理論段相当高さが小さな値ほどカラムは分離効率が高い．

5.2

カラムの長さ，理論段数およびHETPの関係は式（5.18）に示されている．

$$\text{HETP} = 180\,\text{cm}/3000\,\text{段} = 0.06\,\text{cm}/\text{段}$$

5.3

理論段数，保持時間，ピークの幅の関係は式（5.16）および式（5.17）で表される．成分aについては，$1000 = 16(t_R/w_a)^2$，成分bについては，$10000 = 16(t_R/w_b)^2$，

$$\frac{(t_R/w_a)^2}{(t_R/w_b)^2} = \frac{1}{10}, \qquad \frac{w_b^2}{w_a^2} = \frac{1}{10}$$

$$\frac{w_a^2}{w_b^2} = \frac{1}{10}, \qquad \frac{w_a}{w_b} = \sqrt{10} = 3.16$$

すなわち成分bのピーク幅に比べて成分aのピーク幅が3.16倍に広くなる．理論段数が10倍大きなカラムで得られたクロマトグラム上のピークはよりシャープになり，高感度分析を可能にする．

5.4

分離係数 α は式（5.21）で求めることができる．

$$\text{分離係数 } \alpha = \frac{(\text{A の調整保持時間})}{(\text{B の調整保持時間})}$$

$$\alpha = \frac{7.42}{8.92} = 0.83$$

また，分離度 R は式（5.22）で求めることができる．

$$\text{分離度 } R = 2 \times \frac{1.5}{(0.87 + 0.91)} = 1.69$$

5.5

係数 $K=0$ であるということはA成分が保持されないことであり，題意よりホールドアップボリュームは1.5 mLである．BとCの調整保持容量は（15.5−1.5）と（23.0−1.5）mLである．分離係数 α は式（5.21）のように調整保持時間の比で求めることができるが，調整時保持容量の比でも求めることができる．したがって，

$$\alpha = \frac{(15.5 - 1.5)}{(23.0 - 1.5)} = 0.65$$

である．

保持係数 k は式（5.7）および式（5.8）で求めることができる．ここでは保持容量を使って式（5.8）で求める．Bの保持係数 k は $15.5 = 1.5(1+k)$ より $k=9.33$，Cの保持係数 k は $23.0 = 1.5(1+k)$ より，$k=14.33$ である．

5.6

（1）　上の化合物から順に $(3.50/7.41) = 0.47$，$(3.95/7.41) = 0.53$，$(5.91/7.41) = 0.80$，$(7.41/7.41) = 1.00$，$(11.83/7.41) = 1.60$ である．

（2）　物質は移動相に存在している時間だけ移動する．その平均的な時間が t_0 の30秒に相当する．一方，メタンフリン分子がカラムに保持されている平均的な時間は調整保持時間の5.91分である．したがって，メタンフリンが溶出する時間に対して移動相中に存在する時間の割合は

$$\frac{0.5}{(0.5 + 5.91)} \times 100 = 7.8\%$$

である．

5.7

例題5.4を参照して解く．

まず，クロマトグラムにおける各成分のピーク面積を求める．例えばエタノールの場合，$128.0 \times 4.1 = 524.8\,\text{mm}^2$ である．次に，各成分の相対モル感度当たりの面積を求める．各成分の含有モル%は相対モル感度当たりの全面積に対する各成分の相対モル感度当たりの面積の割合である．エタノールの場合は $7.29/45.84 \times 100 = 15.9\%$ である．

成　　分	面積 (mm^2)	面積（mm^2）/ 相対モル感度	モル %
エタノール	524.8	7.29	15.9
プロパノール	585.5	7.05	15.4
2-プロパノール	1432.9	16.86	36.8
ブタノール	1390.9	14.68	31.9
合　計		45.84	100.0

5.8

（1）　式（5.16）を使用して計算する．A 成分：$16(3.53/0.37)^2 = 1,456$ 段，同様に B 成分：1,447 段，C 成分：1,416 段，D 成分：1,342 段である．

（2）　式（5.18）を使用して計算する．A 成分：25.0/1,456＝0.017 cm，同様に B 成分：0.017 cm，C 成分：0.018 cm，D 成分：0.019 cm である．

（3）　式（5.7）を使用して計算する．

A 成分：$3.53 = 1.27(1+k)$　$\therefore k = 1.78$,

同様に，B 成分：$k = 4.09$,

C 成分：$k = 4.93$,

D 成分：$k = 10.90$　である．

（4）　式（5.21）を使用して計算する．

$$分離係数\ \alpha = \frac{(7.53 - 1.27)}{(6.47 - 1.27)} = 1.20$$

（5）　式（5.22）を使用して計算する．

$$\frac{2(7.53 - 6.47)}{(0.68 + 0.80)} = 1.43$$

（6）　式（5.22）から B と C の保持時間の差を大きくする必要がある．この場合各ピークの幅も大きくなるが一般にカラムを長くすると各ピークの幅が大きくなるのに比べて保持時間の差はさらに大きくなる．

5.9

5.5.2 節 5）内標準法を参考にする．

（1）　純粋あるいは純度が高い．

（2）　化学的に安定で，試料成分や溶媒と反応しない．

（3）　試料成分と同じ条件下で溶出され，検出できる．

（4）　試料成分から完全に分離され，試料成分と近い保持時間で溶出される．

5.10

5.5.2 節 5）内標準法を参考にする．

（1）　得られた結果の表からピーク面積比（b/a）を計算すると以下の表になる．

濃度比 （b/a）	0.20	0.40	0.60	0.80
ピーク面積比 （b/a）	0.130	0.262	0.392	0.534

濃度比（b/a）を横軸に，ピーク面積比（b/a）を縦軸にグラフを作成する．

（2）　ピーク面積比（b/a）は 703/1720＝0.409 なので，グラフから濃度比（b/a）は 0.62 と読み取ることができる．a 成分の濃度（ppm）が 2.0 ppm であることから，b 成分の濃度は 0.62×2.0＝1.24 ppm となる．

5.11

（1）　はガスクロマトグラフィー：気体成分の混合物で GC が気体成分を分離する．

（2）　はキャピラリーゾーン電気泳動：イオン成分の混合物で CZE がイオン成分を分離する．

（3）　は吸着平衡を利用する液体クロマトグラフィー：非イオン成分の混合物で HPLC が分子状態の成分を分離する．

5.12

5.6 を参考にする．

（1）　溶液を外部電場の中に置いたとき，荷電粒子（陽イオン，陰イオン）が反対の電荷の電極に向かって移動する現象である．

（2）　電解質溶液をキャピラリー内に入れて両端に直流高電圧を印加したとき，陽イオンは負極に向かって泳動する．溶液全体がこの陽イオンの泳動によって引っ張られて負極に向かって移動する流れを示す．

（3）　泳動時間に対する検出器応答の変化を表したもので，HPLC でのクロマトグラムに相当する．

5.13

キャピラリー内での溶液の移動速度は断面に対してほぼ均一である．したがって，試料成分の移動方向への分散がきわめて小さく，エレクトロフェログラムにおいて幅の狭いシャープなピークが現れるためである．

第 6 章

6.6 ESI で得られるマススペクトルは分解能が高いので同位体を観測することができる．同位体は中性子の数の差に起因するものなので 1 の差があり，$z=1$ であれば $\Delta m/z=1$ のピークのかたまりとして検出されるはずである．$z=2$ では $\Delta m/z=0.5$ のピーク群，$z=3$ では $\Delta m/z=0.33$ のピーク群…$z=10$ では $\Delta m/z=0.1$ のピーク群…すなわち，$z=n$ では $\Delta m/z=1/n$ のピーク群となる．つまり，同位体に基づくピーク群の m/z の差をみればそのピークの価数 z を決めることができる．

6.7 それぞれの元素は固有の同位体存在比を有している．例えば，炭素なら，12: 98.93%；13: 1.07%，窒素は 14: 99.632%；15: 0.368%，塩素なら 35: 75.78%；37: 24.22%．つまり，同じ（より正確には，同位体の平均値が極めて近い）分子量をもった分子でもそれを構成している元素が異なれば全体として異なる同位体パターンを与えることになる．よって同位体を判別できる分解能と充分な定量性を確保できる手法で得られたマススペクトルがあれば構成元素を決定する（または，絞り込む）ことが可能になる．

その他の問題は，1 つの解答を求めるものではない，あるいは本文中に記載してある内容なので解答は示さない．

第 7 章

7.1

（1）　濃度勾配と試料の分散制御

　ある容器を用いて測定試料を調製するバッチ法では，その容器中のどの部分をとっても濃度はすべて均一である．一方，FIA では，細管中を流れている場合には常に分散が起こっており，試料ゾーン中のすべての溶質について濃度勾配が生じている．しかし，FIA に適した定流量ポンプを用いれば，分散を正確に制御することができ，測定に十分な精度の分散を再現できる．これにより，反応が未完成の条件下でも反応ピークを再現性よく測定することができる．

（2）　反応の過渡状態と反応時間制御

　バッチ法では，ある容器中ですべての溶質が均一な濃度下で，反応の終結（平衡状態に到達した状態）を待って測定する．FIA では，細管中を試料ゾーンが流れている間に常に分散が起こり，ゾーンはピーク形状を与える．また，たとえ反応が終結（平衡状態）したとしても，濃度勾配が常に起こり，試料ゾーンのピーク形状は変化している．したがって，FIA では反応が終結する前の状態，いわゆる過渡状態におけるピークを測定に利用することもできる．これは，ある条件を満たす送液ポンプを用いれば，十分な精度でピーク出現を再現でき，反応時間を制御できることに基づいている．

（3）　オンライン検出

　バッチ法では，ある容器で調製した溶液の物理量（例えば吸光度）を測定するためには，反応終結後，いったん測定容器（吸収セルなど）に移し替えて測定しなければならない．このために，溶液調製時の再現性，実験環境や実験操作中に起こるコンタミネーション（汚染），測定容器の出し入れの再現性などにより，精度と正確さに劣ることはある程度やむをえない．FIA では，これらに相当する操作は同じ容器（細管）中で，同じ要領で試料（試料注入器で一定量を注入），試薬等（一定流量）が混合され，そのまま検出器に送られるので，コンタミネーションも起こらない．したがってオンライン検出では，一般に測定の再現性がよい．

7.2

　レイノルズ数（Re）とは，流体の流れが層流から乱流へ遷移する条件を記述するためにイギリスの物理学者であるレイノルズ（O. Reynolds）が導入したパラメータであり，慣性力と粘性力の比をとった無次元数である。Re を求める式（本文参照）では分母に粘性力，分子に慣性力があるため，粘性力が支配的な場合に Re は低く，層流となる。一方，慣性力が支配的な場合には Re は高く，流れは乱流となる。

7.3

　液体が固体に接して流れている場合，例えばPTFE（ポリテトラフルオロエチレン）細管などの中を水溶液が流れているような場合，流れの方向に整然とした層状の流れになる。これを層流（laminar flow）という。FIA などのように，ポンプで細管に液体を流す場合，管中心の速度は平均速度の 2 倍で進むので，注入された試料は流れが進むにつれて，パラボリックな先端と後端をもつ広がりのあるゾーンに分散することになる。栓流（plug flow）の場合は，細管中に注入した試料ゾーンの先端，後端がほぼ平面の状態で流れていくので，分散は小さい。キャピラリー電気泳動における泳動液の流れは栓流に近い流れとなり，試料ゾーンの分散も小さく，ピークも鋭い。

7.4

　拡散（diffusion）とは，不均一な濃度で存在する物質が分子の熱運動により広がろうとして移動する現象である。濃度勾配のある溶液中で

は，溶質が高濃度領域から低濃度領域に広がっていき（拡散現象），最終的には均一な溶液となる。また，異なった気体と接すると相互に拡散し最終的には均一な混合物となる。気相，液相，固相などの連続相中に他種の物質相が不連続に分布した状態を分散系という。例えば，FIA などの流れ分析で細管中のキャリヤー流れにある一定量の試料を注入した場合に分散系（キャリヤーと試料ゾーンの分散系）ができる。キャリヤー中の試料は流れている間に半径方向，軸方向への試料の拡散，対流による広がりなどにより試料ゾーンは次第に広がっていく（キャリヤーと試料が混合する）。このような現象を分散（dispersion）という。

　最初の濃度（C_0：注入したときの濃度）とある時間経過後における試料ゾーンのある点における濃度 C との比 C_0/C を分散度 D という。分散度 D が大きいほど試料の広がりは大きく，混合が進んでいる。

　FIA では，細管中を流れている間に起こる分散による試料と試薬の混合を利用している。

7.5

　分散度に影響する主な因子は，流量（流速），細管の内径，長さ，流す時間，温度，注入試料体積などである。分散度を大きくするためには，流量（流速）を大きく，細管の内径を大きく，長さを長く，時間を長く，温度を高くし，試料注入量を小さくすれば分散度を大きくし，よく混合した状態にすることができる。

第 8 章

8.1　②

8.2　③

8.3　^{131}I の最初の量を N_0 とし，また，半減期 $T_{1/2}=8$（日），そして $t=30$（日）を式（8.4）に代入し 1 ヶ月（30 日）後の ^{131}I 量を求めると 0.074 となる。

　　したがって，100 分の 7 となる。^{131}I は，半減期が比較的短いため 1 ヶ月後には，

始めの量の約 93% 低減することになる。

$$N = N_0 \left(\frac{1}{2}\right)^{\frac{t}{T_{1/2}}} \qquad (8.4)$$

8.4　以下の式で計算される。

　　4,000(Bq) × 6.2 × 10^{-9}(Sv/Bq)
　　　= 2.48 × 10^{-5}(Sv) = 0.0248(mSv)

8.5～8.7　省略

付　表

付表1　SI単位

SI基本単位

数値と単位の積として表される各種物理量は以下の7種の基本物理量の積または商で表した次元系を用いると組み立てることができる．そこで，国際単位系はこれらの基本物理量とそれぞれ等しい次元をもつ7個の基本単位を基礎として構成されている．

表1　SI基本単位

物理量	SI単位の名称	SI単位の記号	定　　義
長さ	メートル	m	1秒の299,792,458分の1の時間に光が真空中を伝わる距離を1メートルとする．
質量	キログラム	kg	国際キログラム原器の質量を1キログラムとする．
時間	秒	s	セシウム-133原子の基底状態に属する2つの超微細レベル間の遷移に伴って放出される光の振動周期の9,192,631,770倍を1秒とする．
電流	アンペア	A	無視できる程度に断面が小さく，無限に長い2本の導体を真空中に1mだけ隔てて平行に張り，それに定電流を通じたとき，その導体間に働く力が導体の長さ1mにつき2×10^{-7}ニュートンであればその電流を1アンペアとする．
熱力学的温度	ケルビン	K	熱力学的温度の単位ケルビンは水の三重点の熱力学的温度の1/273.16と定義される．
物質量	モル	mol	0.012 kgの炭素-12に含まれる炭素原子と同数の構成単位を含む系の物質の量を1モルとする．単位モルを使うに際してその構成単位を明確に規定しなければならない．
光度	カンデラ	cd	101,325ニュートン/m^2の圧力下での白金の凝固温度にある黒体の平らな表面1/600,000 m^2当たりの垂直方向の光度を1カンデラとする．

ここで，構成単位とは原子，分子，イオン，電子，その他の粒子，あるいはこれらの粒子の明確に規定された組合せである．

SI関連単位の名称と記号，定義

SI補助単位としてのラジアン，およびステラジアンのほかに，ある種のSI組立単位（誘導単位）に対する特別の名称と記号が用いられる．それらを表2に列挙する．また，その他の量に対するSI誘導単位の例を表3に示した．

表2　SI基本単位の名称と記号，定義（抜粋）

物理量	SI単位の名称	SI単位の記号	定義あるいはSI基本単位による表現
平面角	ラジアン	rad	円の周上で，その半径の長さに等しい長さの弧を切り取る2本の半径の間に含まれる平面角．
立体角	ステラジアン	sr	球の中心を頂点とし，その球の半径を一辺とする正方形に等しい面積を球の表面上で切り取る立体角．
力	ニュートン	N	$\mathrm{m\,kg\,s^{-2}}$
圧力，応力	パスカル	Pa	$\mathrm{m^{-1}\,kg\,s^{-2}}$ ($=\mathrm{N\,m^{-2}}$)
エネルギー	ジュール	J	$\mathrm{m^2\,kg\,s^{-2}}$

物理量	SI 単位の名称	SI 単位の記号	定義あるいは SI 基本単位による表現
仕事率	ワット	W	$m^2\,kg\,s^{-3}\,(J\,s^{-1})$
電荷	クーロン	C	$s\,A$
電位差	ボルト	V	$m^2\,kg\,s^{-3}\,A^{-}\,(J\,A^{-1}\,s^{-1})$
電気抵抗	オーム	Ω	$m^2\,kg\,s^{-3}\,A^{-2}\,(=V\,A^{-1})$
伝導度	ジーメンス	S	$m^{-2}\,kg^{-1}\,s^3\,A^2\,(=A\,V^{-1}=\Omega^{-1})$
電気容量	ファラド	F	$m^{-2}\,kg^{-1}\,s^4\,A^2\,(=A\,s\,V^{-1})$
光束	ルーメン	l m	$cd\,sr$
照度	ルクス	l x	$m^{-2}\,cd\,sr$
振動数	ヘルツ	Hz	s^{-1}
線源の放射能	ベクレル	Bq	s^{-1}

表3　その他の量に対する SI 誘導単位とその記号（抜粋）

物理量	SI 単位	SI 単位による表現
面積	平方メートル	m^2
体積	立方メートル	m^3
密度	キログラム毎立方メートル	$kg\,m^{-3}$
速度	メートル毎秒	$m\,s^{-1}$
動粘性率／拡散係数	平方メートル毎秒	$m^2\,s^{-1}$
粘性率	ニュートン秒毎平方メートル	$N\,s\,m^{-2}$
モルエントロピー，モル熱容量	ジュール毎（ケルビン・モル）	$J\,K^{-1}\,mol^{-1}$
濃度	モル毎立方メートル	$mol\,m^{-3}$
電場の強さ	ボルト毎メートル	$V\,m^{-1}$
磁場の強さ	アンペア毎メートル	$A\,m^{-1}$

表4　SI 位取り接頭語

大きさ	接頭語	記号	大きさ	接頭語	記号
10^{-1}	デシ	d	10	デカ	da
10^{-2}	センチ	c	10^2	ヘクト	h
10^{-3}	ミリ	m	10^3	キロ	k
10^{-6}	マイクロ	μ	10^6	メガ	M
10^{-9}	ナノ	n	10^9	ギガ	G
10^{-12}	ピコ	p	10^{12}	テラ	T
10^{-15}	フェムト	f	10^{15}	ペタ	P
10^{-18}	アット	a	10^{18}	エクサ	E

質量の単位の 10 の整数倍は，グラムに接頭語を付けて表示するとされている．例えば，μkg は使わず mg，nkg ではなく μg，kkg とはせず Mg を使う．

SI 以外の単位

SI 以外の単位として SI と併用される単位がある．表 5 にこれらを列記した．また，併用できないが，従来の文献などでよく使われた単位がある．それらの単位で表記された数字は SI 単位に換算する必要が生じるところから，表 6 に SI 単位との関係を示した．

表 5　SI と併用される単位

物理量	単位の名称	記号	SI 単位による値	
時間	分	min	60	s
時間	時	h	3600	s
時間	日	d	86 400	s
平面角	度	°	$(\pi/180)$	rad
体積	リットル	l, L	10^{-3}	m^3
質量	トン	t	10^3	kg
長さ	オングストローム	Å	10^{-10}	m
圧力	バール	bar	10^5	Pa
エネルギー	電子ボルト	eV	$1.602\,18 \times 10^{-19}$	J
質量	統一原子質量単位	u	$1.660\,54 \times 10^{-27}$	kg

表 6　使われたことのある単位

物理量	単位の名称	記号	SI 単位による値	
力	ダイン	dyn	10^{-5}	N
圧力	標準大気圧	atm	101325	Pa
圧力	トル (mmHg)	Torr	133.322	Pa
エネルギー	エルグ	erg	10^{-7}	J
エネルギー	熱化学カロリー	cal_{th}	4.184	J
磁束密度	ガウス	G	10^{-4}	T
電気双極子モーメント	デバイ	D	3.33564×10^{-30}	Cm
粘性率	ポアズ	P	10^{-1}	$N\,s\,m^{-2}$
動粘性率	ストークス	St	10^{-4}	$m^2\,s^{-1}$

表 7　基本物理定数の値 (抜粋)

物理量	記号	数値	単位
真空中の光速度	c_0	299 792 458	$m\,s^{-1}$
真空の誘電率	ε_0	$8.854\,187\,817\cdots \times 10^{-12}$	$F\,m^{-1}$
プランク定数	h	$6.626\,069\,3(11) \times 10^{-34}$	J s
アボガドロ定数	$L,\ N_A$	$6.022\,141\,5(10) \times 10^{23}$	mol^{-1}
ファラデー定数	F	$9.648\,533\,83(83) \times 10^4$	$C\,mol^{-1}$
気体定数	R	$8.314\,472(15)$	$J\,K^{-1}mol^{-1}$
ボルツマン定数	$k,\ k_B$	$1.380\,650\,5(24) \times 10^{-23}$	$J\,K^{-1}$
重力定数	G	$6.674\,2(10) \times 10^{-11}$	$m^3kg^{-1}s^{-2}$

付表2　　　酸-塩基対の酸解離定数（水溶液）

酸　の　名	酸　の　式	塩　基　の　式	pK_a
亜鉛イオン	Zn^{2+}	$Zn(OH)^+$	9.60
亜硝酸	HNO_2	NO_2^-	3.35
アニリニウムイオン	$C_6H_5NH_3^+$	$C_6H_5NH_2$	4.62
亜ヒ酸	H_3AsO_3	$H_2AsO_3^-$	9.13
亜硫酸	H_2SO_3	HSO_3^-	1.89
	HSO_3^-	SO_3^{2-}	7.20
アルミニウムイオン	Al^{3+}	$Al(OH)^{2+}$	4.96
安息香酸	$C_6H_5CO_2H$	$C_6H_5CO_2^-$	4.12
アンモニウムイオン	NH_4^+	NH_3	9.26
エチレンジアミンテトラ酢酸	H_4A	H_3A^-	2.0
	H_3A^-	H_3A^{2-}	2.67
	H_2A^{2-}	HA^{3-}	6.16
	HA^{3-}	A^{4-}	10.26
エチレンジアンモニウムイオン	$H_3N^+-CH_2-CH_2-NH_3^+$	$H_2N-CH_2-CH_2-NH_3^+$	7.23
	$H_2N-CH_2-CH_2-NH_3^+$	$H_2N-CH_2-CH_2-NH_2$	9.87
8-キノリノール	H_2Ox^+	HOx	5.0
（オキシン，HOx）	HOx	Ox^-	9.7
ギ酸	HCO_2H	HCO_2^-	3.74
クエン酸	H_4A	H_3A^-	3.03
	H_3A^-	H_2A^{2-}	4.39
	H_2A^{2-}	HA^{3-}	5.71
	HA^{3-}	A^{4-}	16.0
クペロン	$HCup$	Cup^-	4.2
グリシニウムイオン	$H_3N^+-CH_2-COOH$	$H_3N^+-CH_2-COO^-$	2.35
	$H_3N^+-CH_2-COO^-$	$H_2N-CH_2-COO^-$	9.78
クロム酸	H_2CrO_4	$HCrO_4^-$	0.74
	$HCrO_4^-$	CrO_4^{2-}	6.49
酢酸	CH_3CO_2H	$CH_3CO_2^-$	4.47
サリチル酸	$C_6H_4(OH)COOH$	$C_6H_4(OH)COO^-$	2.96
	$C_6H_4(OH)COO^-$	$C_6H_4(O^-)COO^-$	13.4
酸性硫酸イオン	HSO_4^-	SO_4^{2-}	1.89
シアン化水素酸	HCN	CN^-	9.14
次亜塩素酸	$HClO$	ClO^-	7.53
次亜リン酸	H_3PO_2	$H_2PO_2^-$	1.0
ジクロロ酢酸	Cl_2CHCO_2H	$Cl_2CHCO_2^-$	1.3
シュウ酸	$H_2C_2O_4$	$HC_2O_4^-$	1.19
	$HC_2O_4^-$	$C_2O_4^{2-}$	4.21
酒石酸	H_2A	HA^-	3.04
	HA^-	A^{2-}	4.37
炭酸	CO_2, aq.	HCO_3^-	6.46
	HCO_3^-	CO_3^{2-}	10.25
鉄(III)イオン	Fe^{3+}	$Fe(OH)^{2+}$	3.05
ヒ酸	H_3AsO_4	$H_2AsO_4^-$	2.1
	$H_2AsO_4^-$	$HAsO_4^{2-}$	6.7
	$HAsO_4^{2-}$	AsO_4^{3-}	11.2
ヒドロキシアンモニウムイオン	NH_3OH^+	NH_2OH	6.2
2,2'-ビピリジニウムイオン	HA^+	A	4.4
ピリジニウムイオン	$C_5H_5NH^+$	C_5H_5N	5.2

酸 の 名	酸 の 式	塩 基 の 式	pK_a
ピロリン酸	$H_4P_2O_7$	$H_3P_2O_7^-$	1.0
	$H_3P_2O_7^-$	$H_2P_2O_7^{2-}$	2.5
	$H_2P_2O_7^{2-}$	$HP_2O_7^{3-}$	6.1
	$HP_2O_7^{3-}$	$P_2O_7^{4-}$	8.5
フェナントロリニウムイオン	HA^+	A	5.0
フェノール	C_6H_5OH	$C_6H_5O^-$	9.89
フタル酸	$C_6H_4(COOH)_2$	$C_6H_4(COOH)COO^-$	2.89
	$C_6H_4(COOH)COO^-$	$C_6H_4(COO^-)_2$	5.41
フッ化水素酸	HF	F^-	3.16
プロピオン酸	CH_3CH_2COOH	CH_3CHCOO^-	4.89
ヘキサメチレンテトラミニウム イオン	HA^+	A	5.1
ホウ酸	H_3BO_3	$H_2BO_3^-$	9.24
モノクロロ酢酸	$ClCH_2CO_2H$	$ClCH_2CO_2^-$	2.82
硫化水素	H_2S	HS^-	7.0
	HS^-	S^{2-}	12.9
リン酸	H_3PO_4	$H_2PO_4^-$	2.12
	$H_2PO_4^-$	HPO_4^{2-}	7.21
	HPO_4^{2-}	PO_4^{3-}	12.32

付表 3　無機配位子と金属イオンとの錯生成定数 （$\log \beta_n$）

配位子(L)	金属イオン(M)	$\log \beta_1$	$\log \beta_2$	$\log \beta_3$	$\log \beta_4$	$\log \beta_5$	$\log \beta_6$	備考(複核錯体)
NH_3	Ag^+	3.40	7.40					
	Cd^{2+}	2.60	4.65	6.04	6.92	6.6	4.9	
	Co^{2+}	2.05	3.62	4.61	5.31	5.4	4.8	
	Cu^{2+}	4.13	7.61	10.48	12.59			
	Fe^{2+}	1.4	2.2	—	3.7			
	Hg^{2+}	8.80	17.50	18.5	19.4			
	Ni^{2+}	2.75	4.95	6.64	7.79	8.5	8.5	
	Zn^{2+}	2.27	4.61	7.01	9.06			
CO_3^{2-}	UO_2^{2+}			22.8				
CN^-	Ag^+		21.1	21.8	20.7			
	Cd^{2+}	5.5	10.6	15.3	18.9			
	Cu^+		24.0	28.6	30.3			
	Hg^{2+}	18.0	34.7	38.5	41.5			
SCN^-	Ag^+	7.6	9.1	10.1				
	Cd^{2+}	1.4	2.0	2.6				
	Co^{2+}	1.0						
	Cu^{2+}	1.7	2.5	2.7	3.0			
	Fe^{3+}	2.3	4.2	5.6	6.4	6.4		
	Hg^{2+}	—	16.1	19.0	20.9			
	Ni^{2+}	1.2	1.6	1.8				
	Pb^{2+}	0.5	0.9	−1	0.9			
	Zn^{2+}	0.5	0.8	0	1.3			

配位子(L)	金属イオン(M)	$\log \beta_1$	$\log \beta_2$	$\log \beta_3$	$\log \beta_4$	$\log \beta_5$	$\log \beta_6$	備考(複核錯体)
F^-	Al^{3+}	6.1	11.15	15.0	17.7	19.4	19.7	
	Fe^{3+}	5.2	9.2	11.9				
	Hg^{2+}	1.0						
	La^{3+}	2.7						
	Ni^{2+}	0.7						
	Zn^{2+}	0.7						
Cl^-	Ag^+	2.9	4.7	5.0	5.9			
	Cd^{2+}	1.6	2.1	1.5	0.9			
	Cu^{2+}	0.1	−0.5					
	Fe^{3+}	0.6	0.7	−0.7				
	Hg^{2+}	6.7	13.2	14.1	15.1			
	Pb^{2+}	1.2	0.6	1.2				
	Zn^{2+}	−0.2	−0.6	0.15				
Br^-	Ag^+	4.15	7.1	7.95	8.9			
	Cd^{2+}	1.56	2.10	2.16	2.53			
	Hg^{2+}	9.05	17.3	19.7	21.0			
	Pb^{2+}	1.1	1.4	2.2				
I^-	Ag^+	13.85	13.7					
	Cd^{2+}	2.4	3.4	5.0	6.15			
	Hg^{2+}	12.9	23.8	27.6	29.8			
	Pb^{2+}	1.3	2.8	3.4	3.9			
$S_2O_3^{2-}$	Ag^+	8.82	13.5					
	Cu^+	10.3	12.2	13.8				
SO_4^{2-}	Ce^{4+}	3.5	8.0	10.4				
	Cu^{2+}	1.0	1.1	2.3				
	Y^{3+}	2.2	3.3	4.4				
OH^-	Ag^+	2.3	3.6	4.8				
	Al^{3+}				33.3			$\log K^{Al_6(OH)_{15}}_{6Al,15OH}=163$
	Ba^{2+}	0.7						
	Be^{2+}		3.1					$\log K^{Be_2OH}_{2Be,OH}=10.8$
	Bi^{3+}	12.4						$\log K^{Bi_6(OH)_{12}}_{6Bi,12OH}=168.3$
	Ca^{2+}	1.3						
	Cd^{2+}	4.3	7.7	10.3	12.0			
	Cu^{2+}	6.0						$\log K^{Cu_2(OH)_2}_{2Cu,2OH}=17.1$
	Fe^{3+}	11.0	21.7					$\log K^{Fe_2(OH)_2}_{2Fe,2OH}=25.1$
	Mg^{2+}	2.6						
PO_4^{3-}	Ca^{2+}				1.7			
	Mg^{2+}	$M+HL \rightleftharpoons MHL$			1.9			
	Fe^{3+}	$\log K^{MHL}_{M,HL}$			9.35			
	Sr^{2+}				0.25			

A. Ringbom 著, *Complexation in Analytical Chemistry* (Interscience, 1963 年) の表より作成.

付表4 アミノポリカルボン酸キレート試薬と金属イオンとのキレート生成定数
$(\log K_{M,L}, \ \log K_{ML,L})$

金属イオン	EDTA[1] $\log K_{M,L}$	DTPA[2] $\log K_{M,L}$	CDTA[3] $\log K_{M,L}$	NTA[4] $\log K_{M,L}$	NTA[4] $\log K_{ML,L}$	EGTA[5]
Ag^+	7.3					
Al^{3+}	16.5		17.6	6.4	6.0	
Ba^{2+}	7.8	8.8	8.6	4.8		8.4
Bi^{3+}	22.8		24.5			
Ca^{2+}	10.7	10.6	12.5	6.4		11.0
Cd^{2+}	16.5	19.5	19.2	10.1	4.4	15.6
Co^{2+}	16.3	19.0	18.9	10.6		12.3
Cu^{2+}	18.8	20.5	21.3	12.7	3.6	17
Fe^{2+}	14.3	16.0	18.2	8.8		
Fe^{3+}	25.1	27.5	27.5	15.9	8.4	
Hg^{2+}	21.8	27.0	24.3	12.7		23.2
La^{3+}	15.4	19.1	16.4	10.4	7.7	15.6
Mg^{2+}	8.7	9.3	10.3	5.4		5.2
Mn^{2+}	14.0	15.5	16.8	7.4		11.5
Ni^{2+}	18.6	20.0	19.4	11.3	4.5	12.0
Pb^{2+}	18.0	18.9	19.7	11.8		13.0
Sr^{2+}	8.6	9.7	10.5	5.0		8.5
Zn^{2+}	16.5	18.0	18.7	10.7		12.8

酸解離定数

	EDTA	DTPA	CDTA	NTA		EGTA
pK_{a_1}	2.07	1.94	2.43	1.97		2.08
pK_{a_2}	2.75	2.87	3.52	2.57		2.73
pK_{a_3}	6.24	4.37	6.12	9.81		8.93
pK_{a_4}	10.34	8.69	11.70			9.54
pK_{a_5}		10.56				

1) EDTA：エチレンジアミン四酢酸
2) DOTA：ジエチレントリアミン五酢酸
3) CDTA：シクロヘキサンジアミン四酢酸
4) NTA：ニトリロ三酢酸
5) EGTA：エチレングリコールビス（2-アミノエチルエーテル）四酢酸

付表5　　有機配位子と金属イオンの錯生成定数

イオン	酢　酸 CH$_3$COOH				シュウ酸 H$_2$C$_2$O$_4$		
	log β_1	log β_2	log β_3	log β_4	log β_1	log β_2	log β_3
Al^{3+}						11.0	14.6
Ba^{2+}	0.4						
Ca^{2+}	0.5						
Cd^{2+}	1.0	1.9	1.8	1.3	2.9	4.7	
Co^{2+}	1.1	1.5			3.5	5.8	
Cu^{2+}	1.7	2.7	3.1		4.5	8.9	
Fe^{3+}	3.4	6.1	8.7		8.0	14.3	18.5
Mg^{2+}					2.4		
Mn^{2+}	0.5	1.4			2.7	4.1	
Ni^{2+}	0.7	1.25			4.1	7.2	8.5
Pb^{2+}	1.9	3.3					
Zn^{2+}	1.3	2.1			3.7	6.0	

イオン	フタル酸 C$_6$H$_4$(COOH)$_2$		酒石酸 H$_2$C$_4$H$_4$O$_6$				クエン酸 C$_3$H$_4$(OH)(COOH)$_3$
	log β_1	log β_2	log β_1	log β_2	log β_3	log β_4	log β_1
Al^{3+}							20.0
Ba^{2+}	1.5						
Ca^{2+}	1.6		1.7				
Cd^{2+}			2.8				11.3
Co^{2+}		4.0	2.1				12.5
Cu^{2+}	3.1	4.4	3.2	5.1	4.8	6.5	18
Fe^{2+}							15.5
Fe^{3+}							25.0
Mg^{2+}			1.2				
Ni^{2+}							14.3
Pb^{2+}	2.2	3.4					12.3
Zn^{2+}			4.5	2.4			11.4

イオン	サリチル酸 C$_6$H$_4$(OH)COOH			スルホサリチル酸 C$_6$H$_3$(OH)(SO$_3$H)(COOH)		
	log β_1	log β_2	log β_3	log β_1	log β_2	log β_3
Al^{3+}	14			12.9	22.9	29.0
Cd^{2+}	5.6			4.7		
Co^{2+}	6.8	11.5		6.0	9.8	
Cr^{3+}				9.6		
Cu^{2+}	10.6	18.5		9.5	16.5	
Fe^{2+}	6.6	11.3		5.9	10	
Fe^{3+}	15.8	27.5	35.3	14.4	25.2	32.2
Mn^{2+}	5.9	9.8		5.2	8.2	
Ni^{2+}	7.0	11.8		6.4	10.2	
Zn^{2+}	6.9			6.1	10.6	

付表5のつづき

イ オ ン	タイロン （tiron）$C_6H_2(OH)_2(SO_3)_2^{2-}$			アセチルアセトン$CH_3COCH_2COCH_3$		
	$\log \beta_1$	$\log \beta_2$	$\log \beta_3$	$\log \beta_1$	$\log \beta_2$	$\log \beta_3$
Al^{3+}	14.4	29.6		8.1	15.7	21.2
Ca^{2+}	5.8					
Cd^{2+}				3.4	6.0	
Co^{2+}	9.5			5.0	8.9	
Cu^{2+}	14.5			7.8	14.3	
Fe^{2+}				4.7	8.0	
Fe^{3+}	20.7	35.9	46.9	9.3	17.9	25.1
Mg^{2+}	6.9					
Mn^{2+}	8.6					
Ni^{2+}	10.0			5.5	9.8	11.9
Pb^{2+}				4.2	6.6	
Zn^{2+}	10.4			4.6	8.2	

tiron, 1,2-ジヒドロキシベンゼン-3,5-スルホン酸.

イ オ ン	2,2′-ジピリジン$C_{10}H_8N_2$			1,10-フェナントロリン$C_{12}H_8N_2$		
	$\log \beta_1$	$\log \beta_2$	$\log \beta_3$	$\log \beta_1$	$\log \beta_2$	$\log \beta_3$
Ag^+		6.8				
Cd^{2+}	4.5	8.0	10.5	6.4	11.6	15.8
Co^{2+}	5.7	11.3	16.1	7.0	13.7	20.1
Cu^{2+}	8.1	13.5	17.0	9.1	15.8	21.0
Fe^{2+}	4.4	8.0	17.6	5.9	11.1	21.3
Fe^{3+}						14.1
Mn^{2+}	2.5	4.6	6.3	4.1	7.2	10.4
Ni^{2+}	7.1	13.9	20.1	8.8	17.1	24.8
Pb^{2+}				5.1	7.5	7
Zn^{2+}	5.4	9.8	13.5	6.4	12.15	17.0

イ オ ン	α-アラニン$CH_3CH(NH_2)COOH$		グリシンNH_2CH_2COOH			システイン$HSCH_2CH(NH_2)COOH$	
	$\log \beta_1$	$\log \beta_2$	$\log \beta_1$	$\log \beta_2$	$\log \beta_3$	$\log \beta_1$	$\log \beta_2$
Ag^+	3.7	6.9	3.3	6.8			
Ca^{2+}	0.8		1.0				
Cd^{2+}	2.5		4.4	8.2			
Co^{2+}	4.4	8.1	4.7	8.5	11.0	9.1	16.4
Cu^{2+}	8.1	14.7	8.1	15.1			
Fe^{2+}		7.0	3.9	7.2		11.0	
Fe^{3+}							31.2
Hg^{2+}			10.5	19.5			44.0
Mg^{2+}			3.1	6.1			
Mn^{2+}	3.0	5.7	3.0	5.1		3.6	
Ni^{2+}	5.6	10.0	5.8	10.6	14.4		18.8
Pb^{2+}	4.6	7.6	5.1	8.2		12.36	
Zn^{2+}	4.8	8.9	5.0	9.1		9.9	18.75

付表6　　　　　標準酸化還元電位（25℃）（$E°$の値）

電　極　反　応	$E°$	電　極　反　応	$E°$
$Li^+ + e^- = Li$	-3.045	$S + 2H^+ + 2e^- = H_2S(aq.)$	0.142
$K^+ + e^- = K$	-2.925	$Sn^{4+} + 2e^- = Sn^{2+}$	0.15
$Rb^+ + e^- = Rb$	-2.925	$Cu^{2+} + e^- = Cu^+$	0.153
$Ba^{2+} + 2e^- = Ba$	-2.906	$SO_4^{2-} + 4H^+ + 2e^- = H_2O + H_2SO_3$	0.172
$Sr^{2+} + 2e^- = Sr$	-2.888	$AgCl + e^- = Ag + Cl^-$	0.222
$Ca^{2+} + 2e^- = Ca$	-2.866	$Hg_2Cl_2 + 2e^- = 2Cl^- + 2Hg$	0.268
$Na^+ + e^- = Na$	-2.714	$BiO^+ + 2H^+ + 3e^- = H_2O + Bi$	0.320
$La^{3+} + 3e^- = La$	-2.522	$Cu^{2+} + 2e^- = Cu$	0.337
$Mg^{2+} + 2e^- = Mg$	-2.363	$Fe(CN)_6^{3-} + e^- = Fe(CN)_6^{4-}$	0.36
$Al^{3+} + 3e^- = Al$	-1.662	$Ag(NH_3)_2^+ + e^- = Ag + 2NH_3$	0.373
$Ti^{2+} + 2e^- = Ti$	-1.628	$I_2 + 2e^- = 2I^-$	0.536
$Mn^{2+} + 2e^- = Mn$	-1.180	$Cu^{2+} + Cl^- + e^- = CuCl$	0.538
$Cd(CN)_4^{2-} + 2e^- = Cd + 4CN$	-1.028	$H_3AsO_4 + 2H^+ + 2e^- = 2H_2O + HAsO_2$	0.560
$Zn^{2+} + 2e^- = Zn$	-0.763	$Hg_2SO_4 + 2e^- = SO_4^{2-} + 2Hg$	0.615
$2CO_2(g) + 2H^+ + 2e^- = H_2C_2O_4(aq.)$	-0.49	$O_2 + 2H^+ + 2e^- = H_2O_2(aq.)$	0.6824
$S + 2e^- = S^{2-}$	-0.447	$Fe^{3+} + e^- = Fe^{2+}$	0.771
$Fe^{2+} + 2e^- = Fe$	-0.440	$Ag^+ + e^- = Ag$	0.799
$Cr^{3+} + e^- = Cr^{2+}$	-0.408	$2Hg^{2+} + 2e^- = Hg_2^{2+}$	0.920
$Cd^{2+} + 2e^- = Cd$	-0.403	$NO_3^- + 3H^+ + 2e^- = HNO_2 + H_2O$	0.94
$Ag(CN)_2^- + e^- = Ag + 2CN^-$	-0.31	$Br_2(aq.) + 2e^- = 2Br^-$	1.087
$Co^{2+} + 2e^- = Co$	-0.277	$IO_3^- + 6H^+ + 5e^- = 1/2\,I_2 + 3H_2O$	1.195
$Ni^{2+} + 2e^- = Ni$	-0.250	$Pt^{2+} + 2e^- = Pt$	約1.2
$AgI + e^- = Ag + I^-$	-0.152	$O_2 + 4H^+ + 4e^- = 2H_2O$	1.229
$Sn^{2+} + 2e^- = Sn$	-0.136	$Cr_2O_7^{2-} + 14H^+ + 6e^- = 2Cr^{3+} + 7H_2O$	1.33
$Pb^{2+} + 2e^- = Pb$	-0.126	$Cl_2 + 2e^- = 2Cl^-$	1.360
$HgI_4^{2-} + 2e^- = Hg + 4I^-$	-0.038	$MnO_4^- + 8H^+ + 5e^- = Mn^{2+} + 4H_2O$	1.51
$2H^+ + 2e^- = H_2$	0.000	$BrO_3^- + 6H^+ + 5e^- = 1/2\,Br_2 + 3H_2O$	1.52
$AgBr + e^- = Ag + Br^-$	0.0711	$Ce^{4+} + e^- = Ce^{3+}$	1.61
$S_4O_6^{2-} + 2e^- = 2S_2O_3^{2-}$	0.08	$HClO + H^+ + e^- = 1/2\,Cl_2 + H_2O$	1.63
$Co(NH_3)_6^{3+} + e^- = Co(NH_3)_6^{2+}$	0.108	$F_2(g) + 2e^- = 2F^-$	2.87

218

付表 7　　難溶性無機化合物の溶解度積（温度は 18〜25℃）

化　学　式	K_{sp}	化　学　式	K_{sp}
AgBr	5.20×10^{-13}	Hg_2I_2	4.5×10^{-29}
AgCN	1.2×10^{-16}	HgO	3.0×10^{-26}
Ag_2CO_3	8.1×10^{-12}	HgS	4×10^{-53}
$Ag_2C_2O_4$	3.5×10^{-11}	$MgCO_3 \cdot 3H_2O$	1×10^{-5}
AgCl	8.2×10^{-11}	$MgC_2O_4 \cdot 2H_2O$	1×10^{-8}
Ag_2CrO_4	2.4×10^{-12}	MgF_2	6.5×10^{-9}
AgI	8.3×10^{-17}	$MgNH_4PO_4$	3×10^{-13}
AgSCN	1.0×10^{-12}	$Mg(OH)_2$	1.8×10^{-11}
Ag_2S	6×10^{-50}	$MnCO_3$	1.8×10^{-11}
Ag_2SO_4	1.6×10^{-5}	$Mn(OH)_2$	1.9×10^{-13}
$Al(OH)_3$	2×10^{-32}	MnS(無定形)	3×10^{-10}
$AlPO_4$	3.9×10^{-11}	（結晶性）	3×10^{-13}
$BaCO_3$	5.1×10^{-9}	$Ni(OH)_2$	6.5×10^{-18}
$BaCrO_4$	1.3×10^{-10}	NiS	1.4×10^{-24}
BaF_2	1.0×10^{-6}	α	3×10^{-19}
$BaSO_4$	1.3×10^{-10}	β	1×10^{-24}
$Be(OH)_2$	7×10^{-22}	γ	2×10^{-26}
Bi_2S_3	1.0×10^{-97}	$PbCO_3$	3.3×10^{-14}
$CaCO_3$	4.8×10^{-9}	PbC_2O_4	4.8×10^{-10}
CaF_2	4.9×10^{-11}	$PbCl_2$	1.6×10^{-5}
$Ca(OH)_2$	5.5×10^{-6}	$PbCrO_4$	1.8×10^{-14}
$Ca_3(PO_4)_2$	3.10×10^{-23}	PbF_2	2.7×10^{-8}
$CaSO_4$	1.2×10^{-6}	PbI_2	7.1×10^{-9}
$Cd(OH)_2$	5.9×10^{-15}	$Pb(OH)_2$	1.6×10^{-7}
CdS	2×10^{-28}	PbS	8×10^{-28}
$Co(OH)_2$	2×10^{-16}	$PbSO_4$	1.6×10^{-8}
CoS	3×10^{-26}	$Sn(OH)_2$	8×10^{-29}
α	4×10^{-21}	SnS	1×10^{-25}
β	2×10^{-25}	$SrCO_3$	1.1×10^{-10}
$Cr(OH)_3$	5.0×10^{-31}	$SrC_2O_4 \cdot H_2O$	1.6×10^{-7}
CuCN	3.2×10^{-29}	$SrCrO_4$	3.6×10^{-5}
CuI	1.1×10^{-12}	SrF_2	2.5×10^{-9}
CuSCN	4.8×10^{-11}	$SrSO_4$	3.2×10^{-7}
Cu_2S	3×10^{-48}	TlI	6.5×10^{-8}
$Cu(OH)_2$	2.2×10^{-20}	TlSCN	1.7×10^{-4}
CuS	6×10^{-36}	Tl_2S	6×10^{-21}
$Fe(OH)_2$	8×10^{-16}	$Tl(OH)_3$	6.3×10^{-46}
FeS	6×10^{-18}	$ZnCO_3$	1.4×10^{-11}
$Fe(OH)_3$	7.1×10^{-40}	$ZnC_2O_4 \cdot 2H_2O$	2.8×10^{-8}
$FePO_4$	1.3×10^{-22}	$Zn(OH)_2$	1.2×10^{-17}
Hg_2Br_2	5.8×10^{-23}	$Zn_3(PO_4)_2$	9.1×10^{-33}
Hg_2Cl_2	1×10^{-17}	ZnS	1.2×10^{-23}
$Hg_2(CN)_2$	5×10^{-40}		

付表8　　　　　　　　異なる信頼限界における棄却係数 Q

N^b	Q_{80} 80% ($\alpha=0.20$)	Q_{90} 90% ($\alpha=0.10$)	Q_{95} 95% ($\alpha=0.05$)	Q_{96} 96% ($\alpha=0.04$)	Q_{98} 98% ($\alpha=0.02$)	Q_{99} 99% ($\alpha=0.01$)
3	0.886	0.941	0.970	0.976	0.988	0.994
4	0.679	0.765	0.829	0.846	0.889	0.926
5	0.557	0.642	0.710	0.729	0.780	0.821
6	0.482	0.560	0.625	0.644	0.698	0.740
7	0.434	0.507	0.568	0.586	0.637	0.680
8	0.399	0.468	0.526	0.543	0.590	0.634
9	0.370	0.437	0.493	0.510	0.555	0.598
10	0.349	0.412	0.466	0.483	0.527	0.568
11	0.332	0.392	0.444	0.460	0.502	0.542
12	0.318	0.376	0.426	0.441	0.482	0.522
13	0.305	0.361	0.410	0.425	0.465	0.503
15	0.285	0.338	0.384	0.399	0.438	0.475
20	0.252	0.300	0.342	0.356	0.391	0.425
25	0.230	0.277	0.317	0.329	0.362	0.393
30	0.215	0.260	0.298	0.309	0.341	0.372

D. B. Rorabacher, *Analytical Chemistry*, 63, 139 (1991)：Table I より転載.

索　引

222

224

基礎教育シリーズ

分析化学／機器分析編／〈第 2 版〉

ISBN 978-4-8082-3059-3

2011 年 4 月 1 日　初版発行	著者代表 © 本 水 昌 二
2021 年 9 月 1 日　2 版発行	発 行 者　鳥 飼 正 樹
2023 年 4 月 1 日　2 刷発行	印　刷 製　本　株式会社 三 秀 舎

発行所　株式会社 東京教学社

郵 便 番 号　112-0002
住　　　所　東京都文京区小石川 3-10-5
電　　　話　03 (3868) 2405
Ｆ　Ａ　Ｘ　03 (3868) 0673
http://www.tokyokyogakusha.com

元 素 の 周 期 表 (2022)

族 / 周期	1	2	3	4	5	6	7	8	9
1	1 H 水素 1.008 1s¹								
2	3 Li リチウム 6.94 2s¹	4 Be ベリリウム 9.012 2s²							
3	11 Na ナトリウム 22.99 3s¹	12 Mg マグネシウム 24.31 3s²							
4	19 K カリウム 39.10 4s¹	20 Ca カルシウム 40.08 4s²	21 Sc スカンジウム 44.96 3d¹4s²	22 Ti チタン 47.87 3d²4s²	23 V バナジウム 50.94 3d³4s²	24 Cr クロム 52.00 3d⁵4s¹	25 Mn マンガン 54.94 3d⁵4s²	26 Fe 鉄 55.85 3d⁶4s²	27 Co コバルト 58.93 3d⁷4s²
5	37 Rb ルビジウム 85.47 5s¹	38 Sr ストロンチウム 87.62 5s²	39 Y イットリウム 88.91 4d¹5s²	40 Zr ジルコニウム 91.22 4d²5s²	41 Nb ニオブ 92.91 4d⁴5s¹	42 Mo モリブデン 95.95 4d⁵5s¹	43 Tc* テクネチウム (99) 4d⁵5s²	44 Ru ルテニウム 101.1 4d⁷5s¹	45 Rh ロジウム 102.9 4d⁸5s¹
6	55 Cs セシウム 132.9 6s¹	56 Ba バリウム 137.3 6s²	57 La ランタン ⬇ 71 Lu ルテチウム	72 Hf ハフニウム 178.5 4f¹⁴5d²6s²	73 Ta タンタル 180.9 4f¹⁴5d³6s²	74 W タングステン 183.8 4f¹⁴5d⁴6s²	75 Re レニウム 186.2 4f¹⁴5d⁵6s²	76 Os オスミウム 190.2 4f¹⁴5d⁶6s²	77 Ir イリジウム 192.2 4f¹⁴5d⁷6s
7	87 Fr* フランシウム (223) 7s¹	88 Ra* ラジウム (226) 7s²	89 Ac アクチニウム ⬇ 103 Lr ローレンシウム	104 Rf* ラザホージウム (267) 5f¹⁴6d²7s²	105 Db* ドブニウム (268) 5f¹⁴6d³7s²	106 Sg* シーボーギウム (271) 5f¹⁴6d⁴7s²	107 Bh* ボーリウム (272) 5f¹⁴6d⁵7s²	108 Hs* ハッシウム (277) 5f¹⁴6d⁶7s²	109 M マイトネリ (276) 5f¹⁴6d⁷7

原子番号 → 1 H 水素 1.008 1s¹ ← 元素記号／元素名／4桁の原子量／基底状態の電子配置
（2周期以降の電子配置は前周期の希ガスの電子配置を省略して示してある）

ランタノイド

57 La	58 Ce	59 Pr	60 Nd	61 Pm*	62 Sm	63 Eu
ランタン 138.9 5d¹6s²	セリウム 140.1 4f¹5d¹6s²	プラセオジム 140.9 4f³6s²	ネオジム 144.2 4f⁴6s²	プロメチウム (145) 4f⁵6s²	サマリウム 150.4 4f⁶6s²	ユウロビ 152.0 4f⁷6s²

アクチノイド

89 Ac*	90 Th*	91 Pa*	92 U*	93 Np*	94 Pu*	95 Am
アクチニウム (227) 6d¹7s²	トリウム 232.0 6d²7s²	プロトアクチニウム 231.0 5f²6d¹7s²	ウラン 238.0 5f³6d¹7s²	ネプツニウム (237) 5f⁴6d¹7s²	プルトニウム (239) 5f⁶7s²	アメリシ (243 5f⁷7s